Schone schijn

Van dezelfde auteur:

Alles wat ze wil
Oude vrienden, nieuwe kansen
Te mooi om waar te zijn
De ware (… toch?)

Jane Green

Schone schijn

2005 – De Boekerij – Amsterdam

Oorspronkelijke titel: The Other Woman (Michael Joseph, Penguin Books)
Vertaling: Iris Bol
Omslagontwerp: marliesvisser.nl
Omslagfoto: The Image Bank

ISBN 90-225-4012-x

Dankbetuigingen

Voor hun hulp, steun en vriendelijkheid:

Heidi Armitage, Maxine Bleiweis, Margie Freilich-Den en iedereen van de bibliotheek van Westport, Deborah Feingold, Dina Fleischman, Anthony Goff, Charlie & Karen Green, Stacy & Michael Greenberg, dr. Melanie Mier, Louise Moor, Jean Neubohn, Donna Poppy, Deborah Schneider, Marie Skinner.

1

Ik hou er niet van om te doen alsof ik ziek ben en hoewel ik op dit moment graag zou zeggen dat ik me misselijk voel, is dat niet waar. Tenzij ik de zenuwen voor de bruiloft en alle bijbehorende stress meetel.

Toch heb ik vanochtend besloten dat ik een vrije dag verdien – misschien zelfs wel twee – dus heb ik al vroeg gebeld. Omdat ik weet dat ik slecht kan liegen, leek het me makkelijker om Penny, de receptioniste, te bedotten dan mijn baas.

'Ach, stakker,' zei Penny meelevend. 'Maar dat was te verwachten met de bruiloft en zo. Dat komt vast door alle spanning. Kruip maar lekker in bed in een donkere kamer.'

'Dat zal ik doen,' zei ik hees, voor ik besefte dat dat nergens op sloeg. Voor migraine hoef je niet te doen alsof je een zere keel hebt of zogenaamd te niezen. Ik heb toen maar snel opgehangen.

Vandaag heb ik het vage plan opgevat om iets heel leuks voor mezelf te doen, iets wat ik anders nooit zou doen. Een manicure, een pedicure of een gezichtsreiniging. Iets in die geest. Maar ik voel me natuurlijk hartstikke schuldig en hoewel ik niet eens in de buurt woon van mijn kantoor in het hippe Soho, weet ik gewoon zeker dat een van mijn collega's in mijn straat zal staan zodra ik mijn neus buiten de deur steek op de dag dat ik net doe alsof ik ziek ben.

Daar zit ik dan op een koude ochtend in januari. Ik kijk naar verschrikkelijke tv-programma's (hoewel ik net wel een item zag over opgestoken kapsels voor bruiloften, wat best eens van pas kan komen), en ik eet een heel pakje gevulde cakejes leeg (mijn laatste uitspatting voor ik echt ga lijnen voor de bruiloft). Ondertussen vraag ik me af of ik een masseuse, een echte, naar mijn huis kan laten komen om de spanning uit mijn lichaam te kneden.

Het lukt me om drie kwartier te verdoen met het bekijken van de advertenties in een huis-aan-huisblad, maar ik geloof niet dat ik zo'n masseuse zoek. Deze zijn 'gegarandeerd discreet' en 'sensueel en intiem'. Dan kom ik bij de contactadvertenties achter in het krantje.

Glimlachend lees ik ze door. Natuurlijk lees ik ze door. Mijn huwelijk mag dan bijna voor de deur staan, maar ik ben nog steeds benieuwd wat er in die wereld gebeurt, al heb ik zelf nooit een contactadvertentie gezet of er op een gereageerd. Maar ik ken iemand die het wel heeft gedaan. Eerlijk waar.

Ik voel een golf van warmte, en ja, ik geef het toe, zelfvoldaanheid. Ik hoef nooit meer te vertellen dat ik gevoel voor humor heb, of dat ik wel wat weg heb van Renée Zellweger, maar alleen als ik een pruilmondje trek en mijn ogen tot spleetjes knijp, of dat ik dol ben op de verplichte wandelingen in de natuur en me graag opkrul voor een houtvuur.

Op zich is dat allemaal wel waar, maar ik ben blij dat ik mezelf niet hoef te verklaren of te omschrijven. Ik hoef me nooit meer anders voor te doen dan ik ben.

De hemel zij dank voor Dan. Dank u, God, voor Dan. Ik steek mijn voeten in grote wollige slippers, doe mijn haar in een staart en sla Dans enorme badjas om me heen terwijl ik door de gang naar de keuken schaats.

Dan en Ellie. Ellie en Dan. Mevrouw Dan Cooper. Mevrouw Ellie Cooper. Ellie Cooper. Ik zing de woorden zowat, dolgelukkig met die onbekende klanken, die over een maand bewaarheid zullen worden. Zo leef ik toch nog lang en gelukkig.

Ondanks de bewolkte lucht en de motregen die de hele winter lijkt aan te houden, voel ik me opklaren, alsof de zon ineens door het raam in de woonkamer schijnt om mij te verwarmen.

Ik ontdek dat net doen alsof je ziek bent een probleem met zich meebrengt: je durft je huis niet uit, en op die manier verspil je de hele dag. En hoe minder je doet, hoe minder je wilt doen, dus om twee uur verveel ik me te pletter en voel ik me lusteloos en slaperig. In plaats van de voor de hand liggende oplossing te kiezen en weer naar bed te gaan, zet ik sterke koffie om wakker te worden. Ik neem een douche en kleed me eindelijk aan.

Het cappuccinoapparaat – een vroeg huwelijkscadeautje van mijn directeur – staat glanzend op het hoekje van het aanrecht en lijkt me welkom te heten. Het is het modernste apparaat in de keuken, misschien wel in het hele appartement. Als Dan er niet was, zou ik het nooit gebruiken, ook al ben ik dol op sterke cappuccino met veel melk. Ik ben nooit erg technisch geweest. Het enige waar ik qua techniek in uitblink, is de computer, maar zelfs daarmee loop ik langzamerhand een achterstand op nu mijn jongere collega's beginnen te klooien met iPods en MPEG's en de hemel mag weten wat nog meer.

Eigenlijk is mijn probleem niet zozeer computers, maar papier – gebruiksaanwijzingen, om precies te zijn. Ik heb gewoon het geduld niet om die door te lezen en bijna alles in de flat werkt als ik maar op genoeg knoppen druk en er het beste van hoop. Het is waar dat mijn videorecorder nooit iets heeft opgenomen, maar ik heb hem ook alleen gekocht om gehuurde banden op af te draaien, dus wat mij betreft voldoet hij prima.

Hoewel, nu ik eraan denk, werkt niet alles zo goed... Sinds een jaar zit er wel erg veel ijs in de vriezer. Ik vermoed dat er achter alle ijskegels een kartonnen beker met ijs van Ben & Jerry's staat die een jaar oud is. En in mijn stofzuiger zit nog altijd dezelfde stofzak als toen ik hem drie jaar geleden kocht omdat ik niet weet hoe ik hem moet vervangen – toen hij vol zat, heb ik er een keer een gat in geknipt en al het stof er met de hand uit gehaald. Daarna heb ik het gat dichtgeplakt met plakband en die methode werkt uitstekend. Denk je eens in hoeveel geld ik heb bespaard aan stofzuigerzakken.

O ja, dan is er de luxe, superdure cd-speler waar vierhonderd cd's tegelijk in kunnen, maar waar er nog nooit eentje in heeft gezeten.

Goed, de spullen mogen dan niet naar behoren werken, of zoals de fabrikanten het graag zouden zien, maar ik ben er tevreden mee en bovendien heb ik Dan nu. Dan die een nieuw apparaat met geen vinger aanraakt tot hij de gebruiksaanwijzing van begin tot eind heeft gelezen, tot de kleinste lettertjes aan toe, tot hij hem uit zijn hoofd kan opdreunen.

Daarom leest Dan tegenwoordig alle gebruiksaanwijzingen en laat mij dan zien hoe apparaten als stofzuigers, centrifuges en cappuccinoapparaten werken. Afgezien van het feit dat ik nu weet hoe ik cappuccino moet zetten is het enige voordeel daarvan dat Dan heeft geleerd om die demonstraties niet langer dan een minuut te laten duren. Als het langer duurt, luister ik niet meer en denk ik aan een nieuwe presentatie op het werk of droom ik eventueel over ronddobberen voor een onbewoond eiland op onze huwelijksreis.

Toch moet ik toegeven dat het cappuccinoapparaat geweldig is en ik blij ben dat ik heb geluisterd toen Dan me liet zien hoe het ding werkte. Drie dagen geleden is het bezorgd en ik heb er al negen keer gebruik van gemaakt. Twee kopjes 's ochtends voor ik naar mijn werk ga, één kopje als ik thuiskom en een of twee 's avonds na het eten, hoewel we na achten allebei op cafeïnevrij overschakelen.

Terwijl ik de koffie afmeet om de cappuccino te zetten, denk ik na over het feit dat ik de rest van mijn leven met een persoon zal delen.

Eigenlijk zou ik bang moeten zijn, of op zijn minst bezorgd. Maar ik voel me alleen maar opgetogen.

Alle twijfels die ik heb over dit huwelijk, over trouwen, over de rest van mijn leven bij Dan zijn, hebben helemaal niks met Dan te maken.

Maar alles met zijn moeder.

2

'... We waren met zijn drieën in dit huwelijk...'

Ik weet nog hoe triest prinses Diana met haar grote ogen in de camera keek toen ze die nu zo beruchte woorden sprak, en ik vroeg me af waar ze het in godsnaam over had en waarom ze zo dramatisch deed.

Maar nu, een paar weken voor mijn eigen bruiloft, weet ik precies wat ze bedoelde, met dat verschil dat het bij mij niet om een maîtresse gaat, maar om een matriarch.

Eigenlijk weet ik niet wat erger is.

Ik heb Dan ontmoet, ik ben verliefd op hem geworden en ik heb erin toegestemd met hem te trouwen in de overtuiging dat ik zou trouwen met... nou ja, met Dán natuurlijk. Nu er maanden van voorbereiding voorbij zijn, begin ik te begrijpen dat ik vooral ga trouwen met Dan en zijn moeder, en in iets mindere mate met zijn vader, broer en zus.

Begrijp me niet verkeerd. In het begin vond ik dat geweldig. Toen we elkaar net kenden en Dan me voorstelde aan zijn familie, was ik dolblij. Dolblij dat ik eindelijk de familie had gevonden waar ik altijd van had gedroomd. Een grote, warme, liefhebbende familie met broers en zussen en ouders die nog altijd gelukkig getrouwd zijn.

Toen Dan tijdens ons derde afspraakje bekende dat hij elke zondag naar zijn ouders ging voor de traditionele lunch, besloot ik ter plekke dat hij de uitverkorene was. Een man die nog altijd van zijn familie houdt, dacht ik. Een familie die zo hecht is dat ze elke week bijeenkomt. Wat wilde een vrouw nog meer?

Achteraf gezien kon ik ook niet anders denken, vooral omdat mijn eigen disfunctionele familie was opgehouden met bestaan rond de tijd dat mijn moeder doodging.

Niet dat er daardoor een gelukkig gezinnetje werd verwoest. Mijn moeder was alcoholiste: onvoorspelbaar, manipulatief en egoïstisch. Als ze nuchter was, was ze soms de moeder die ik me wenste. Dan kon ze aardig, warm, liefdevol en grappig zijn. Ik weet nog dat ik dol op haar was toen ik heel klein was, dat ze me meenam naar poppenkastvoorstellingen en vrolijk lachte als ik moest giechelen om Jan Klaassen en Katrijn. Dat ze me optilde terwijl ik me los probeerde te wringen en dat ze me overlaadde met kussen.

Helaas was ze niet altijd nuchter. Mijn vader en moeder gaven voortdurend feestjes, zodat ze voortdurend een reden hadden om te drinken. Dan hoorde ik muziek en gelach en kwam ik mijn kamer uit en ging ik op de bovenste tree van de trap zitten om de mooie avondjurken te zien zonder zelf gezien te worden.

Toen, in het begin, was het leuk als ze dronken was. 'Ik ben niet dronken,' zei ze dan lachend, 'alleen een beetje aangeschoten.' Maar ze leek in alles intenser te worden als ze dronken was, haar blijdschap leek duizend keer sterker te worden door de alcohol. Ze werd liefdevoller, levendiger, gewoon méér van alles.

Maar toen het drinken verergerde, veranderden de zaken. Haar blijdschap veranderde in teleurstelling, afkeer en ziekte, en de alcohol bleef dat alles versterken. Vroeger was ze leuk geweest, nu werd ze stuurs. In plaats van liefdevol werd ze afstandelijk. Vroeger had ze me bedolven onder de kussen, later viel ze me aan met beledigingen.

Na een poos trok mijn vader zich terug van ons allebei. Soms probeerde hij met haar te praten, maar dat draaide altijd uit op een grote schreeuwpartij, dus pakte hij zijn jas en ging weg, soms voor een paar uur, soms voor de hele nacht.

Ik leerde de tekens herkennen en wist wanneer ze had gedronken, wanneer ik uit haar buurt moest blijven. Ik had niet veel vriendinnen, maar degenen die ik had waren loyaal en begrepen het als ik een nacht bij hen wilde slapen, soms meerdere nachten per week.

Ik kan niet zeggen dat ik ongelukkig was. Ergens wist ik dat mijn vriendinnen geen moeders hadden die het ene moment een engel en het volgende een duivel waren, en hoewel ik soms jaloers was op de stabiliteit en warmte van hun gezin, miste ik het niet bij mij thuis. Tenslotte was dat het enige thuis dat ik kende.

Op 23 maart 1983 had ik geschiedenis en zat ik naast mijn beste vriendin Alison. Er werd over de Eerste Wereldoorlog verteld, maar ik droomde over mezelf, Simon Le Bon en ware liefde. Net toen hij in mijn ogen staarde voor die eerste, magische kus, gaf Alison me een harde por.

Ik keek haar aan en zag dat ze naar de deur van het klaslokaal wees. Door het glas zag ik, evenals de rest van de klas de directrice, mevrouw Dickinson, aankomen. Iedereen slaakte een diepe zucht, want het was duidelijk dat ze zou binnenkomen en mevrouw Dickinson was een formidabele verschijning die we anders alleen op het ochtendappèl zagen, en dat wilden we graag zo houden.

Ze was vast een lieve vrouw, maar de hele school was doodsbang voor haar, zelfs de leerlingen in de hoogste klas. Glimlachen was haar vreemd en ze beende altijd met grote passen door de gangen. Haar staalgrijze haar zat als een soort helm om haar gezicht en ze hield haar hoofd altijd hoog opgeheven terwijl ze met een angstaanjagende blik in de verte leek te staren.

De hele klas hield de adem in toen we de deurkruk omlaag zagen gaan. Toen stond ze voor ons en vroeg ze of ze mevrouw Packer, de geschiedenislerares, even kon spreken. Samen liepen ze het lokaal uit en de hele klas barstte los in een druk gefluister.

'Denk je dat er iemand in de problemen zit?'

'Zal er iemand moeten nablijven?'

'Wat denk je dat ze wil?'

'Misschien heeft mevrouw Packer iets verkeerds gedaan.'

En toen ging de deur open en kwamen de twee vrouwen weer naar binnen. Mevrouw Packer keek nu even ernstig als mevrouw Dickinson en zelfs zonder naar ze te kijken wist ik dat ze mijn naam zouden noemen en dat er iets vreselijks was gebeurd.

'Ellie?' zei mevrouw Packer zacht. 'Mevrouw Dickinson wil even met je praten.'

Ik voelde dat alle ogen op mij waren gericht toen ik mijn boeken verzamelde en naar mevrouw Dickinson liep. Ik deed mijn best de tedere hand op mijn schouder te negeren toen ze me meenam het lokaal uit en de deur achter ons dichtdeed.

Ze zei niks toen we door de lange gang naar haar kantoor liepen en als ik ouder was geweest, of minder benauwd voor haar, zou ik zijn blijven staan om te vragen of ze me uit mijn lijden wilde verlossen, of ze me direct kon vertellen wat er aan de hand was, maar dat deed ik niet. Ik sjokte naast haar, met mijn ogen op de grond gericht, in de wetenschap dat mijn leven op het punt stond te veranderen, zonder dat ik precies wist hoe.

In haar kantoor zei ze dat ik moest gaan zitten en vertelde ze, met haar liefste stem, dat er een vreselijk ongeluk was gebeurd en dat mijn moeder dood was.

Ik weet nog dat ik op die harde stoel zat en dacht dat ik eigenlijk zou moeten huilen. Kort daarvoor had ik een film gezien waarin een meisje te horen had gekregen dat haar paard was doodgeschoten en daarop was ze prompt in tranen uitgebarsten. Ook was ze opgesprongen en had ze 'Nee! Nee!' geschreeuwd. Ik overwoog hetzelfde te doen, maar het voelde niet echt, en ik kon niks bedenken om te zeggen of te doen, dus bleef ik naar de grond staren.

Ik geloof dat mijn gebrek aan reactie mevrouw Dickinson een onprettiger gevoel gaf dan ze mij ooit had gegeven. Ze wachtte tot ik zou gaan huilen, waarschijnlijk omdat ze haar armen om me heen wilde slaan om me te troosten, en toen ik dat niet deed, wist ze niet goed hoe ze verder moest gaan.

Ze verbrak de stilte door te zeggen dat er af en toe vreselijke en tragische dingen gebeuren en dat mijn vader nog steeds van me hield en dat mijn moeder altijd vanuit de hemel op me neer zou kijken.

Ik heb vaak gewenst dat ze dat laatste niet had gezegd. Ze zei nog veel meer, maar dat zinnetje is me altijd bijgebleven. Mijn moeder zou altijd vanuit de hemel op me neerkijken. Ik weet dat ze me wilde troosten, maar nog vele jaren daarna schoot het me steeds te binnen als ik met iemand naar bed ging. Net als mijn minnaar en ik ons aan de extase hadden overgegeven, schrok ik me plotseling dood omdat mijn moeder vanuit de hemel op me neerkeek. Dan moest ik snel de lakens optrekken zodat we allebei bedekt waren.

Zelfs toen ik nog in het kantoor van mevrouw Dickinson zat en luisterde naar haar monoloog over verdriet, dacht ik aan mijn moeder die op me neerkeek en huiverde ik bijna omdat dat zo griezelig was.

Toen kwam mijn vader om me op te halen en hij sloeg zijn armen om me heen en huilde, maar ik kon mijn gevoelens nog altijd niet uiten en voelde me verstijfd.

Mijn vader deed erg zijn best om een soort gezinsleven in stand te houden, maar omdat we dat nooit hadden gehad, wist hij niet precies wat hij moest doen.

In die begindagen probeerde hij elke avond een maaltijd op tafel te zetten en aten we terwijl er een ongemakkelijke stilte heerste. Hij stelde een paar vragen over school, die ik zo kort mogelijk beantwoordde. Allebei waren we ons goed bewust van de stilte, het ontbreken van geschreeuw, het ontbreken van woedeaanvallen en ge-
b̲r̲e̲k̲e̲n̲ servies.

̲ ̲ poos gaf hij het op. Dan belde hij om te zeggen dat hij

moest overwerken of dat hij een vergadering had, of andere plannen had gemaakt. Hij ging mij op dezelfde manier uit de weg als mijn moeder, evenmin in staat met mij te praten als met mijn moeder.

Niet dat ik dat erg vond. Toen niet. In die tijd was ik bezig jongens, wiet en feesten te ontdekken. Alleen geen alcohol. Daar bleef ik van af. Alison kwam elk weekend logeren en op vrijdag- en zaterdagavond gingen we met de bus naar West-Londen, op zoek naar feesten waar we binnen konden komen. Meestal kwamen we dan pas in de kleine uurtjes thuis, zo stoned als een garnaal, zonder dat er ouders waren die ons vertelden wat we moesten doen.

Toen ik achttien was, hertrouwde mijn vader. Ik heb haar een paar keer ontmoet. Mary: stijfjes, gereserveerd, aardig en saai. Alles wat mijn moeder niet was. Ze leek best aardig en mijn vader leek gelukkig. Tegen die tijd voelde ik me toch al een wees en ik nam hem zijn nieuwe huwelijk niet kwalijk, al zag ik hem bijna nooit meer.

Vandaag de dag moeten mensen lachen als ik ze vertel over mijn wilde jeugd. Niet over het overlijden van mijn moeder, dat niet, maar als ik ze vertel dat ik veel blowde, dat ik een puinhoop van ons huis maakte door feesten te geven, en dat ik tijdens de eerste twee jaar van mijn studie zo'n beetje met iedereen naar bed ging die me wilde hebben.

Ze lachen altijd ongelovig, want als ze me nu zien, met mijn chique, conservatieve kleding, mijn bescheiden make-up en mijn elegante schoenen met de hoge, maar niet té hoge hakken, dan geloven ze niet dat ik ooit iets opstandigs heb gedaan. Dan zegt altijd dat hij daarom verliefd op me is geworden: omdat ik eruitzag als een bibliothecaresse, maar toen hij wat verder keek de ondeugende Ellie zoals hij het noemt naar buiten zag komen.

We ontmoetten elkaar op het moment dat ik had besloten nooit ofte nimmer te gaan trouwen. Ik had al zo veel nachten gedroomd over een gezin, een huis gevuld met kinderen, gelach en lawaai: kortom, een huis dat het tegenovergestelde was van het huis waarin ik was opgegroeid. Ik had te veel nachten gedroomd over een toekomst die nooit zou komen, gedroomd over mannen die nooit zo waren als ik wilde.

Daarom besloot ik me op mijn werk te concentreren. Ik was drieëndertig en hoofd Marketing van een kleine keten luxehotels met boetieks. Misschien ken je ze wel, misschien heb je er zelfs ooit in een gelogeerd. Calden, heten ze. Kortweg Calden: 'Logeer je in

15

een Calden?' Ze zijn genoemd naar de oprichter, Robert Calden, en de stijl is die van Schrager, maar dan twee keer zo goedkoop, al zal ik altijd ontkennen dat ik dat heb gezegd.

Ik was dol op mijn baan. Ik vond het heerlijk om de marketing-overzichten te schrijven, onze doelstellingen en de toon te bepalen, en te bepalen wat we konden leveren, om vervolgens alles werke-lijkheid te zien worden.

Het gaf me een kick om nieuwe imagocampagnes voor ons be-drijf te bedenken en de creatievelingen van ons reclamebureau te briefen over onze wensen, die dan een paar weken later kwamen met grote borden waar hun presentatie op stond. De meeste daar-van vind ik zelfs nu nog bijzonder creatief en briljant.

Ik vond het leuk om promotieaanbiedingen te bedenken om de opbrengst per kamer te vergroten. Bijvoorbeeld direct-mailcam-pagnes om onze beste klanten te verleiden nog langer bij ons te lo-geren door ze een avondje privé-winkelen bij een warenhuis aan te bieden, of een verblijf van drie nachten voor de prijs van twee.

Het was niet zo vreemd dat de meeste mensen die in een Calden Hotel logeren – voornamelijk rijke mensen die daar zowel voor za-ken als voor hun plezier zijn – meestal gretig gebruikmaakten van die aanbiedingen. Ik was al vlug de rijzende ster van de marketing-afdeling.

Ik had het druk, mijn carrière liep op rolletjes en ik was gelukkig. Ondanks het feit dat ik vriendschappen meestal als iets van voorbij-gaande aard beschouwde, was ik erin geslaagd goede vrienden te vinden op mijn werk, die nog betere vrienden buiten het werk ble-ken te zijn, waardoor ik een bijzonder druk sociaal leven had.

Op een avond in december had ik een vergadering in de confe-rentiezaal op de bovenste verdieping van het Calden Hotel aan Ma-rylebone High Street, met een paar managers van American Ex-press met wie ik al maanden contact had proberen te krijgen. Ik had een voorstel gemaakt voor een promotieactie voor houders van hun platina creditcard: boek een weekend in een Calden Hotel via Ame-rican Express en je krijgt een etentje aangeboden bij een toprestau-rant in Londen en de beschikking over een auto met chauffeur.

De vergadering ging goed en na afloop gingen we met zijn allen iets drinken in de bar beneden. De Calden Hotels mogen dan niet helemaal naar mijn smaak zijn ingericht – ik hou van hotels die wat traditioneler en luxer waren – maar ik was dol op de bar, en vooral op het feit dat het op dat moment een van de hotspots was om te zijn en gezien te worden. Gelukkig lieten de portiers me altijd binnen, ook al droeg ik saaie zwarte mantelpakjes.

Er stonden talloze kaarsen op lage tafeltjes en op de dikke, moderne planken. Ook stonden er glazen vazen met een hoge hals met een amaryllis erin, en die bloemen zorgden voor een felle kleuruitbarsting tegen de spierwitte muren.

In plaats van stoelen stonden er banken – grote banken met dikke kussens. En langs een muur stond een rij tafels om spelletjes aan te spelen: backgammon, schaak en zelfs Monopoly en Triviant. Dat was een van de redenen waarom onze bar zo populair was: over onze wekelijkse spelletjesavond (mijn idee, al zeg ik het zelf) was geschreven in *Time Out*, gevolgd door *Metro* en zelfs in het uitgaanskatern van de *Sunday Times*, waardoor het nu bijna onmogelijk was om er nog binnen te komen.

Maar vandaag, op dinsdag, was het rustig. We gingen op een paar banken in een hoekje zitten, dicht bij een van de gigantische open haarden met een gasvuur, dat bijna – bijna – echt leek. De anderen dronken mojito's en ik nam cranberrysap met soda en een vleugje limoen.

We babbelden wat en voelden de zakelijke beslommeringen van onze schouders glijden toen ik om de een of andere reden omkeek. Ik had het gevoel dat er iemand naar me keek, al besefte ik dat pas achteraf. Achter me, op een andere bank, keek een man fronsend naar me. Ik keek hem vragend aan, maar zijn gezichtsuitdrukking veranderde niet, dus wendde ik mijn blik weer af.

Maar zelfs toen ik mijn best deed om weer deel te nemen aan het gesprek, voelde ik nog steeds zijn frons op mijn achterhoofd en het kostte me de grootste moeite om niet nog een keer om te kijken. Eindelijk vertrokken ze – ze hadden vrouwen en kinderen om naar toe te gaan – en toen ik opstond om weg te gaan, zag ik dat de man er nog steeds was.

Hij liep naar me toe en torende boven me uit, heel lang en heel ernstig.

'Waarom staar je me zo aan?' vroeg ik ongewoon vrijpostig.

'Neem me niet kwalijk. Maar ik weet gewoon zeker dat ik je ergens van ken.'

Ik sloeg mijn ogen ten hemel. 'Hoor ik nu niet te zeggen: "Dat zeg je vast tegen alle meisjes"?' Ik probeerde niet grappig te zijn, sterker nog: ik zei het praktisch smalend. Ik was moe, het was een lange dag geweest en ik was niet in de stemming voor afgezaagde versiertrucs.

'Nee. Ik meen het. Je komt me heel bekend voor.'

Ik wilde zelf een standaardzin spuien, maar hij keek ernstig en een beetje verbouwereerd.

'Hoe heet je?' vroeg hij.

'Ellie Black.'

Zijn gezicht lichtte op.

'Ik wist het wel! We hebben elkaar al eens ontmoet. Ongeveer vier jaar geleden bij een barbecue bij Alex en Rob. Ellie Black! Nu weet ik het weer. Je werkt op de marketingafdeling van Emap, en je woont in Queens Park!' Hij zei het triomfantelijk, om te bewijzen dat hij me niet zomaar probeerde te versieren.

Hij had gelijk. Ik was op dat feest geweest en toen werkte ik voor Emap. Ook al kon ik me hem niet meer herinneren, toch veranderde ik mijn gezichtsuitdrukking van geprikkeld in opgetogen verbaasd.

'O, ja!' riep ik uit. 'Nu herinner ik me jou ook weer. Maar ik weet je naam niet meer, sorry.'

'Dat geeft niet. Ik heet Dan Cooper. Toen werkte ik voor de tv-zender Channel Four. Als producent. We zeiden dat we een keer met elkaar zouden lunchen, maar…' Hij haalde zijn schouders op. 'Dat is er nooit van gekomen.'

Toen wist ik het weer. In die tijd had ik iets met Hamish; we bevonden ons nog in de eerste, uitgelaten fase en ik was ervan overtuigd dat hij de vader van mijn kinderen zou worden. We hadden ruzie gehad omdat hij naar Schotland ging om zijn familie te bezoeken zonder te vragen of ik mee wilde.

Daarom was ik alleen naar de barbecue bij een van de buren gegaan – vrienden van vrienden, waar ik niemand kende. Toch had ik me er direct thuis gevoeld.

Dan was op me afgekomen met een brede glimlach en lachrimpeltjes rond zijn ogen. Hij had zich voorgesteld en gevraagd of hij een biertje voor me kon halen, en ik weet nog dat ik hem heel aardig vond en bedacht dat het jammer was dat ik niet meer single was.

Het grootste deel van de avond flirtte ik onschuldig met hem, genietend van zijn aandacht, van het feit dat iemand belangstelling voor me had, en toen we vertrokken zei hij iets over lunchen en ik zei dat dat me leuk leek en dat hij me maar op kantoor moest bellen.

Ik was naar bed gegaan met een glimlach op mijn gezicht en de volgende ochtend werd ik al vroeg gewekt door een telefoontje van Hamish die zich uitgebreid verontschuldigde en zei dat hij me miste en steeds aan me moest denken, en prompt vergat ik alles over Dan.

Toen Dan me een paar weken later belde, wist ik echt niet meer wie hij was. We voerden een ongemakkelijk gesprek en aan het eind zei ik dat ik het op dat moment nogal druk had, maar dat ik hem zou bellen als het wat rustiger was.

Dat was de laatste keer dat ik aan hem had gedacht. Maar nu ik in de Calden-bar stond en in zijn vriendelijke, open gezicht keek, herinnerde ik me hem ineens weer. Om precies te zijn herinnerde ik me deze dingen weer…

Als hij glimlachte, lichtten zijn ogen op.

Hij was lang. Zo lang dat je je altijd beschermd en veilig voelde.

Hij was iemand die tevreden was met zichzelf en zijn plaats in het leven.

Hij had vroeger een poes gehad die Tetley heette.

Met een frons keek Dan Cooper me aan. 'Je kent me niet meer,' zei hij.

'Wel waar,' zei ik, en er verscheen een vage glimlach op mijn gezicht.

'Niet waar. Maar maak je niet druk. Het spijt me dat ik je heb lastiggevallen.'

'Maar ik weet nog wel wie je bent. Ho!' Ik pakte zijn arm beet om te voorkomen dat hij wegliep. 'Ik zal het bewijzen. Toen je vier was, had je een poes die Tetley heette.'

Toen was het zijn beurt om te glimlachen, en al snel zaten we naast elkaar op een bank. Toen we drie uur later weggingen, deed mijn gezicht pijn omdat ik de hele avond had geglimlacht – geglimlacht, gepraat en gelachen.

Samen liepen we naar buiten en hij hield een taxi aan en liet me instappen.

'Ik zou willen voorstellen om een keer te gaan lunchen, maar ik weet nog wat er vorige keer is gebeurd,' zei hij en ik deed iets wat zo vreemd was dat ik nog steeds niet kan geloven dat ik er het lef voor had.

Ik boog me voorover en kuste hem. Een lange, zachte kus op zijn lippen, waardoor ik vlinders in mijn buik kreeg van opwinding.

En toen ik de kus verbrak en zijn gezicht zag, gaf ik hem een knipoog. 'Dat weet je pas als je het probeert,' zei ik lachend. Ik stopte een visitekaartje in zijn hand en ging lekker op de bank zitten toen de taxi wegreed.

De volgende ochtend belde hij en die middag gingen we lunchen. Normaal gesproken zou ik het onprettig hebben gevonden dat hij zo gretig was, maar ik was geen wispelturige twintiger meer. Ik was drieëndertig en ik had genoeg ervaring om te weten of iets goed zou uitpakken of niet.

Er waren heel wat dingen die ik al snel leerde waarderen aan Dan, vooral dat hij liet merken dat hij dolgraag kinderen wilde. Dat hij de vader zou zijn die ik zelf altijd had gewild.

19

Maar ik hield ook van zijn geur. Hij rook altijd naar citroen. En ik vond het leuk dat hij alles wist over Arsenal en graag urenlang met zijn vrienden in de pub zat om herinneringen op te halen aan een wedstrijd in 1984.

Ik vond het leuk dat hij een kast vol nette kleren had die hij nooit droeg. Meestal liep hij in rugbyshirts, of in grote, uitgelubberde truien die zacht en knuffelig waren. Kleren die altijd heerlijk aanvoelden.

Toen het serieus werd tussen ons stelde ik hem aan mijn vader voor. We reden naar Potters Bar voor een ongemakkelijke lunch met pap en Mary, en ik vond het jammer om te merken dat mijn vader en ik zo ver uit elkaar waren gegroeid dat de kloof niet kon worden overbrugd. Maar ik vond het fijn dat we het juiste hadden gedaan en de volgende stap was een ontmoeting met zijn familie.

Ik had het gevoel dat ik hen al kende van alle verhalen, van de foto's die overal in Dans appartement stonden en van zijn moeders stem op het antwoordapparaat.

'Weet je zeker dat ze me aardig zullen vinden?' vroeg ik van tijd tot tijd in de dagen voor mijn eerste lunch bij de familie Cooper.

'Natuurlijk!' Dan kuste me en gaf me een geruststellend kneepje. 'Ze zijn vast dol op je.'

'Maar je moeder mocht je laatste vriendin niet. Hoe kun je dat dan zeker weten?'

'Geloof me, dat weet ik gewoon. En trouwens, ze had toch gelijk over mijn laatste vriendin?' Die laatste vriendin was ervandoor gegaan met een acteur, en blijkbaar had Dans moeder bij de eerste ontmoeting al geweten dat ze niet te vertrouwen was. Al had ze dat natuurlijk pas na afloop gezegd.

'Ze zal dol op je zijn, en jij op haar. Als ik niet beter wist, zou ik zeggen dat dit een relatie uit duizenden zal worden.'

'Heel grappig,' zei ik, maar ik moest toch lachen. Zelfs toen ik de ene na de andere kledingcrisis beleefde voorafgaand aan de grote dag, verheugde ik me er nog op. Want was dit niet de familie waar ik altijd naar had verlangd?

3

Dans ouders wonen in een groot Victoriaans huis in een rustige straat vol bomen op de grens van Hampstead en Belsize Park. In dit huis is Dan opgegroeid en hij vindt het fantastisch dat zijn kamer nog altijd zijn kamer is, dat het huis vol herinneringen is aan zijn jeugd.

Op een dag reden we erlangs en wilde hij even aanwippen om zijn ouders gedag te zeggen, maar ik was nog niet aan een ontmoeting met hen toe. Ik had veel meer tijd nodig om me erop voor te bereiden.

Niet dat ik bang was, maar ik wilde gewoon dat ze me aardig zouden vinden. Nee, ik wilde dat ze dól op me zouden zijn. Vooral omdat Dans moeder zijn vorige vriendinnen had afgekeurd, wilde ik dat ze mij op het eerste gezicht geknipt voor hem zou vinden. Dat ze vond dat ik de ware voor hem was.

Dan en ik wisten al dat we samen een toekomst hadden en hij had zijn familie verteld hoe serieus onze relatie was. En hoewel het niet zo belangrijk had moeten zijn, hunkerde ik naar hun goedkeuring, verlangde ik ernaar dat ze me welkom zouden heten, me zouden behandelen als een van hen.

Alleen al de aanblik van het huis deed me ernaar verlangen erbij te horen, bij hen te horen. Het was het soort huis waar ik altijd van had gedroomd. Groot, maar niet te groot, indrukwekkend zonder overdreven imposant te zijn. Tegen de rode stenen zat klimop, bijna zo hoog als de drie topgevels.

Het huis had glas-in-loodramen en de met kiezelstenen bedekte oprit liep in een grote boog door de tuin. In het midden van de tuin stond een enorme oude eik, en hoewel er hier en daar wat onkruid tussen de kiezelstenen door kwam, zou de tuinman dat vast binnenkort weghalen.

Linda en Michael Cooper. Hij is een advocaat, een hooggeplaatste maar liefst. Ik heb zijn naam opgezocht met Google en ontdekt dat hij de reputatie heeft een van de besten binnen zijn vakgebied te zijn. Hij heeft zich gespecialiseerd in handelsrecht en heeft zijn eigen kantoor in de Middle Temple, en op foto's ziet hij er veel minder indrukwekkend en imposant uit dan zijn reputatie doet vermoeden.

Hij is knap op een soort grauwe, vervaagde manier, en op alle foto's in Dans appartement wordt hij overschaduwd door zijn vrouw, de mooie Linda.

Linda Cooper, geboren Campbell. Ze is geboren en getogen in Hampstead, heeft de middelbare meisjesschool South Hampton High School for Girls overleefd en ze heeft de universiteit van Oxford verlaten zonder bul. Daar studeerde ze geschiedenis, wat heel ongebruikelijk was voor meisjes van haar generatie.

Dit is Dans versie van het verhaal: zijn moeder en vader hebben elkaar op de universiteit leren kennen, waar iedereen het over Linda had vanwege haar op Biba geïnspireerde kleding en haar op Twiggy geïnspireerde figuur. Dat ze slim, sterk en eigenzinnig was, droeg daar alleen maar aan bij. Net als haar benen.

Zij was het meisje met wie iedereen gezien wilde worden, het meisje dat altijd haar hoofd in de nek gooide en het uitschaterde, het meisje dat niet leek te merken hoeveel aandacht ze overal trok.

Michael was de ster van het roeiteam en had daardoor zelf ook een grote aanhang. Linda had hem voor het eerst gezien tijdens de jaarlijkse roeiwedstrijd tussen Oxford en Cambridge en had ter plekke besloten dat ze hem zou krijgen.

Hem krijgen was natuurlijk geen probleem, maar haar zwangerschap, elf maanden later, bleek wat lastiger te zijn.

Ze waren jong en verliefd, en ze wisten zeker dat ze bij elkaar hoorden. Wat maakte het uit dat ze hun leven wat moesten aanpassen?

Ze trouwden haastig in het gemeentehuis van Marylebone, waar een mini-jurkje van Mary Quant en een groot boeket rozen Linda's dikker wordende buik verhulden.

Linda gaf haar studie op en was er tevreden mee om huisvrouw en moeder te zijn, en toen Dan werd geboren was ze ervan overtuigd dat ze een goede beslissing had genomen.

Dan heeft nog altijd foto's van een Linda die er prachtig uitziet, ook al is ze pas enkele weken daarvoor bevallen. Ze heeft haar kleine baby in haar armen en kijkt liefdevol in zijn grote blauwe ogen (die nu bruin zijn, voor het geval je het wilt weten).

Drie jaar later werd Emma geboren en weer drie jaar later Richard. Toen woonden ze in een buitenwijk van Londen, en Linda was de ideale huisvrouw die vriendschap sloot met alle buren en theepartijtjes organiseerde voor haar kinderen.

Volgens Dan is ze de ideale moeder. Hij zegt dat hij haar aanbidt en dat ik dat ook zal doen. Hij zegt dat ze niet alleen sterk, eigenzinnig en openhartig is, maar ook warm, lief en aardig.

Op de foto's van Linda met haar kinderen straalt ze altijd, maar op de foto's met haar echtgenoot lijkt ze gereserveerder. Volgens Dan zijn haar kinderen haar oogappels, maar zijn ouders zijn nog altijd bij elkaar, zo gelukkig als mogelijk is, en dat is tegenwoordig een zeldzaamheid.

Ik heb Dan gevraagd of hij haar lievelingetje is, waarop hij zijn schouders ophaalde. Hij zegt dat Richard de jongste is en Emma de rebel. Het zou best kunnen dat hij haar lieveling is, maar dat komt alleen doordat hij de oudste is. Zijn moeder belt hem elke dag, soms zelfs twee keer, en hij beweert dat hij haar alles vertelt.

Ik weet niet of dat normaal is. Ik kan het nergens mee vergelijken, maar als ik de oogappel was van een moeder die van me hield, zou ik het geweldig vinden als ze me elke dag belde. Ze zou mijn raadgever en mijn beste vriendin zijn. Ik weet zeker dat ik haar bij alles om advies zou vragen, en daarom vond ik het in het begin helemaal niet vreemd. Er viel me echt nooit iets ongebruikelijks op.

Ik hoorde Dan urenlang uit over zijn familie en probeerde zo veel mogelijk over ze te weten te komen voor ik ze zou ontmoeten. Ik probeerde te begrijpen wie ze waren, hoe ze waren, en hoe ze wilden dat ik zou zijn.

Toen was de grote dag eindelijk aangebroken en gingen we naar zijn ouders voor de zondagse lunch. Emma en Richard zouden er ook zijn.

Mijn kledingcrisis was opgelost en ik droeg een klassieke zwarte pantalon en een witte blouse. Om mijn hals droeg ik een zilveren ketting en aan mijn voeten platte zwarte schoenen. Prima kleding voor een warme lentedag, maar zelfs voor mijn doen nogal conservatief. Ze moesten wel van me houden, dacht ik. Ik zag eruit als het stereotiepe buurmeisje.

Op het laatste moment deed ik mijn haar in een staart en sloeg een felgroene trui om mijn schouders. 'Klaar!' riep ik tegen Dan, die beneden ongeduldig met zijn voet tikte.

Ik rende de trap af en Dan begon te lachen.

'Wat is er? Zie ik er zo erg uit? Waarom lach je? Shit. Ik ga me omkleden.'

'Nee, Ellie!' zei Dan verontschuldigend. 'Alleen zie je er net zo uit als mijn moeder. Anders draag je nooit zulke kleren, dat is alles. Ik ben er niet aan gewend je zo te zien.'

Ik begon te kreunen. 'God, wat erg. Ik moet iets anders aantrekken.'

'Nee!' Dit keer klonk hij strenger. 'Daar hebben we geen tijd voor. En trouwens, je moet het als een compliment opvatten. Mijn moeder is de elegantste vrouw die ik ken, en je ziet er prachtig uit.'

'Echt waar?' Ik kalmeerde een beetje.

'Echt waar. Het kan niet beter. Ze zullen dol op je zijn.'

Het had me niet moeten verbazen dat Linda, of mevrouw Cooper, zoals ik haar toen noemde, de deur opendeed in een zwarte broek en een witte blouse, een ketting om haar hals en een oranje trui om haar schouders. Het enige verschil tussen ons was dat haar kleding overduidelijk van dure ontwerpers was. Haar blouse was van zijde, haar trui van kasjmier en haar ketting van goud.

Ik hield een beetje afstand om haar te bekijken terwijl zij haar armen om Dan heen sloeg en hem stevig knuffelde.

Toen ze hem had losgelaten, keek ze naar mij met een warme glimlach op haar gezicht. Ik glimlachte terug en voelde me onhandig. Ik wist niet of ik haar een hand moest geven of een kus op haar wang, en ik wilde niet het verkeerde doen.

Ik stak haar de pioenen toe die ik voor haar had gekocht en zei dat het leuk was haar te ontmoeten. Ze nam de bloemen aan en bedankte me. Daarna sloeg ze haar armen even om me heen en ik ontspande me direct.

'Ellie,' zei ze, en ze pakte mijn arm vast om me mee naar binnen te nemen. 'We hebben al zo veel over je gehoord. En moet je zien!' Ze wees eerst op haar eigen kleren en toen op de mijne. 'We hadden wel een tweeling kunnen zijn.'

Ik lachte en volgde haar de keuken in. 'Dan is er, jongens!' zei mevrouw Cooper, en Dans vader legde een mes op een snijplank en kwam me een hand geven.

'Hoe maak je het?' Dat vond ik nogal formeel, maar toen glimlachte hij en wist ik dat ik hem zou mogen. 'Sorry,' zei hij verontschuldigend, en hij veegde zijn hand af aan een theedoek. 'Ze hebben me aan het werk gezet met de tomaten en ik zit onder het sap.'

Ik begon te lachen toen een andere stem zei: 'We proberen hem duidelijk te maken dat het niet allemaal vrouwenwerk is. Hoi!'

Emma zat aan de keukentafel in het glossy blad *Hello!* te lezen. Ze knabbelde daarbij op in honing geroosterde nootjes die in een aardewerk schaaltje op de tafel stonden. Ze keek even op en zei haar broer gedag. Daarna bekeek ze mij van top tot teen en ik wenste dat ik iets anders had aangetrokken, want ik zag onmiddellijk dat ze me saai, conservatief en te ouwelijk voor mijn leeftijd vond.

En wie kon haar dat kwalijk nemen? Emma was maar een jaar jonger dan ik, maar ze zag eruit alsof ze uit een trendy tijdschrift was gestapt. Ze droeg een strakke broek die laag op de heupen hing, met hoge puntlaarzen en een strak truitje, en ze had vuurrode lokken in haar haar.

'Ik ben Emma, maar dat had je vast al begrepen,' zei ze. 'En jij bent natuurlijk Ellie. Wat raar,' zei ze lachend. 'Je hebt dezelfde kleren aan als mam.'

Dans vader bekeek me grondig en keek toen naar Linda, waarna hij begon te lachen.

'Lieve hemel!' zei hij. 'Dat is ook toevallig.'

'Ik weet het.' Ik trok een gezicht. 'Ik voel me een beetje opgelaten, alsof ik tien jaar ouder probeer te lijken dan ik ben.'

'Nee. Je ziet er prima uit. Klassiek. Mam zou graag zien dat ik me meer kleedde zoals jij. Ze zegt altijd tegen me dat ik geen geld moet uitgeven aan de nieuwste kleding van ontwerpers omdat die maar een jaar in de mode is en het geldverspilling is. "Koop een paar klassieke dingen," zegt ze dan, maar dat is gewoon niks voor mij.' Ik vond het leuk dat Emma meteen tegen me begon te babbelen en ik voelde me direct thuis, alsof ik haar al eeuwen kende.

'Maar jij ziet er geweldig uit,' zei ik lachend. 'Zo zou ik me ook wel willen kleden, maar dan zou ik me ongemakkelijk voelen. Alsof iedereen naar me kijkt en zou weten dat ik niet echt trendy ben, maar alleen doe alsof.'

Lachend zei Emma: 'Gedeeltelijk hoort het bij mijn baan.'

'Wat doe je dan?' vroeg ik, hoewel ik het al wist.

'Ik ben styliste,' zei ze. 'Ik werk vooral aan fotosessies voor tijdschriften. Dus ik ben vaak bij modellen en fotografen; vandaar dat ik eruit moet zien alsof ik erbij hoor. Dan vertelde dat jij voor Calden werkt.'

Ik knikte.

'Daar ben ik gisteravond nog geweest. Wat een geweldige baan, en jullie hebben een toffe bar.'

'Als je erin komt.'

'In de week dat hij werd geopend heb ik mijn best gedaan om bevriend te raken met de portiers,' bekende ze. 'Nu behoren Luke en Sean tot mijn beste vrienden.'

'Althans, tot ze je proberen te versieren en je ze afwijst.'

'Dat durven ze vast niet,' zei Emma lachend. 'Volgens mij vinden ze al die aandacht van de dames veel te leuk.'

Dan kwam achter me staan en sloeg zijn armen om mijn middel. 'En hoe vind je mijn kleine zusje?'

'Ik ben alleen je kleine zusje omdat ik jonger ben,' zei Emma snuivend, en ze at nog een halve hand noten. 'Qua volwassenheid loop ik tien jaar op je voor. Heeft niemand je verteld dat meisjes zich veel sneller ontwikkelen dan jongens?'

'Ik zou je tegenspreken als je niet van die puntige laarzen droeg,' zei Dan grinnikend. 'Ik weet nog hoe je me een keer in mijn ballen hebt geschopt met je stilettohakken.'

Emma schudde haar hoofd en keek me aan. 'Ongelooflijk, hè? Ik was pas veertien, maar hij heeft me nog altijd niet vergeven.'

'Kinderen, kinderen,' zei mevrouw Cooper vermanend. Ze kwam aan de tafel zitten en trok het tijdschrift naar zich toe, zodat ze de nieuwste foto's van Jennifer Lopez beter kon zien. 'Willen jullie vandaag alsjeblieft geen ruziemaken? We hebben elkaar al in geen weken gezien.'

'Je bedoelt twee weken.' Dan glimlachte toen zijn moeder haar schouders ophaalde. 'Waar is mijn dolende broertje eigenlijk?' vroeg hij. 'Wat voor streken haalt hij nu weer uit?'

'O, begin nou niet weer,' zei mevrouw Cooper. 'Hij had een afspraak met…'

'… iemand over iets?' onderbrak Emma haar, en hun vader probeerde bij het aanrecht zijn gegrinnik te onderdrukken.

'Hou op, jullie twee,' zei hij. 'Hij had een vergadering over een nieuwe internetonderneming.'

'Een vergadering? Op zondagochtend? Dat meen je niet.'

'Je weet hoe Richard is. Zijn kantooruren zijn heel anders dan de onze.'

'Dat komt omdat hij nooit werkt.' Emma schudde haar hoofd. 'Gelukkig schieten mam en jij hem steeds te hulp, anders zou ik hem elke ochtend een paar pond moeten geven op een straathoek.'

'Emma!' Mevrouw Cooper keek geërgerd. 'Dat Richard zijn draai nog niet heeft gevonden wil nog niet zeggen dat dat nooit zal gebeuren. En dat te hulp schieten slaat nergens op. Je weet er niks van, en vergeet bovendien niet van wie je pas die laptop hebt gekregen.'

'Alleen omdat je er een voor Richard ging kopen en het goedkoper was als je er twee kocht.'

De spanning liep op, en hoewel het interessant was om te zien hoe de gezinsleden met elkaar omgingen, voelde ik me zo ongemakkelijk dat ik over een ander onderwerp begon.

'Kan ik misschien ergens mee helpen, mevrouw Cooper?'

Ze keek me aan en ontspande zich zichtbaar. 'Nee, Ellie, alles is geregeld. Ik heb Dans lievelingsmaaltijd gemaakt: rosbief met yorkshirepudding.'

'Ik wist niet dat dat je lievelingseten was.' Ik keek naar Dan. 'Had het me maar verteld, dan had ik het voor je gemaakt.'

'Ah,' zei mevrouw Cooper, die opstond. 'Maar dat zal nooit helemaal hetzelfde zijn als van zijn moeder, nietwaar?' Ik bleef zitten en dacht na over die opmerking. Was het een belediging, of was ze gewoon een moeder die dol was op haar zoon? Op dat moment gaf ze me een klopje op mijn arm. 'Noem me toch niet de hele tijd "mevrouw Cooper". Zeg maar Linda. "Mevrouw Cooper" doet me altijd denken aan mijn schoonmoeder.' Ze wierp een blik op haar echtgenoot en zei zachtjes: 'En eerlijk gezegd denk ik liever niet aan haar als het even kan.'

'Mam!' zei Emma. 'Ze is pas een paar maanden dood. Laat die arme vrouw ten minste koud worden in haar graf voor je rotopmerkingen over haar gaat maken.'

'Je hebt gelijk. Het spijt me. Moge die ouwe taart in vrede rusten.' Linda zei het zo zacht dat haar man haar niet kon horen en Emma sloeg haar ogen ten hemel voor ze verder las in haar tijdschrift.

'Aha.' Dan sprong op en omhelsde zijn broer. 'De verloren zoon keert terug.'

'Richard!'

Linda haastte zich naar hen toe en duwde Dan praktisch aan de kant om Richard te omarmen. Daarna bukte Richard zich en drukte een zoen op Emma's wang, voor hij mij met een ondeugende grijns een hand gaf.

Ik wist meteen dat hij alles kon maken. Hij was een magerder, jongere, leukere versie van Dan. Ik vind Dan een schatje, maar dat komt doordat ik van hem hou. Richard liep echter zo over van charme dat de kans erin zat dat een van ons een dweil moest pakken om die van de vloer te vegen.

'Jij moet de schone Ellie zijn,' zei hij. Hij gaf me een kus en onwillekeurig bloosde ik een beetje. 'Godzijdank heeft Dan eindelijk iets van mijn goede smaak geërfd.'

'Goede smaak? Doe normaal. Je laatste vriendin zag eruit alsof ze net van de tippelzone kwam.'

'Heb je mijn bittere zus al ontmoet?' vroeg Richard met opgetrokken wenkbrauw.

27

'Nee, nee, ik ben niet bitter, maar béter dan jij.'

Ik leunde achterover en hoorde alles geamuseerd aan. Michael en Linda legden de laatste hand aan het eten terwijl Dan, Richard, Emma en natuurlijk ikzelf, de toeschouwer, aan de keukentafel zaten. Ik zag ze kibbelen en lachen om opmerkingen die opgevat zouden kunnen worden als beledigingen, maar die teniet werden gedaan door de liefde die zo sterk aanwezig was.

'Zeg, Ellie, heb jij broers of zussen?' riep Linda uit de keuken.

Spijtig schudde ik mijn hoofd en liep naar haar toe. 'Ik heb altijd deel willen uitmaken van een groot gezin, maar mijn moeder is overleden toen ik een tiener was en mijn vader is later hertrouwd.'

Linda staakte haar bezigheden en keek me bezorgd aan. 'O, wat erg,' zei ze. 'Hoe is ze gestorven?'

'Ze is omgekomen bij een auto-ongeluk toen ik dertien was.' Natuurlijk zei ik er niet bij dat ze dronken was geweest.

Dans vader keek ontdaan. 'Vreselijk,' mompelde hij. 'Wat erg voor iemand die nog zo jong was.'

'Arm kind. Nog zo jong,' herhaalde Linda. 'Hebben jij en je vader een hechte band?'

Ik schudde mijn hoofd. 'Hij is hertrouwd en woont in Potters Bar, dus ik zie hem niet zo vaak. Hij heeft wel twee kinderen met zijn nieuwe vrouw, dus officieel heb ik twee halfbroers, maar ik heb hen maar een paar keer ontmoet.'

'Is dat alles?' vroeg Linda vol afschuw. 'Heb je verder geen familie? Ooms? Tantes? Grootouders?'

'Nee, maar dat geeft niet. Ik ben eraan gewend, ook al heb ik altijd gedroomd van broers en zussen en een groot gezin zoals dat van jullie.'

'Mooi zo,' zei ze. Ze sloeg een arm om mijn schouder en drukte me tegen zich aan. 'Want nu kun je deel uitmaken van ons gezin. Wat vind je daarvan?'

'Dat lijkt me geweldig.' En dat was ook zo.

De lunch was heerlijk. En lawaaiig. En hij duurde lang. Dan, Emma en Richard veranderden steeds meer in de tieners van vroeger, en ik deed mee, ik kon er niks aan doen. Ik voelde me net een ondeugend schoolmeisje dat giechelde om privé-grapjes die de ouders niet mochten horen.

Het was overduidelijk dat Linda de broek aanhad in huis. Michael leek een beetje verdwaasd door alles wat er gebeurde, hij was lief en joviaal, maar hij zei steeds minder tijdens de maaltijd, vooral omdat hij steeds in de rede werd gevallen door zijn vrouw.

Dan en Richard werden duidelijk aanbeden door hun moeder, die hen telkens met een glimlach aankeek. Ze vroeg Richard naar elk aspect van zijn leven.

'Denk je dat die internetonderneming iets wordt?' vroeg ze.

Richard knikte met een ernstig gezicht. 'Volgens mij wordt het een groot succes,' zei hij. 'De vergadering van vanochtend ging heel goed en zodra we de financiering rond hebben, gaan we aan de slag.'

'Eh... ik wil je niet ontmoedigen,' – Linda sloeg haar ogen ten hemel op het moment dat Emma haar mond opendeed – 'maar heeft niemand je verteld dat de internethype voorbij is?'

'Weet je, Emma,' zei Linda voor Richard ook maar iets kon zeggen, 'mensen met goede ideeën redden het prima. Kijk maar naar Amazon. En Google. En wat dacht je van eBay? De mensen verdienen dan wel niet meer zo belachelijk veel geld als in de beginjaren, maar als dit idee zo opwindend is als Richard denkt, dan is er geen reden waarom het niet zal slagen.'

'Dat zei je ook over die conciërgeservice die hij vorig jaar begon. En wat was het daarvoor ook alweer? Een of andere motiveringscursus waarmee mensen zichzelf konden helpen?'

'Er waren anders goede redenen waarom die dingen niet lukten,' zei Richard verdedigend. 'Voornamelijk omdat de tijd er niet rijp voor was. Hoe konden wij nou weten dat concurrenten met meer geld tegelijkertijd zo'n onderneming begonnen?'

'Eh... marktonderzoek?'

'Emma,' zei Linda ijzig, 'laat je broer voor de verandering eens met rust.'

'Ja,' stemde Richard in. 'Als jij een bedrag verdient van meer dan zes cijfers, praten we nog wel eens verder.'

'Zodat je me geld kunt aftroggelen voor je volgende onderneming, zeker?' Emma begon te grijnzen en Richard gaf haar speels een klap.

'Doe niet zo stom,' zei hij lachend. 'Waarom zou ik jou geld willen aftroggelen, terwijl Dan a) veel aardiger is dan jij, en b) meer geld heeft?'

'Vergeet pap niet,' zei Dan. 'Dat is de investeerder die je echt moet aanschieten.'

'Pap,' zei Emma zo lief mogelijk, 'die auto waar ik het over had...'

'Vergeet het maar,' zei Linda. 'Er mankeert niks aan jouw auto. Kunnen we nu ophouden over geld? Wat moet Ellie wel niet van ons denken?'

Wat ik denk, is dat ze blij moeten zijn dat ze elkaar hebben, dat ze dit hebben. Dat ze kunnen ruziemaken, kibbelen, lachen en duwen en trekken, en dat alles in de wetenschap dat ze naderhand nog steeds van elkaar houden.

Zo voelen zij het natuurlijk niet, want zij weten niet beter, net zoals ik niet beter weet.

Wat een geluk hebben zij. Al zijn ze zich daar totaal niet van bewust. Vooral Emma niet. Ik zag Emma met haar moeder, voelde de spanning tussen hen en ik werd verdrietig omdat Emma niet beseft hoe dankbaar ze moet zijn dat ze een moeder heeft, zeker een moeder als Linda.

Als ik Emma was, en als Linda mijn moeder was, zou ik trots en dankbaar zijn. Ik zou veel met haar optrekken en met haar gaan winkelen. We zouden samen lunchen en roddelen en ik zou haar in vertrouwen nemen over mijn problemen met mannen en vriendschapsdilemma's.

Met een vrouw als zij kun je naar een beautyfarm gaan, van die echte vrouwendingen doen, zonder je daar schuldig over te voelen.

En als de zaken slecht gingen, als ik de bons had gekregen, of me eenzaam voelde, of als het leven niet zo liep als ik verwachtte, dan zou ik naar huis vluchten om me door Linda kippensoep, gestoofd rundvlees en yorkshirepudding te laten voeren. Dan zou ik haar medeleven willen, haar vriendschap, haar goedkeuring en haar begrip.

Als ik Emma was, zou mijn moeder mijn beste vriendin zijn, en hoe graag ik Emma ook mocht, hoe makkelijk ik tijdens de lunch ook met haar had kunnen praten, ik merkte dat hun relatie gespannen was. Daarom wilde ik haar graag laten zien wat zij had, haar vertellen over mijn eigen leven en dat ik niemand had gehad. Tot ik Dan ontmoette.

4

'Ze waren dol op je,' verkondigde Dan de volgende dag. 'Al was dat te verwachten.'

'Echt waar?' Ik kon de opluchting en verrukking in mijn stem niet verbergen.

'Ja zeker,' zei hij met een grijns. 'Sterker nog, mijn moeder zei dat je geknipt voor me was.'

'O, o.' Dan en ik hadden samen op de bank zitten knuffelen, maar nu schoof ik een stukje van hem vandaan en keek ik hem scherp aan. 'Je bent toch niet zo'n man die alleen iets begint met vrouwen die afgekeurd worden door zijn moeder en die zich verveelt bij de vrouwen die ze graag mag?'

Dan begon te lachen. 'Nee, Ellie. Voorlopig ga ik nergens heen. Ik blijf nog minstens' – hij keek op zijn horloge – 'een uur hier.'

Op dat moment woonden we net samen. Dan was naar mijn appartement verhuisd, zonder veel mee te nemen; maar, zo verklaarde hij, als hij ineens een onbedwingbaar verlangen voelde naar, laten we zeggen, zijn elektrische gitaar, die hij op zijn achttiende had leren bespelen, dan hoefde hij alleen naar Hampstead te gaan om hem op te halen.

Vóór Dan had ik nog nooit met iemand samengewoond; ik had altijd prijs gesteld op mijn onafhankelijkheid en ik had mijn best gedaan om mijn appartement precies zo in te richten als ik wilde.

Het werd echter serieus toen Dan elke week zes nachten bleef slapen. Omdat het onzin was om allebei een hypotheek af te lossen, en mijn appartement een fractie groter was, maar wel tig keer gezelliger, besloten we zijn appartement te verhuren.

Ik woonde al vijf jaar in mijn appartement. De gelukkigste jaren van mijn leven. Het was voor het eerst dat ik echt begreep wat het betekende om gesetteld te zijn, dat ik wist hoe het voelde om een thuis te hebben.

Ik had rommelwinkeltjes doorgespit en de kamers met erg weinig geld ingericht. In het weekend stond ik het grootste deel van de tijd op een ladder met een verfkwast in mijn hand.

Ik kocht alle tijdschriften over inrichting: *Architectural Digest*, *House & Garden*, *World of Interiors*, en scheurde er foto's uit van de kamers die ik mooi vond. Vervolgens probeerde ik die met minimale middelen te kopiëren.

Ik had collega's en vrienden die om de paar jaar verhuisden omdat ze genoeg hadden van hun appartement en iets groters en beters wilden, maar dat gevoel had ik nooit. Mijn appartement was alles wat ik ooit had gewild en ik kon me niet voorstellen dat ik ooit meer nodig zou hebben.

Vanaf de eerste keer dat hij op bezoek kwam, was Dan dol op mijn appartement. (Ons vijfde afspraakje, ik had gekookt: salade van artisjokhartjes, zeeduivel met geroosterde tomaten en knoflook, chocolademousse met aardbeien. Uiteraard belandden we in bed en de volgende ochtend wist ik dat ik waarschijnlijk nooit meer met een ander naar bed zou gaan.) Dan zei altijd dat mijn appartement precies zo was als hij het zijne wilde hebben, als hij tenminste stijl had gehad.

Ik dacht dat hij een geintje maakte, tot ik de week erna naar zijn appartement in Kentish Town ging. Op de vijfde verdieping van een enorm flatgebouw ging ik naar binnen en keek zoekend om me heen naar een gemakkelijke bank zodat ik kon neerploffen om uit te rusten van de klim omhoog.

Niks. Geen meubels. Alleen dozen met kleren, een futonmatras dat zijn beste tijd had gehad, een enorme flatscreen-tv en honderden videobanden.

'Ik ben bang dat het niet erg gezellig is,' zei Dan. Hij liep zijn slaapkamer in om schone kleren te pakken voor de volgende week in mijn appartement.

'Dat is nog zacht uitgedrukt.' Ik was geschokt dat hij zo kon leven. 'Wanneer ben je hier komen wonen? Gisteren?'

'Ik ben hier haast nooit,' zei hij met een glimlach.

'Dat zie ik. Maar hoe komt het dat je bijna nooit hier bent, terwijl je erin bent geslaagd het grootste deel van vorige week in mijn flat te zijn? Als je nooit thuis was, waar haal je dan ineens de tijd vandaan om zo vaak bij mij te zijn? Ik ben toch niet zo'n weldaad voor je sociale leven geweest?'

Dan keek me grijnzend aan, zijn armen vol overhemden en T-shirts. 'Welk sociale leven? Voor ik jou leerde kennen, had ik geen sociaal leven.'

Ik gaf een klapje op mijn voorhoofd. 'Ach, natuurlijk! Dat had ik moeten weten. Waarom was je die avond eigenlijk in het Calden? Voor een vergadering?'

'Inderdaad.' Hij knikte. 'Je weet hoe wij tv-mensen zijn. Waarom zou je in een vergaderruimte gaan zitten als er een prima café in de buurt is?'

'Eigenlijk geloof ik niet dat ik jullie tv-mensen erg goed ken.'

'O, nee?' Hij trok zijn wenkbrauw op en liet de kleren op de vloer vallen voor hij op me afkwam. 'Dan wordt het hoog tijd dat we elkaar beter leren kennen.'

Twee weken nadat Dan bij me was ingetrokken, ging de bel. Het was zaterdagochtend en Dan was voor zijn wekelijkse training naar de sportschool gegaan, waardoor ik eindelijk wat tijd voor mezelf had.

Hoe fijn ik het ook vond dat Dan bij me woonde, ik maakte me ook ongerust. Ik had me samenwonen altijd voorgesteld als een romantisch ideaal: wakker worden in elkaars armen, vrolijk lachen tijdens een ontbijtje op zondagochtend dat bestond uit vers geperste jus en toast. Het is beschamend om te moeten toegeven, maar mijn idee van samenwonen was iets wat ik had gefabriceerd uit stukjes van goedkope tv-reclames.

In werkelijkheid was dit míjn appartement, dat ik had betaald en ingericht. Ik had elk meubelstuk gekozen en bepaald waar het moest komen te staan. Als ik iets niet mooi vond, deed ik het weg.

En ineens moest ik ruimte vinden voor Dans spullen, en daar zaten ook dingen bij die ik walgelijk vond. Zijn verzameling ingelijste filmposters, waaronder die van *Chinatown, Dirty Harry* en *Once Upon a Time in America*. Die zouden vast prachtig hebben gestaan in Dans studentenkamer, maar zeg nou zelf: van iemand van vijfendertig verwacht je toch dat hij iets heeft wat... nou ja, meer volwassen is. Ik had ze naar de gang verbannen, waar ze met de beeldkant naar beneden op een stapel lagen te wachten tot Dan ze zou ophangen.

En ik begrijp heel goed dat een enorme flatscreen plasma-tv de droom is van iedere jongen, maar die paste niet bij mijn o zo vrouwelijke inrichting. Toch merkte ik al snel dat ik op dit punt niet zou winnen en daarom deed ik mijn best om de gigantische zwarte rechthoek te negeren die als een onheilsprofeet in de hoek van de kamer op de loer lag.

Egoïstisch? Ja, natuurlijk was ik dat. Wie zou dat niet zijn na welbeschouwd twintig jaar op zichzelf te hebben gewoond? Ik was eraan gewend alles op een bepaalde manier te doen en ik had nooit rekening hoeven houden met een ander. Ik begreep heel goed wat het woord 'compromis' betekende; alleen had ik het nog nooit in praktijk hoeven brengen.

En dus haalde Dan de fotolijstjes weg die ik zorgvuldig op zijn stereo had gezet in een poging het ding wat vrouwelijker te maken, zodat het beter bij de rest van de kamer paste. En ik beet op mijn tong om niet tegen hem te schreeuwen dat dit mijn huis was en dat ik sowieso niet om zijn stomme stereo had gevraagd.

'Ik weet dat het moeilijk is,' zei Dan na onze eerste – kleine – ruzie, twee dagen nadat hij bij me was ingetrokken. 'Jij hebt jarenlang alleen gewoond en ik heb ook al lang niet meer met iemand samengewoond. We zijn er allebei aan gewend de ruimte te hebben; het zal wel even duren voor we eraan gewend zijn dat er nog iemand is. Maar Ellie' – hij strekte zijn arm uit over de tafel en pakte mijn hand vast – 'dit is de moeite waard. Dit is niet meer dan een klein probleempje, en we moeten allebei leren compromissen te sluiten.'

Ik knikte, verbaasd dat ik iemand had getroffen die zo goed voor me was, iemand die zo veel van me hield en daar zo eerlijk voor uitkwam.

'Je hebt gelijk,' zei ik. 'Het spijt me.'

'Wil dat zeggen dat ik mijn ondergoed voortaan altijd op de vloer van de badkamer kan gooien?'

'O, ha ha ha. Waag het niet.' Maar ik berustte erin toen hij zich vooroverboog en een harde zoen op mijn lippen drukte.

Die zaterdagochtend toen de bel ging, was ik licht geïrriteerd omdat ik me net had geïnstalleerd om te genieten van het feit dat ik alleen was, en om me over te geven aan mijn zaterdagochtendritueel: thee, croissants en de krant in bed. Mijn schuldgevoel werd verminderd door de maartse motregen, want er is niets heerlijker dan in bed liggen als het buiten grauw is en regent. En ik had geen idee wie er voor de deur kon staan.

Ik schoot mijn badjas aan; ik wil al tijden een kamerjas kopen, maar lijk er nooit tijd voor te hebben. Met mijn verwarde haar en mijn ogen nog dik van de slaap deed ik open. Daar stond Dans moeder stralend op de stoep.

'Ellie!' zei ze, en ze drukte een kus op mijn wang. Even later was ze langs me heen de gang in gelopen, terwijl ik als bevroren bleef staan. Ik schaamde me dood dat ze me zo zag. 'Ik hoop niet dat je het erg vindt dat ik zomaar langskom, maar als ik op een uitnodiging van Dan moet wachten, kan ik eeuwen wachten. Waar kan ik deze in zetten?'

Ze had een enorm boeket tulpen bij zich, waarmee ze naar de keuken liep. Daar trok ze de kastjes open, waarschijnlijk om een vaas te zoeken.

Stik. De keuken zag eruit alsof er een bom was ontploft. De vorige avond hadden we samen gekookt en Dan was achter me komen staan toen ik aan het afruimen was. Hij had zijn hand over de binnenkant van mijn dij laten glijden en binnen de kortste keren was alle hoop vervlogen om de keuken in zijn oude, smetteloze staat terug te brengen en hadden we ons naar de slaapkamer gehaast en alles tot de volgende ochtend laten staan.

Ik had ooit eens gehoord dat een echte topkok alles wat hij had gebruikt direct afwaste, maar ook al was ik verslaafd aan alle kookprogramma's op tv en zag ik Gordon en Jamie en alle anderen altijd hun planken schoonvegen en knoflookvelletjes en peterseliestengels weggooien voor ze aan het volgende begonnen, zelf kreeg ik dat niet voor elkaar.

Maar o, wat wenste ik dat ik wat beter mijn best had gedaan. Ik bekeek de rotzooi door de ogen van Linda Cooper en voelde me ineenschrompelen.

'Sorry voor de rommel,' zei ik beteuterd, en ik bracht de borden met aangekoekte etensresten naar de gootsteen. 'Wat vreselijk dat je mijn appartement zo ziet. Zo'n zootje is het nog nooit geweest. Ik schaam me dood.' Ik deed een kastje open en gaf haar een vierkante glazen vaas.

'Ik heb een geweldige schoonmaakster die op zoek is naar extra werk,' zei ze met een glimlach. 'Wil je dat ik haar bel om te vragen of ze deze week langs kan komen? Hoe lijkt dat je?'

'O, geweldig,' zei ik zwakjes. Ik had nog nooit overwogen een ander mijn huis te laten schoonmaken. En eerlijk gezegd vind ik dat ik het niet slecht doe, met uitzondering van die ochtend dan. Toch had het niet veel nut om dat te zeggen. Als ik Linda Cooper was, zou ik mezelf ook niet geloven.

'Hoe dan ook,' zei ze vrolijk terwijl ze de stelen van de tulpen bijknipte en ze in de vaas schikte. 'Ik heb dit zo opgeruimd. Wilde je net gaan douchen? Als je klaar bent, is het hier weer helemaal schoon.'

Ik weet dat ik het niet persoonlijk had moeten opvatten en ik weet dat ze alleen maar wilde helpen, maar toch had ik het gevoel dat ik, of mijn schoonmaaktalent, werd bekritiseerd en daar was ik niet blij mee.

Ook voelde ik me vreselijk kwetsbaar in mijn grauwe badjas die begon te rafelen, met mijn slordige haar en mijn make-uploze gezicht. Ik wist dat ik de vernedering alleen aankon als ik me sterk genoeg voelde, en dat voelde ik me alleen met mijn lichaamsbepantsering, oftewel perfecte make-up en nette kleren.

Daarom droop ik af naar de badkamer en liet ik de moeder van mijn vriend achter met haar armen half in het sop.

Een halfuur later kwam ik weer te voorschijn met mijn haar in een staart en gekleed in een wit T-shirt en een spijkerbroek. Ik had het gevoel dat ik het tegen iedereen kon opnemen.

'Ik heb koffie gezet,' zei Linda opgewekt toen ik de weer blinkende keuken in liep. 'En ik hoop dat je het niet erg vindt, maar ik heb al je vazen gewassen. Die waren allemaal nogal vies.'

Ik voelde me opgelaten. 'Linda, dat had je niet hoeven doen.'

'Nee, nee. Ik weet dat jonge mensen geen tijd hebben om fatsoenlijk schoon te maken, en dat was wel het minste wat ik kon doen. Kom lekker zitten, dan kunnen we elkaar wat beter leren kennen.'

Tegen de tijd dat ze wegging, kende ik de hele geschiedenis van de familie Cooper en begreep ik beter hoe de familie in elkaar stak.

Het leek erop dat Linda niet zo zelfverzekerd was als ik bij onze eerste ontmoeting had gedacht en ze voelde wel degelijk een zekere wrevel omdat ze geen carrière had kunnen maken. Ik had al geraden dat ze een van die vrouwen was die haar ambitie vervulde door via haar kinderen te leven, en alles wat ze zei bevestigde dat.

Ze was buitengewoon trots op Dan, die duidelijk de rijzende ster was door zijn prachtige universitaire graad en zijn geslaagde carrière als tv-producent. Zijn laatste documentaire had verschillende prijzen gewonnen en veel publiciteit gehad, artikelen die Linda allemaal had uitgeknipt en in een plakboek had geplakt.

Richard moest volgens haar zijn draai nog vinden. Mij leek negenentwintig oud genoeg om te weten wat je de rest van je leven wilde doen, maar Linda zei dat hij een dromer was, en dat hij het uiteindelijk wel zou redden.

'En Emma?' vroeg ik. 'Die is zo spontaan en ze heeft zo'n persoonlijkheid. Het is vast enig om zo'n dochter te hebben.'

'Ach, als ze lief is, is ze heel erg lief, maar als ze stout is, is ze vreselijk.'

'Vreselijk? Echt waar? Ze lijkt zo charmant.'

'Dat komt doordat ze jouw dochter niet is,' zei Linda met een glimlach. 'Ik weet dat je moeder is gestorven toen je nog jong was, en je moet dit niet verkeerd opvatten, maar de tienertijd kan heel lastig zijn tussen moeder en dochter.'

'Dat weet ik,' zei ik. 'Ik mag mijn eigen moeder dan niet meer hebben gehad, ik heb het bij al mijn vriendinnen meegemaakt.'

'Nou, Emma is altijd rebels geweest. Ik hou natuurlijk van haar, maar ik begrijp haar niet goed. En eerlijk gezegd zou ze op haar leeftijd onderhand gesetteld moeten zijn. Neem jezelf nou, Ellie. Jij bent toch vrijwel even oud?'

Ik knikte.

'En jij hebt je eigen appartement, een goede baan, en je bent financieel onafhankelijk. Emma fladdert van baan naar baan en van feestje naar feestje. Nu eens woont ze bij een vriendin en dan weer bij haar nieuwste vriend, net hoe de wind waait. Ik weet het niet,' verzuchtte ze. 'Misschien hoort het erbij als je creatief bent.'

Ik hoorde de sleutel in het slot en slaakte een zucht van verlichting. Bevriend raken met de moeder van je vriend was één ding, luisteren hoe ze zich beklaagde over haar andere kinderen was iets heel anders, iets waar ik voorlopig nog helemaal geen zin in had. Niet met deze mensen die ik nog maar net kende.

'Mam!' Dans gezicht lichtte op toen hij de keuken binnenkwam. Eerst gaf hij haar een kus en toen kwam hij mij zoenen.

'Jakkes! Je bent helemaal bezweet.' Ik trok me los. 'Ik neem aan dat je lekker hebt gesport?'

'Ja. Ik ga zo douchen. Wat doe je hier, mam?'

'Ik had al een poos niks van je gehoord, dus leek het me handiger om je op te zoeken in je nieuwe appartement.'

'Mooi, hè?' vroeg Dan grijzend.

'Het is in elk geval een stuk beter dan je vorige.'

'Dat is niet zo moeilijk,' zei ik, teleurgesteld omdat ze mijn appartement niet wat enthousiaster had omschreven dan als een verbetering.

'Mannen!' Linda keek me aan en rolde met haar ogen en ik begon weer wat meer voor haar te voelen. Ik vond het fijn om in het complot te worden betrokken, al geloofde ik het zelf niet helemaal.

Er gingen een paar maanden voorbij, maanden die soms moeilijk waren en soms fijner dan ik had durven dromen. Ik vond het geweldig om iemand te hebben met wie ik kon praten en om nooit meer eenzaam in bed te hoeven liggen.

Maar op andere momenten kookte ik van woede. Ik vond het vreselijk dat ik naar *The Simpsons* moest kijken als ik rustig een boek wilde lezen; ik was kwaad dat ik altijd degene was die moest bedenken wat we 's avonds zouden eten, en het bovendien ook nog moest klaarmaken.

Over het geheel genomen moet ik zeggen dat de goede momenten ver in de meerderheid waren, en zelfs de ruzies die we hadden gingen snel voorbij. Die waren ook nooit zo heftig dat een van ons twijfels kreeg over onze relatie.

Eind mei won Dan een belangrijke tv-prijs voor een van zijn programma's. Hij belde me zodra hij het nieuws had gehoord en zei dat hij me uit eten zou nemen bij Zuma en dat ik me netjes moest aankleden. We gingen het vieren.

Ik koos een klassiek zwart jurkje dat ik in de uitverkoop had gekocht bij Nicole Farhi. Op de een of andere manier was mijn smaak chiquer geworden nu ik deel uitmaakte van een stel. Als single had ik blouses van Hennes gecombineerd met broeken van Zara en truien van Joseph. Tegenwoordig ging ik vaker uit dan ooit, hoewel we zelden naar restaurants als Zuma gingen. Ik ben niet zo strijdlustig ingesteld, maar vergeleken met de vrouwen en vriendinnen van zijn vrienden voelde ik me vaak nogal slonzig. Daarom had ik besloten mijn leven te veranderen en betere kleren te gaan kopen. Zelfs al moest ik die in de uitverkoop kopen.

De meesten van zijn vrienden kende Dan nog van school. Omdat ik al mijn ex-klasgenoten uit het oog was verloren, vond ik het heel bijzonder dat hij nog altijd 'zijn jongens' had, zoals hij ze noemde. Die waren heel belangrijk voor hem. Ik had al snel door dat ik niet alleen Dan, maar ook de jongens voor me moest zien te winnen, anders zou het nooit iets tussen ons worden.

Zo had je Simon, met wie Dan al lang geleden de afspraak had gemaakt dat hij zijn getuige zou zijn als Dan ooit zou trouwen. Ahum. Simon was grappig, knap en charmant, en ik begreep niet waarom hij nog geen vriendin had, maar Dan zei dat hij hopeloos was met vrouwen en dat ik daar zelf nog wel achter zou komen.

En er waren Tom, Rob en Cheech, wiens echte naam kennelijk Nicholas was, hoewel hij al zo lang Cheech werd genoemd dat Dan niet meer wist hoe dat kwam toen ik ernaar vroeg. Pas na een hele poos hoorde ik dat het iets met een marihuanapijp op de universiteit te maken had.

Tom en Rob waren getrouwd met Lily en Anna, en de andere twee hadden dringend zelfgekookte maaltijden nodig, dus zodra we samenwoonden, kwamen de jongens op vrijdag eten, wat al snel een wekelijkse traditie werd. Elke week maakte ik een braadstuk met aardappels, groenten, jus en broodsaus, en ik zorgde ervoor dat ik altijd iets had wat ze aan hun tijd op kostschool herinnerde: rozijnenpudding, appeltaart, strooptaart. Ik zorgde ervoor dat ik hun hart veroverde via hun maag, en dat had succes.

Na de eerste vrijdagavond zei Dan tegen me dat alle vier de jongens vonden dat ik een 'blijvertje' was. Blijkbaar was dat het grootste compliment dat een meisje kon krijgen. Bovendien was ik het eerste meisje over wie ze het alle vier eens waren. Ik was zo blij dat ik nauwelijks een oog dichtdeed.

Gelukkig waren de twee vrouwen heel aardig, al had ik ze zelf misschien niet als vriendinnen uitgezocht, maar zodra ik me had uitgedost in geschikte kleren, had ik het gevoel dat ik altijd al bij de groep had gehoord.

We hadden afgesproken dat we elkaar bij Zuma zouden ontmoeten. Dan kwam rechtstreeks van een late redactievergadering op zijn werk. Ik voelde me prima in mijn jurk: trendy, maar elegant. Op mijn nieuwe Jimmy Choo-schoenen met hoge hakken liep ik achter de gerant aan naar het tafeltje. Ik bestelde mijn gebruikelijke non-alcoholische drankje en wachtte op Dan.

'Het spijt me dat ik te laat ben.' Een paar minuten later kwam hij binnen en hij boog zich over de tafel heen om me een snelle zoen te geven. 'Je ziet er prachtig uit,' zei hij en ik glimlachte terwijl hij de wijnkaart aannam van de ober. Hij las hem door en deed net alsof hij er verstand van had.

'Wat raadt u ons aan?' vroeg hij aan de sommelier nadat we ons eten hadden besteld. Hij knikte begrijpend bij de suggestie van een Château Beychevelle uit 1996, alsof dat de wijn was die hij zelf ook zou hebben gekozen.

'Denk je dat we eruit worden geschopt als we een halve liter rode huiswijn vragen?' fluisterde ik.

'Volgens mij kun je hier geen halve fles bocht krijgen.' Dan grijnsde. 'Niet dat je mij hoort klagen.'

'Dat doe ik ook niet,' zei ik met een glimlach. Het was heerlijk om je zo te laten verwennen. 'Nou, vertel me eens hoe jouw dag was.'

We praatten en lachten en vertelden elkaar hoe onze dag was geweest. We hadden het over de toekomst en deelden onze dromen voor die toekomst met elkaar. Tot onze vreugde waren we het hele-maal met elkaar eens: een huis met een grote tuin, niet meer dan twee kinderen en misschien, op een bepaald moment, als we genoeg verdienden, een tweede huis buiten de stad, of zelfs in Frankrijk. Een hond zou leuk zijn, vonden we, maar een kleintje, want ten-slotte woonden we in Londen. Ik wilde een West Highland-terriër, maar dat vond Dan honden voor meisjes en hij wilde op zijn minst een kleine labrador.

De toetjes werden gebracht en de lege bordjes werden wegge-haald, en toen kwamen er romige *lattes*. Op dat moment werd Dans gezicht ineens heel serieus.

'Wat is er aan de hand?' Ik zag alle kleur uit zijn gezicht wegtrek-ken tot hij lichtgroen zag. 'Gaat het wel? O, god. Heb je iets ver-keerds gegeten? Wat is er, Dan? Zeg iets.'

Dan schraapte zijn keel en pakte mijn hand vast, en ik wist het. Ik zweer het: zodra ik hem zijn keel hoorde schrapen, kreeg ik in de gaten wat er ging gebeuren, en ik weet zeker dat ik een paar minu-ten ophield met ademhalen. Toen begon hij met zijn ingestudeerde toespraakje. Hij vertelde dat hij altijd al had willen trouwen, maar niet had gedacht dat hij ooit de juiste vrouw zou vinden, en mijn hart bonkte zo hard dat ik hem nauwelijks kon verstaan.

Natuurlijk zei ik ja.

5

In de taxi naar huis kusten en knuffelden we op de achterbank, en ik stak mijn hand omhoog om mijn verlovingsring te bewonderen. Het voelde zo raar om een ring om die vinger te hebben, een ring die zo mooi was dat ik mijn hand wilde laten zien aan iedereen die we tegenkwamen.

Dan had niet zoiets opvallends gedaan als voor de etalage van een juwelier gaan staan en vragen welke ring ik mooi vond, maar toen ik een keer door een tijdschrift had gebladerd en een schitterende ring had aangewezen had hij onthouden welke.

'Niet te geloven dat je dat hebt onthouden!' herhaalde ik steeds maar. Ik hield mijn hand voor mijn neus en keek naar de diamant die flonkerde in het licht van de straatlantaarns. 'Ik kan niet geloven dat je dit hebt gedaan.'

'Het moest een verrassing zijn,' zei Dan, en hij kuste mijn rechteroor. 'Het leek me niet hetzelfde als je geen ring zou krijgen.'

'Daar heb je gelijk in. Dan zou het waarschijnlijk niet echt hebben gevoeld. O, mijn god!' gilde ik, en ik sloeg mijn armen om hem heen. 'We gaan trouwen!'

Toen we mijn appartement in liepen, ging de telefoon. Ik nam op en hoorde Linda's stem aan de andere kant van de lijn. 'En?' kwetterde ze opgetogen terwijl ik achterdochtig naar Dan keek.

'En wat?' vroeg ik.

'Nou, heb ik een nieuwe dochter in de familie?'

Met een glimlach zei ik: 'Ja, Linda.'

Linda gilde het uit en riep Michael aan de telefoon.

'Gefeliciteerd, Ellie,' zei Michael hartelijk. 'Dat is goed nieuws. Ik weet zeker dat jullie samen heel gelukkig zullen worden.'

En toen kwam Linda weer aan de telefoon. 'Ik ben zo opgewonden!' zei ze. 'Ik kan haast niet wachten om de bruiloft te regelen. O, mijn hemel, wanneer is de grote dag?'

'Ik zou het niet weten,' zei ik lachend. 'Daar hebben we het nog niet over gehad.' Ondertussen dacht ik: waar heb je het over? Hoezo ga jíj de bruiloft regelen? Dit wordt míjn bruiloft. Ik ben drieëndertig en hoofd Marketing bij Calden. Als ik mijn eigen trouwerij niet eens kan regelen, hoeft het van mij ook niet.

'Wat dacht je ervan om het deze winter nog te doen?' vroeg Linda. 'Ik weet dat het al over zeven maanden december is, maar ik ben dol op winterbruiloften. Die zijn zó chic! Dan kun je een boeket van prachtige wijnrode rozen nemen en hebben we tijd genoeg om alles te regelen.'

'Dan en ik zullen het erover hebben,' zei ik. 'Maar jullie zullen het als eersten horen als we een datum prikken.' Ik nam niet de moeite om te zeggen: bedankt dat je wilt helpen, maar we redden het wel, hoewel ik me voornam om dat zeer binnenkort wel te doen.

'O, ik weet best dat het mij niet aangaat, maar ik wacht al jaren om een trouwerij voor Emma te regelen, maar dat is er nooit van gekomen, en nu kan ik dit voor jou doen.'

'Ik weet het,' zei ik, mijn schuldgevoel onderdrukkend. Ze wilde alleen maar aardig zijn, en moest ik eigenlijk niet blijer zijn omdat zij zo enthousiast was? 'Dat begrijp ik best. Dan staat naast me, waarom praat je niet even met hem?' Ik gaf de telefoon aan Dan en bleef in de buurt tot hij afscheid nam.

'Dan,' zei ik langzaam toen hij had opgehangen, 'wisten je ouders dat je me een aanzoek ging doen?'

Met een schaapachtige blik zei hij: 'Mijn vader niet, maar mijn moeder wel.'

'O.' Ik vond het maar vreemd dat ik niet de eerste was die het had geweten. Hoe idioot het ook klonk, het leek wel of Dan zijn moeder belangrijker vond dan mij. Ik weet dat moeders en zoons een speciale band hebben, maar nu was ik de belangrijkste vrouw in zijn leven en door het eerst aan zijn moeder te vertellen had hij haar weer bovenaan geplaatst en dat beviel me niks. Hoe ik het ook bekeek, het zat me niet lekker, maar ik wist dat Dan het belachelijk zou vinden als ik het hardop zou zeggen. Waarschijnlijk was het ook belachelijk, maar toch was mijn blije gevoel gedeeltelijk weggeëbd.

'Het spijt me,' zei Dan. 'Eigenlijk wilde ik iedereen verrassen, maar mijn moeders juwelier moest de ring kleiner maken, dus ik moest haar wel in vertrouwen nemen.'

'O, oké. Ik begrijp het. Het was alleen een beetje raar dat de telefoon al ging toen we binnenkwamen en dat je moeder al helemaal op de hoogte was.'

Plechtig legde Dan zijn hand op zijn hart. 'Ik zweer het: als we ons ooit nog eens verloven, ben jij de eerste die het weet. Hoe klinkt dat?'

'Belachelijk.' Toch hadden zijn woorden het gewenste effect. Ik grijnsde en stond toe dat hij me omhelsde.

'Mooi. Laten we nu de anderen bellen.'

Eerst belde Dan Richard, toen Emma en vervolgens de jongens. Elke keer gaf hij de telefoon aan mij zodat ze me konden feliciteren. Pas daarna overhandigde hij mij de telefoon zodat ik mijn vrienden kon bellen. Niet dat ik echt mensen heb om te bellen. Mijn werk lijkt mijn leven te hebben opgeslokt. Ik vond het nooit raar dat ik buiten mijn werk geen vrienden had. Maar goed, ik belde Sally, mijn beste vriendin op kantoor, en Fran, die de pr voor Calden verzorgt. Ik wist dat zij het geweldig zouden vinden.

Ik aarzelde of ik mijn vader moest bellen. Het afgelopen jaar hadden we elkaar maar twee keer gesproken en dat was beide keren ongemakkelijk geweest. Hij had gevraagd of ik wilde komen lunchen in Potters Bar, maar ik had het druk gehad en bovendien hadden we elkaar weinig te vertellen. Beide keren was het gesprek uitgelopen op: 'En, heb jij nog iets nieuws te vertellen?' Dan bleek dat we allebei niks anders hadden om over te praten. Maar hij is mijn vader en hoe stroef het nu ook tussen ons gaat, van tijd tot tijd denk ik aan mijn kindertijd, toen ik hem aanbad, toen hij mijn prins op het witte paard was. In de tijd dat mijn moeder 'ziek' was, zoals wij het noemden, zorgde mijn vader altijd voor mij. Op de lagere school was hij degene die kwam opdagen om naar onze klungelige, amateuristische toneelvoorstellingen te kijken. Hij sprak met mijn onderwijzers als er problemen waren, en als ik ziek was gaf hij me medicijnen en streek hij over mijn voorhoofd. Ik probeer niet al te vaak aan die tijd te denken. Het was al erg genoeg om mijn moeder te verliezen, maar als ik denk aan de vader die ik heb verloren, de vader uit mijn kindertijd, dan wordt de pijn haast ondraaglijk. Die vader herken ik vrijwel niet meer in de vader met wie ik tegenwoordig af en toe praat. Daarom denk ik er ook bijna nooit aan. Ik denk zelden aan het verleden, maar toch gaan onze weinige gesprekken daar vaak over, omdat ons gedeelde verleden het enige is wat we gemeen hebben.

Ik koos voor het laffe alternatief: ik belde wel, maar pas de volgende ochtend, toen ik wist dat hij op zijn werk zou zijn en Mary de kinderen naar school bracht. Ik sprak een boodschap in op zijn antwoordapparaat en zei dat ik hoopte dat ik hem binnenkort zou zien en dat hij me op mijn werk moest bellen; daar kon ik zien wie er belde, of ik kon een assistente laten zeggen dat ik in vergadering was.

Maar toch, aan de beleefdheid was voldaan.

Op kantoor schenkt iedereen overdreven veel aandacht aan me. Vrouwen die ik nauwelijks ken, slaken bewonderende kreten als ze mijn verlovingsring zien, iedereen wil weten hoe hij het heeft gedaan, of hij heeft geknield (nee), en wanneer de grote dag is.

Tijdens de lunch willen Fran en Sally me per se op champagne trakteren, al zeggen we voor de grap dat het op de onkostenrekening komt.

'Stel je voor.' Sally kijkt om zich heen. 'Hier hebben jullie elkaar voor het eerst ontmoet.'

'Ja,' zegt Fran met een grijns. 'Dat wil zeggen dat er nog hoop is voor jou.'

Sally heeft het ene vriendje na het andere, terwijl Fran al vijf jaar is getrouwd met Marcus. Ze hebben twee kinderen, Annabel en Sadie, en wonen in een huis in Notting Hill waar al hun vrienden jaloers op zijn. Daarnaast staat Fran bekend als een van de succesvolste pr-managers in de stad.

Ik voelde me ontzettend ongemakkelijk in haar gezelschap – althans, bij onze eerste ontmoeting. Ze is vreselijk trendy en gaat altijd gekleed in de laatste designerkleding, en tijdens onze eerste ontmoeting, toen ze ons bedrijf positief moest afschilderen, voelde ik me vergeleken bij haar net het meisje met de zwavelstokjes. Maar hoe beter ik haar leer kennen, hoe aardiger ik haar vind. Ze heeft niet zo heel veel op met vrouwen, maar als ze besluit dat ze je mag, doet ze alles voor je. Ze pest me regelmatig met mijn niet-bestaande sociale leven, mijn huismussenbestaan, zoals zij het noemt. Ik zie haar niet zo veel buiten kantoor, want haar 'echte' leven draait voornamelijk om haar kinderen, maar toch stel ik prijs op onze frequente lunches en borrels.

Sally, die ons meestal vergezelt op die lunches en borrels, heeft al heel wat keren gevraagd of Fran geen man als Marcus voor haar kan vinden. Een paar keer heeft Fran een afspraakje voor haar geregeld, maar het is nooit iets geworden. Sally wacht nog altijd op iemand op wie ze halsoverkop verliefd kan worden. Ze gelooft dat ze violen moet horen op het moment dat hij haar kust, dat hij anders niet haar wederhelft is. Ze beleeft altijd grootse, meeslepende romances, maar zodra ze beseft dat ook haar nieuwste vriend niets menselijks vreemd is, spat de zeepbel uiteen en besluit ze dat het geen Ware Liefde kan zijn.

'Maar toch.' Sally schudt haar hoofd. 'Ik kan er niet bij dat je de man met wie je gaat trouwen hier hebt ontmoet.'

'Doe even normaal.' Ik begin te lachen. 'Jij zegt altijd dat dit de baan van je dromen is omdat de knapste mannen van Londen hier bij je op de stoep staan.'

'Dat weet ik ook wel,' zegt Sally. 'En knap zijn ze zeker.' We zwijgen allemaal en kijken om ons heen naar het grote aantal mooie mensen in de Calden-bar. 'Maar geschikte huwelijkskandidaten? Dat lijkt me niet.'

'Dan heb je het mis,' zegt Fran. Ze bestelt nog een fles champagne. 'Volgens mij bedoel je dat de mannen die jíj kiest geen geschikte huwelijkskandidaten zijn. Blijkbaar ligt het er niet aan wáár je ze uitzoekt, maar aan welke mannen je kiest.'

'Ik vind anders dat ik het heel behoorlijk doe.' Sally snuift even. 'Neem nou Alex. Die vonden jullie allebei leuk.'

'Dat was hij ook,' beaam ik. 'Maar jij zei dat hij je gek maakte omdat hij altijd moppen vertelde. Eerlijk gezegd vond ik hem een hartstikke goede vangst. En bovendien aanbad hij jou.'

'Ze heeft gelijk.' Fran knikt. 'Alex was geweldig.'

'Dat zeg je alleen omdat jij hem niet de hele tijd hoorde snuiven van het lachen. Jezus, wat werkte hij me op de zenuwen.'

'Ze werken je allemaal op de zenuwen,' zegt Fran. 'Als je je verwachtingen niet wat naar beneden schroeft, word je nog een oude vrijster.'

'Jij hebt de jouwe ook niet omlaag geschroefd,' zegt Sally. 'En jij toch ook niet, Ellie?'

'Nou, ik mag mijn verwachtingen dan niet naar beneden hebben geschroefd,' zegt Fran, 'maar er zijn een paar dingen bij Marcus waar ik gek van word, dingen die er altijd al zijn geweest, maar ik zou hem er niet om verlaten.'

Sally en ik zijn meteen geïnteresseerd. 'Wat voor dingen dan?' vraagt Sally.

'Goed.' Fran bestelt magere *lattes* voor ons alle drie. 'Dingen zoals: hij gaat zitten poepen met de deur van de badkamer open en dan verwacht hij dat ik binnenkom om met hem te praten.'

'Bah,' roepen Sally en ik in koor. Sally's relaties zijn altijd in zo'n vroeg stadium geëindigd dat ze zich dit niet kan voorstellen en ik ben nog altijd behoorlijk preuts wat betreft alles wat er in de badkamer gebeurt.

'Precies. Jullie hebben helemaal gelijk. Ik zeg zo vaak tegen Marcus dat het niet slim en niet grappig is, en soms maakt het me helemaal gek, maar ik hou van hem, dus moet ik het accepteren.'

'Daarvoor zou jij hem zonder pardon aan de kant zetten,' zeg ik met een veelbetekenende blik tegen Sally.

'Ja, nogal wiedes,' zegt ze vol afschuw. 'Wie in het openbaar poept verdient niet beter. Wat doet hij nog meer?' Met een valse grijns op haar gezicht buigt ze zich voorover en ik doe hetzelfde.

Fran slaakt een zucht. 'Sally, je bent gewoon zielig, weet je?'

'Als een oude, getrouwde vrouw het me niet vertelt, leer ik nooit wat ik wel en niet moet pikken.'

'Goed dan. Hij laat winden in bed.'

'Stille en stinkende?' vraag ik.

'Zelfs dat niet. Harde en walgelijke. Echt, ik zweer je dat de kont van mijn man het dodelijkste wapen is dat dit land heeft.'

Sally begint haar hoofd te schudden. 'Het spijt me wel, maar dat hoef je niet te nemen. Dat is echt walgelijk.'

'Ik weet dat jij het niet zou nemen.' Fran lacht. 'Dat is nou net jouw probleem. Marcus is geen superman, hij is menselijk, net als wij. Net als iedereen doet hij walgelijke dingen, en een huwelijk is niet het romantische, gelukkige einde dat jij voor ogen hebt.'

Sally kijkt naar mij. 'Weet je zeker dat je wilt trouwen? Denk je eens in, nu lijkt Dan nog de ideale man, maar over een paar maanden pulkt hij in zijn neus en veegt hij zijn vinger af aan de kussens.'

'Maar dat doet hij nu al,' zeg ik onschuldig, en Sally's ogen worden groot van schrik. 'Wat ben je toch goedgelovig. Maar ik ben het met Fran eens: jij zet ze aan de dijk zodra ze iets doen wat jou niet bevalt.'

'Jullie mogen dan stinkende, vieze mannen hebben gevonden, dat wil nog niet zeggen dat ik hetzelfde moet doen.'

'Dat is waar.' Fran haalt haar schouders op. 'Je kunt altijd nog lesbisch worden.'

'Ja, maar het is jammer om zo veel mannen aan mijn neus voorbij te laten gaan.'

Dan zegt Fran tegen mij: 'Zo, pasverloofde Ellie met die o zo fonkelende diamant aan je vinger, hoe voelt het om verloofd te zijn, en wat voor bruiloft wil je hebben?'

Lachend zeg ik: 'Niet zo snel. Ik ben nog geen twaalf uur verloofd. Vraag me dat volgende week nog maar eens, dan weet ik het vast wel. Wat betreft mijn bruiloft: mijn toekomstige schoonmoeder heeft al gezegd dat zij het liefst een winterbruiloft zou zien...'

'Nee!' onderbreekt Sally me met een verschrikte blik. 'Zeg haar dat ze zich er niet mee moet bemoeien.'

'Dat kan ik niet maken,' zeg ik met een glimlach. 'Bovendien is ze heel aardig en ik denk dat we goede vriendinnen zullen worden.'

Fran begint zo hard te lachen dat ze *latte* over de tafel sproeit. 'O god, neem me niet kwalijk.' Ze veegt haar ogen af en geeft daarna een klopje op mijn hand. 'Wat kun jij toch naïef zijn.'

'Waarom? Omdat ik mijn toekomstige schoonmoeder echt aardig vind?'

'Iedere vrouw vindt haar toekomstige schoonmoeder aardig,' zegt Fran beslist. 'De haat komt pas als je getrouwd bent.'

'Maar waarom dan?' vraag ik, oprecht verward. 'Ik heb dat hele gedoe over schoonmoeders nooit begrepen. Waarom moet er haat zijn? Waarom kun je niet gewoon met haar opschieten?'

'Waarom is de hemel blauw?' Fran haalt haar schouders op. 'Waarom is gras groen? Sommige dingen zijn gewoon zoals ze zijn.'

Ik schud mijn hoofd. 'Ik weet dat jij een hekel hebt aan de jouwe, maar voor mij ligt het anders.'

Fran trekt een wenkbrauw op.

'Nee, echt. Vergeet niet dat ik geen moeder heb. Ik heb al sinds mijn dertiende geen moeder meer. Ik droom al bijna twintig jaar over trouwen met iemand die uit zo'n gezin komt. En weet je, Linda is hartstikke leuk en ze heeft me opgenomen in haar gezin. Ik kan me niet voorstellen dat ik ooit problemen met haar zal krijgen.'

'En je vindt het niet vervelend dat ze heeft gezegd wat voor bruiloft ze voor jóú wil?' dringt Fran aan.

'Volgens mij wilde ze alleen maar helpen. En om je de waarheid te zeggen, wil ik zelf ook wel in de winter trouwen.'

'Daar ben ik het helemaal mee eens,' zegt Sally. 'In de lente trouwen is helemaal uit. Winterbruiloften kunnen heel mooi en chic zijn. Haardvuur, donkerrood en dieppaars. Kaarslicht.' Ze zwijmelt weg.

'Ik neem aan dat je Sally om hulp vraagt.' Fran begint te lachen omdat ze weet dat Sally een prima feestorganisator is bij Calden. Ze heeft dit jaar al twee bruiloften voor beroemdheden geregeld, die allebei spectaculair waren.

Sally ontwaakt weer uit haar dagdroom. 'Ik wil je bruiloft graag organiseren,' zegt ze gretig. 'Ik heb in geen eeuwen een bruiloft van een vriendin gedaan. Het wordt hartstikke leuk.'

'Geen kristallen tronen en witte duiven,' zeg ik waarschuwend. Dat slaat op de laatste bruiloft die ze heeft gedaan, die in elke krant in het land heeft gestaan, niet in de laatste plaats vanwege de enorme kosten en alle wansmaak.

'Hoe vaak moet ik nog zeggen dat die tronen niet mijn idee waren?' vraagt ze. 'Ik heb ze de hele tijd verteld dat het een beetje overdreven was, maar zij betaalden tenslotte de rekening.'

'Ik zal het er met Dan over hebben,' zeg ik. 'We zijn nog maar net verloofd en ik voel me nu al overstelpt. Maar bedankt voor het aanbod. Dat waardeer ik enorm, en ik weet zeker dat je het geweldig zou doen. Ik laat het je nog wel weten, oké?'

'Natuurlijk,' zegt Sally. 'Neem me niet kwalijk. Ik wilde me niet opdringen, en ik weet hoe overweldigend het allemaal is.' Nieuwsgierig buigt ze zich voorover. 'Zeg, weet je al wat voor jurk je wilt?'

'Hoe ging het vandaag op je werk?' vraagt Dan als hij me later die middag belt.

'Ik heb te veel champagne gedronken,' zeg ik lachend. Ik voel al hoofdpijn opkomen omdat ik overdag veel te veel heb gedronken. 'En hoe was jouw dag?'

'Ik heb te veel bier op,' zegt hij. 'Tijdens de lunch hebben we het gevierd.'

'Zullen we vanavond dan maar vroeg naar bed gaan?'

'Goed idee. Mijn ouders zeiden dat ze even langs wilden komen om ons persoonlijk te feliciteren. En dan een afhaalmaaltijd, tv en naar bed.'

'Twee zielen, één gedachte. Nu weet ik waarom ik je aanzoek heb aangenomen.'

'Dan!' Linda slaat haar armen om hem heen terwijl Michael vriendelijk naar me glimlacht en me onhandig omhelst. 'Gefeliciteerd,' zegt hij in mijn oor, waarna hij weer een stap naar achteren doet. 'Ik ben echt heel blij voor je.'

'Ellie!' Linda wendt zich tot mij en als ze haar armen om me heen slaat, bedenk ik dat Fran het helemaal mis heeft, dat ik nooit een hekel kan krijgen aan Linda, wat ze ook doet.

'Heb je champagneflûtes?' Linda en Michael verdwijnen in de keuken terwijl ik mijn hoofd schud naar Dan.

'We hebben wel wijnglazen,' zegt hij, en hij kijkt naar mij voor bevestiging. Ik knik.

'Nou ja, dan weten we tenminste wat we tegen de mensen moeten zeggen als ze vragen wat voor cadeautje ze moeten kopen voor jullie verloving,' roept Linda lachend.

Cadeautjes voor de verloving? Waar heeft ze het over? Ik verwacht natuurlijk wel huwelijkscadeaus, maar ik heb nog nooit gehoord van verlovingscadeaus.

Ik kijk naar Dan, die zijn schouders ophaalt. Kennelijk weet hij het ook niet.

Linda en Michael komen terug met vier wijnglazen en de geopende champagnefles. Ze schenken in en delen de glazen rond en we steken ze allemaal omhoog om te toasten.

'Op Dan en Ellie,' zegt Michael terwijl we daar glimlachend staan. Ik doe net alsof ik een slokje neem, hoewel alleen de geur van het spul me al licht misselijk maakt.

'Je vader en ik willen iets met jullie bespreken.' Eerst kijkt ze Dan aan, en daarna mij. 'Ik weet dat het traditie is dat de familie van de bruid de bruiloft betaalt...' Ik slaag erin serieus te blijven kijken, want tenslotte leven we in het begin van de eenentwintigste eeuw en niet in de jaren zestig van de twintigste. En om eerlijk te zijn ben ik ervan uitgegaan dat Dan en ik de bruiloft zelf zouden betalen, wat mijn familieomstandigheden ook zijn.

'... maar je vader en ik hebben erover gepraat en wij willen graag alle kosten op ons nemen. Nee, ik duld geen tegenspraak. We weten dat jullie van dit flatje willen verhuizen naar iets groters, dus ga daar maar voor sparen. We willen geen nee horen,' eindigt ze triomfantelijk.

Dan kijkt naar mij om mijn reactie te peilen. Ik kijk naar hem om de zijne te peilen.

'Eh... bedankt,' stottert hij zenuwachtig voor ik hem te hulp schiet.

'Dank jullie wel!' Ik loop naar hen toe en geef hun allebei een kus. 'Een mooier cadeau hadden jullie niet kunnen geven. We willen inderdaad verhuizen, en dit is het beste begin van ons huwelijksleven. Wat ongelooflijk gul van jullie.'

Linda straalt. 'Geweldig!' Ze slaat haar handen ineen. 'O, mijn hemel, we moeten zo veel doen dat ik niet weet waar we moeten beginnen. We waren het toch eens over een winterbruiloft, Ellie?'

Ik slik en knik ja. Zij betaalt de hele bruiloft, dus welk recht heb ik om iets te willen waar zij het niet mee eens is? Bovendien heeft Sally gezegd dat lentebruiloften uit zijn, en ik weet zeker dat het prachtig zal worden.

'We moeten lijsten maken,' gaat ze verder. 'We moeten de locatie regelen, de cateraars, de bloemen – ik hoor tegenwoordig alleen maar lof over Absolute. O, en de kerk. Misschien moet ik morgen maar eens gaan bellen. Even denken. Claridge zou mooi zijn als ze nog ruimte hebben, de Connaught is te klein, misschien de Mandarin Oriental. Of Searcy.' Het lijkt alsof iemand op een aan-knop heeft gedrukt, want ze is niet meer te houden. Linda rebbelt maar door terwijl ik vol verbazing toekijk, en Dan haalt zijn schouders op.

Ik begrijp niks van de dingen die ze zegt. Ik dacht niet dat Dan en ik mensen waren voor Claridge. Zelf zou ik meer zien in een kleine plechtigheid op het stadhuis, eventueel gevolgd door een receptie in het Calden, maar Linda mompelt nog steeds voor zich uit en ik besluit haar droom niet te verstoren.

Er is nog ruim voldoende tijd om te zeggen dat we dit niet willen, dat onze bruiloft een kleine aangelegenheid zal zijn. Dat we het waarderen dat zij alles betalen, maar dat Dan en ik degenen zijn die gaan trouwen en dat ze onze wensen moeten respecteren.

Daar is nog ruim voldoende tijd voor.

6

Tom had Dan verteld dat het organiseren van een bruiloft net zoiets was als een kleine sneeuwbal van een heuvel laten rollen: hoe verder hij naar beneden rolde, hoe groter die sneeuwbal werd, tot het volkomen uit de hand liep. Het beste wat Dan kon doen, was ervoor zorgen dat hij niet in de weg liep.

En dan hebben we het nog niet over de bijkomende zorgen en stress die de aanschaf van een nieuw appartement met zich meebrengt. Ik ben dol op mijn flat, maar we hebben besloten om een frisse start te maken met iets nieuws, iets wat van ons samen is. Om die reden probeer ik mijn appartement heel netjes te houden voor mensen die komen kijken, en dat valt bepaald niet mee, geloof me. Ik blader door talloze folders met informatie van makelaars terwijl ik probeer alle appartementen die we willen bekijken in te passen op zaterdagochtend.

Drie maanden na onze verloving moet ik bekennen dat ik precies begrijp wat Tom bedoelde.

'Daarom huren mensen mij in,' zei Sally nuffig toen ik opbiechtte hoe ik me voelde. Eindelijk had ze me vergeven dat ik niet gebruikmaakte van haar diensten, maar dat was alleen omdat Linda alles onder controle leek te hebben en een bruiloftsplanner niet nodig vond.

'Schatje, als je er zo mee zit, kunnen we de bruiloft zelf betalen en alles doen zoals jij wilt,' zei Dan elke keer als ik verklaarde hoe weinig de bruiloft met ons, of met mij, te maken leek te hebben.

'Nee, dat wil ik niet,' zei ik dan altijd, want de kosten rezen de pan uit nu het hotel was geboekt, de menu's waren gekozen en de bloemen uitgezocht. Ik had geen zin om van voren af aan te beginnen.

Bovendien was ik niet in staat me tegen Linda te verzetten. Ze had zo'n sterke persoonlijkheid dat niemand haar ooit tegen leek te spreken als ze eenmaal een besluit had genomen. Behalve Emma natuurlijk, en dat was duidelijk de reden waarom ze niet met elkaar konden opschieten.

Ik was getuige geweest van verschrikkelijke ruzies tussen Emma en Linda; verschrikkelijk omdat ik een hekel heb aan confrontaties, omdat ik altijd heb gedacht dat zulke ruzies er uiteindelijk toe leiden dat je in de steek gelaten wordt. Maar een dag of wat later was alles overgewaaid en waren ze weer moeder en dochter, al waren ze dan geen echte vrienden.

Ik was dol op Emma. Een van de positieve dingen van trouwen met Dan was dat ik een instantbroer en -zus kreeg, en omdat Dan zo'n hechte band met hen had, was het waarschijnlijk onvermijdelijk dat ik die ook zou krijgen.

In Emma vond ik de zus die ik altijd had gewild, de beste vriendin waarvan ik niet eens had geweten dat ik haar miste tot ik haar had ontmoet. Ik vond het geweldig dat ze nergens bang voor was, dat ze het leven als één groot avontuur zag, dat ze zich nooit ergens zorgen om leek te maken en alles leuk vond.

In het begin ontmoette ik haar alleen op zondag bij Dans ouders, maar daarna belde ze soms om Dan te spreken en dan babbelden we wat, en na een poosje kwam ze af en toe langs in het weekend. Hoe beter ik haar leerde kennen, hoe meer ik me bij haar op mijn gemak voelde.

We gingen samen lunchen bij het Calden of in een van de naburige cafés in Marylebone High Street, en dan vertelde ze me alles over haar leventje vol glitter en glamour en haar laatste vriendjes, en deed ik mijn best om niet al te jaloers te zijn. Tenslotte had ik niet een soortgelijk leven hoeven opgeven toen ik Dan ontmoette, maar waren alleen de mogelijkheden verdwenen. Ik zou nooit de kans hebben om naar een nachtclub te gaan met een bekende popster, of om naar bed te gaan met een man die net door *Cosmopolitan* was uitgeroepen tot een van de tien meest begeerde vrijgezellen van Groot-Brittannië.

Niet dat ik dat ooit had gewild. Als ik had gewild, had ik elke avond naar het Calden kunnen gaan om me onder de sterren te begeven over wie Emma het had. De sterren over wie je 's ochtends op de roddelpagina's las, maar zelfs toen ik die kans had, ging ik liever vroeg naar bed zodat ik vroeg kon opstaan, helemaal klaar voor een nieuwe dag hard werken.

Een paar jaar geleden werd ik uitgenodigd voor een schoolreünie en wekenlang heb ik serieus overwogen erheen te gaan. Ik was benieuwd wat mijn klasgenoten tegenwoordig deden, maar toch had ik het gevoel dat er nog niet genoeg tijd was verstreken. Ik wist dat we ons onmiddellijk weer als meisjes van zestien zouden gedragen zodra we in de aula zouden zijn, met alle rotopmerkingen en kliekjesvorming die daarbij horen.

Maar vooral dacht ik hoe verbaasd ze zouden zijn om mij te zien, te zien hoe ik was geworden. Waarschijnlijk zouden ze denken dat ik meer iemand als Emma was: een echt feestbeest, iemand die geen huiselijk leven wil – of kan – leiden.

Ik ben niet gegaan. De wens om te kijken of ze waren veranderd, hoe ze er nu uitzagen, was minder sterk dan mijn angst dat ze teleurgesteld of verbaasd zouden zijn als ze mij zagen.

Soms sta ik van mezelf te kijken, maar ik verlang pas naar die avonden met cocaïne en one-night stands sinds ik Dan ken, en eigenlijk alleen omdat het gras aan de andere kant altijd groener is, omdat Emma's leven zo fantastisch klinkt, hoewel ik zeker weet dat ik me er ongelukkig bij zou voelen.

Op donderdagochtend rond halftwaalf belt Emma me op. 'Hoi, Ellie, met mij. Ik ben net klaar met kleren verzamelen in Portland Street en ik verga van de honger. Heb je zin om te gaan lunchen?'

'Reken maar.' Ik kijk naar de sandwich en het blikje cola light op mijn bureau en besluit dat het me goed zal doen om even van kantoor weg te zijn. 'Wil je hier komen?'

'Vind je het erg als we elkaar ergens anders ontmoeten? Ik heb trek in sushi.'

'Nee hoor.' Dat is nog iets wat ik geweldig vind aan Emma: ze zegt nooit gewoon: 'Ja hoor, mij best. Waar wil je heen?' Net als haar moeder heeft ze overal een mening over, wat me meer zou storen als ze probeerde mijn bruiloft over te nemen, maar nu is het gewoon een leuke eigenschap van haar.

We treffen elkaar bij een Japans tentje een stukje verderop en als ik binnenkom, zie ik dat Emma al een van de weinige tafeltjes heeft weten te bemachtigen en dat er borden met sushi op tafel staan.

'Ik kon echt niet wachten,' zegt ze nadat ze me heeft omhelsd. 'Is dit goed? Wil je nog iets anders?'

'Nee, dit is prima. Zeg me alleen dat er geen paling in zit.'

'Nee, geen paling. Je hebt niets te vrezen. En hoe gaat het met de bruiloft van de eeuw?' vraagt ze grijnzend.

'Hoe moet ik dat weten?' Ik haal mijn schouders op. 'Het is je moeders bruiloft.'

Emma begint te lachen. 'Nu weet je waarom ik nooit zal trouwen.'

'Ach, je kunt best trouwen.' Ik pak een stukje vis. 'Ga er gewoon vandoor en doe wat je zelf wilt.'

'Hmm. Geen slecht idee. Misschien kunnen we naar een Caribisch eiland vliegen en het op het strand doen.'

'Emma Cooper! Zeg nou niet dat je het nog nooit op het strand hebt gedaan.' Ik ben zogenaamd geschokt vanwege de dubbelzinnige opmerking.

Emma lacht. 'Natuurlijk heb ik het op een strand gedaan. Dat is zanderig en het wordt overgewaardeerd. Maar trouwen bij de waterlijn heeft wel iets heel romantisch.'

'Als het maar geen plek is waar je de achtste bruiloft van die dag bent.'

'Zoals Sandals,' zeggen we tegelijk, en we beginnen te lachen.

'Word je echt helemaal gek van haar?' Er valt een korte stilte, maar we weten allebei over wie ze het heeft.

'Niet gek, alleen een beetje kierewiet.'

'Weet je, ze is mijn moeder dus ik heb nooit een keus gehad, maar jij kunt er nog onderuit. Echt, het is nog niet te laat.'

'Ik weet het,' kreun ik. 'Maar Dan is er ook nog, en ik weet dat je het waarschijnlijk niet kunt geloven omdat hij je grote broer is, maar ik hou gewoon van hem.'

'Maar ben je ook verliefd op hem?'

'Natuurlijk. Waarom zou ik anders met hem trouwen?'

'Ik begrijp het.' Ze knikt ernstig. 'Dan heb je een probleem. Nou, dan moet je maar met haar leren leven, net als wij.'

'Ik weet het, maar daar zit 'm nou juist de kneep. Jullie zijn haar kinderen: jullie kunnen tegen haar ingaan of ruziemaken omdat jullie weten dat jullie na afloop ook nog van elkaar zullen houden. Jullie blijven familie.'

'Jij bent gewoon veel te aardig,' zegt Emma. 'Je bent doodsbang dat ze een hekel aan je krijgt als je zegt dat je toevallig geen gesnoeide boompjes in de balzaal wilt.'

'Precies! Dus je hebt over die gesnoeide boompjes gehoord?'

'Ja. Belachelijk. Veel te overdreven. Net als mijn moeder.'

'Dit is absoluut niet de bruiloft die ik wil. Kun jíj niks tegen haar zeggen?' smeek ik.

'Ik heb zelf al zo vaak ruzie met haar. Dit moet je zelf maar opknappen. Maar ik raad je aan om het niet iedereen naar de zin te willen maken. Tenslotte ben jij de moeder van haar toekomstige kleinkinderen. Ze moet wel aardig tegen je doen, en zelfs als je iets doet wat haar boos maakt, komt ze daar wel weer overheen. Het zou veel beter zijn als je van tijd tot tijd tegen haar in opstand komt.'

Ik zeg niks. Dat hoeft ook niet, want ik weet dat ze gelijk heeft.

'Wat vindt Dan ervan?' vraagt Emma. 'Hij neemt het zeker niet voor je op?'

'Die arme Dan. Volgens mij bevindt hij zich in een onmogelijke situatie. Hij zégt dat hij het met me eens is, maar als puntje bij paaltje komt, doet hij niks.'

'Typisch mijn broer,' zegt Emma.

'Ik meen het. Hij loopt er gewoon voor weg. Hij zegt maar steeds dat hij niet tussen twee vuren in wil zitten en dat ik eventuele problemen met haar moet bespreken. Maar ik vind dat hij mij moet verdedigen omdat hij mijn toekomstige echtgenoot is.'

Tussen haar eetstokjes door kijkt Emma me aan. 'Als ik jou was, zou ik hem het liefst een klap willen geven.'

Ik moet lachen. 'Dat doe ik ook vaak. Niet echt natuurlijk, maar in gedachten.'

'Je hebt natuurlijk allang gemerkt dat Dan en mijn moeder een heel speciale band hebben.'

'Hou je vieze praatjes alsjeblieft voor je,' zeg ik langzaam.

'O god, niet op die manier, maar ik zweer je dat er een probleem is met Dan.'

'Bedoel je dat ze verliefd op hem is?'

'Ik bedoel dat hij in haar ogen niets verkeerds kan doen, en ook al denkt hij niet helemaal hetzelfde over haar, ik weet dat hij zijn positie fijn vindt en dat hij waarschijnlijk niks zal doen om die in gevaar te brengen.'

'Met andere woorden: jouw familie is even verknipt als de mijne en eigenlijk zou ik me wel twee keer moeten bedenken voor ik erin trouw?'

'Zo ongeveer.' Emma haalt haar schouders op en begint te lachen als ze mijn gezicht ziet. 'Ellie, maak je niet zo druk. Mijn familie is niet erger dan andere families die ik ken. Sterker nog: volgens mij doen wij het helemaal zo slecht nog niet. Geloof me, het had veel erger gekund. Maar goed, we moeten een manier bedenken om van die gesnoeide boompjes af te komen.'

Ik begin te kreunen. 'Herinner me daar alsjeblieft niet aan.'

'Kun je trouwens een langere lunchpauze nemen? Ik wil graag het kasjmier bij Brora bekijken.'

Dus vertrokken we en liepen we op die kille dag in september over Marylebone High Street. We gingen naar Brora. En Agnès b. En Rachel Riley. Toen we klaar waren, had Emma drie tassen en ik had niks.

'Trouwens, je moeder staat erop een bruidsjurk met me te gaan kopen,' zeg ik als we eindelijk weer voor het Calden staan en afscheid van elkaar nemen.

'Ik heb het gehoord. En hoe leuk ik het ook vind om je bruidsmeisje te zijn, zorg er alsjeblieft voor dat je niet in een wolk tule naar het altaar loopt.'

'Ik zal mijn best doen.' Ik trek een gezicht, maar ineens krijg ik een idee en ik fleur wat op. 'Hé! Waarom ga je niet mee? Ik vind het moeilijk om voor mezelf op te komen bij je moeder, maar dat kun jij dan voor me doen.'

Daar denkt Emma even over na. 'Wanneer gaan jullie?'

'Zaterdag. Ze weet een hele reeks winkels in West End en een paar in Noord-Londen.'

'Goed,' zegt Emma. 'Ik ga mee om je te beschermen, maar in ruil daarvoor verwacht ik wel iets terug.'

'Zeg het maar.'

'Als je iets perzikkleurigs of lila's voor me koopt, zal ik het nooit meer voor je opnemen.'

'Afgesproken.'

Elke keer dat Linda me zo kwaad maakt dat ik tegen onze volgende ontmoeting opzie, doet ze iets wat zo onverwacht, zo lief is dat ik haar onmiddellijk vergeef. Het gevolg daarvan is dat ik me gekwetst en verrast voel als ze me dan weer kwaad maakt.

Op zaterdagochtend haalt ze me op en als ik in de auto stap, ga ik bijna boven op een doosje zitten dat midden op de passagiersstoel ligt.

Ik leg het op het dashboard, maar Linda zegt: 'Dat is voor jou, Ellie.'

'Voor mij? Waarom? Ik ben niet jarig.'

Linda glimlacht. 'Dat weet ik, maar je bent verloofd, en ik wilde je dit de hele tijd al geven, maar ik was… Ach, dat zeg ik wel als je het hebt opengemaakt. Doe dat nu maar, dan gaan we daarna Emma ophalen.'

Ik maak het doosje open en zie prachtige oorbellen met diamanten in de vorm van een bloem. De mooiste, delicaatste oorbellen die je je kunt voorstellen, en ik begin onmiddellijk te trillen.

'O, mijn god,' zeg ik keer op keer. 'Linda, ze zijn prachtig, maar ik kan het echt niet aannemen.'

Linda kijkt verheugd. 'Natuurlijk wel en dat zul je doen ook,' zegt ze. 'Ze zijn van mijn moeder geweest en ik heb ze op mijn eigen bruiloft gedragen en nu geef ik ze aan jou zodat jij ze op jouw bruiloft kunt dragen.'

'Ik kan ze echt niet aannemen. Je moet ze bewaren voor Emma.' Ik probeer het doosje terug te geven aan Linda, maar ze schudt haar hoofd. 'Nee, Ellie. Ik heb altijd gezegd dat ze naar de eerste in de familie gaan die gaat trouwen, en dat is Dan, en jij hoort nu bij de familie.'

'Maar dat vindt Emma natuurlijk vreselijk,' werp ik tegen, hoewel ik dat niet zeker weet. Emma is meer iemand die gaat trouwen op een Caribisch strand, ongetwijfeld in een bikini met felgekleurde kristallen oorbellen. Als ze tenminste ooit trouwt.

Met een glimlach zegt Linda: 'Ten eerste lijkt mijn lieve dochter voorlopig nog niet te gaan trouwen, en ten tweede weet diezelfde lieve dochter niets van deze oorbellen af...'

'Maar dat wil nog niet zeggen dat ik ze moet krijgen,' onderbreek ik haar, maar Linda steekt een hand omhoog om me het zwijgen op te leggen.

'En ten derde,' zegt ze triomfantelijk, 'heb ik een prachtige diamanten ketting die veel beter bij Emma past. Als ze ooit gaat trouwen, wat ik de hemel smeek, dan krijgt zij die.'

Ik doe het doosje open en kijk nog een keer naar de oorbellen: kleine hartjes van solitair met marquise geslepen bloemblaadjes die een volmaakt madeliefje vormen. 'Weet je het zeker?' fluister ik. Zoiets moois ken ik alleen uit de etalage van Cartier. 'Echt, heel zeker?'

'Ik weet het zeker,' zegt Linda en haar vreugde dat ze mij dit prachtige cadeau kan geven is bijna voelbaar. 'Maar misschien moet je het nu nog even geheimhouden voor Emma.'

'Linda, ik weet niet wat ik moet zeggen.' Onhandig omhels ik haar. 'Zo'n mooi cadeau heb ik nog nooit gehad.'

Emma gaat achterin zitten en buigt zich voorover om eerst haar moeder en daarna mij een zoen op de wang te geven.

'Is er nog iets gebeurd?' vraagt ze, en ik kijk zenuwachtig naar Linda en word vuurrood.

Er schieten gedachten aan Basil Fawlty door mijn hoofd en ik klem mijn tanden opeen terwijl ik denk: niks over de diamanten zeggen. Niks over de diamanten zeggen.

'Niet veel, schatje,' zegt Linda. 'En met jou?'

'Ook niet veel,' zegt Emma. 'Gaan we nog naar Knightsbridge? Bij Harvey Nichs is een paar schoenen voor me apart gezet. Het duurt niet lang.'

Gelukkig trekt mijn blos eindelijk weg en ik draai me om naar Emma. 'Nog meer schoenen?' vraag ik, omdat ik weet dat ze eerder die week een paar Prada's heeft gekocht.

'Ze zijn in de uitverkoop, dus dat telt niet. Die twee paar samen kosten evenveel als één paar. Echt, het zou onbeleefd zijn geweest om ze niet te kopen.'

'Richard en jij zijn ook precies hetzelfde,' verzucht Linda. 'Hopeloos met geld.'

'Ja, mammie.' Emma slaat haar ogen ten hemel. 'Waar komt die ketting ook alweer vandaan?'

Linda strijkt met haar vingers over haar Bvlgari-ketting. 'Dat is iets anders,' zegt ze. 'Ik ben veel ouder dan jij en ik kan het me permitteren.'

'Je bedoelt dat pap het zich kan permitteren,' werpt Emma tegen.

'Ik bedoel dat wíj het ons kunnen permitteren. Sinds wanneer verdien jij genoeg om al die designerkleding te kopen?'

'Sinds ik bij mijn vrienden logeer en mijn geld gebruik voor de belangrijke dingen des levens.'

Linda zucht. 'Wanneer zul jij volwassen worden, Emma?'

Daar moet Emma alleen om lachen. 'Ik hoop nooit.'

'Even serieus,' fluister ik in de kleedkamer van de tweede bruidsmodezaak, waar Emma me helpt een japon aan te trekken. Ondertussen gedraagt Linda zich buiten de kleedkamer als de koningin. Ze drinkt cappuccino en babbelt met de verkoopsters. 'Hoe kun je al die designerkleding permitteren?'

Emma lacht. 'Freelance styliste zijn is lang niet zo'n nederig of slechtbetaald beroep als mijn moeder kennelijk denkt. Bovendien krijg ik enorme kortingen. En de helft van de kleren die volgens mijn moeder designerkleding zijn, heb ik voor een paar pond gekocht op Portobello Road.'

Ik kijk achterdochtig naar haar Pucci-blouse. 'Is dat dan geen Pucci?'

'Eerder een Fucci,' zegt ze lachend. 'Als je de schoenen en de handtas hebt, denkt iedereen dat de rest ook echt is.'

'Tjonge. Ik ben onder de indruk.'

'Nu weet je waarom ik zo'n goede styliste ben.' Met een knipoog draait ze zich om en kijkt naar de rechterkant van de kleedkamer. 'Ik dacht dat je had gezegd geen wolk tule? Waarom zijn we hier eigenlijk?' Ze wijst naar de vijf jurken die aan de muur van de grote kleedkamer hangen. Het zijn vijf enorme witte creaties die op schuimtaarten lijken.

'Zo houden we je moeder tevreden,' zeg ik, zonder erbij te zeggen waarom het zo belangrijk is dat Linda tevreden wordt gehouden, dat dit het minste is wat ik kan doen nadat ze me zo'n gul en attent cadeau heeft gegeven.

Emma huivert en zegt: 'Het spijt me dat ik het moet zeggen, maar je lijkt er wel een olifant in.'

Ik draai me naar haar toe en zet mijn handen in mijn zij. Terwijl ik haar streng aankijk, zeg ik: 'Het is maar goed dat je familie wordt, want als een vriendin dit tegen me zou zeggen, zou ik haar gelijk aan de kant zetten.'

'Dat verklaart dan waarom je maar zo weinig vriendinnen hebt,' grapt Emma, zonder te weten hoe waar haar woorden zijn. 'Goed, dat neem ik terug, maar denk je niet dat iets eenvoudigers en eleganters je veel beter zal staan?'

'Natuurlijk.' Ik haal mijn schouders op. 'Maar je moeder moet eerst zien hoe vreselijk ik eruit kan zien voor ze een eenvoudige Griekse kokerjurk zal waarderen.'

'Aha, ik begrijp het,' zegt Emma. 'Slim plan. Waarom ben ik daar niet op gekomen?'

Vier bruidszaken later vermindert zelfs Linda's enthousiasme. Ik help ook niet erg door elke schuimtaart aan te trekken en de kleedkamer uit te lopen terwijl ik mijn schouders opzettelijk laat hangen en mijn buik naar voren duw om er zo vreselijk mogelijk uit te zien.

'Ik wist niet dat je zo'n slechte houding had,' zegt ze op een gegeven moment. 'Je moet echt leren je schouders te rechten, Ellie.'

Eindelijk zie ik de ideale jurk. Strak, met ballonmouwen, gemaakt van zijde en chiffon en dromerig eenvoudig. Ik stoot Emma aan, die hem van nabij gaat bekijken.

'Mam,' zegt Emma, die de jurk meeneemt. 'Wat vind je hiervan?'

'Veel is het niet, hè?' Vol minachting kijkt Linda naar de jurk, die ik werkelijk hemels vind.

'Maar we hebben de ene grote jurk na de andere gepast. Het zou leuk zijn om Ellie een keer in iets anders te zien. Alleen om te vergelijken.'

'Ellie?' Linda kijkt nog altijd bedenkelijk. 'Wil je deze passen?'

'Ja, hoor,' zeg ik. Zodra het gordijn dichtzit, gieren Emma en ik het geluidloos uit.

'Wauw,' zegt Emma als ze naar mijn spiegelbeeld kijkt.

'Wauw,' herhaal ik. Hoe komt het dat ik nooit eerder heb beseft hoe knap ik ben, hoe slank en elegant? De jurk verbergt al mijn gebreken en accentueert al mijn pluspunten.

Ik trek het gordijn open en schrijd als een vorstin de winkel in, met mijn schouders recht, waar Linda met open mond haar koffiekopje neerzet.

'Dat lijkt er meer op,' zegt ze, en ze glimlacht voor de eerste keer in tweeënhalf uur. 'Ellie, je ziet eruit als een sprookjesprinses.'

'Weet je zeker dat ze niet nog zo'n wolk tule moet passen?' vraagt Emma met een valse blik in haar ogen.

'O, hou je mond. Wat vind jij ervan, Ellie? Vind je hem leuk?'

'Leuk? Het is het mooiste wat ik ooit heb gedragen.'

'Dat is dan geregeld,' zegt Linda. 'Dat wordt je jurk. Ik wist wel dat we meteen iets eenvoudigs hadden moeten kiezen.'

Emma en ik doen ons uiterste best om niet te lachen.

Diamanten oorbellen, hou ik mezelf voor. Maak haar nou niet kwaad.

'En?' Dan belt me op mijn mobieltje als we in de auto naar huis rijden.

'Nou, we hebben hem gevonden,' zeg ik met een glimlach. 'De mooiste jurk die je ooit hebt gezien.'

'Niks verklappen,' gilt Linda naast me. 'Je mag hem niet vertellen hoe hij eruitziet.'

Alsof ik dat van plan was. 'Maar je begrijpt natuurlijk wel dat ik je er niets over mag vertellen,' zeg ik.

'Was het leuk?' vraagt hij, in de hoop dat Linda en ik weer de beste maatjes zijn, dat ik me als ik thuiskom niet meer beklaag over zijn moeder, dat hij me niks negatiefs meer over haar hoort zeggen.

'Het was enig,' zeg ik, en dat is waar. Het wás ook enig. Ik voelde me net een normale vrouw die gezellig heeft gewinkeld met haar moeder en zus. Nou ja, bijna dan. Maar ik had wel het gevoel dat ik erbij hoorde, en dat was het fijnste gevoel wat er bestaat.

7

Eindelijk hebben we het appartement van onze dromen gevonden. Ik dacht dat we vóór die tijd al onder druk stonden, maar dat is nog niks vergeleken bij bidden dat er een bod komt op ons appartement, de prijs ervan moeten laten zakken, eindelijk een bod accepteren en tegelijkertijd proberen zelf ook een bod uit te brengen.

Ik word plat gebeld door makelaars en notarissen, en ik sta doodsangsten uit dat er iets mis zal gaan of dat we opgelicht zullen worden. Daarom raak ik in paniek als ik mijn mobieltje niet voortdurend in mijn hand heb.

Ik snap niks van de trilfunctie. Ik had gedacht dat die stil en onopvallend zou zijn, maar de telefoon springt zowat over de tafel en zoemt heel agressief, terwijl onze directeur, Jonathan, die aan het woord is, zwijgt en veelbetekenend naar de gsm kijkt.

'Sorry,' mompel ik, en ik pak de telefoon. Ik denk dat het de notaris weer is en ik weet dat ik me moet excuseren om zijn telefoontje te beantwoorden, maar als ik op het display kijk, zie ik Linda's naam.

Godsamme. Gelukkig bestaat er zoiets als nummerherkenning. Ik druk op een knopje zodat ze direct wordt doorgeschakeld naar mijn voicemail en verontschuldig me bij iedereen. Twee minuten later gaat hij weer en ik stuur haar weer naar de voicemail.

Twee minuten en drie afzonderlijke trilperiodes later slaakt mijn baas een zucht. Hij houdt op met praten en kijkt me veelbetekenend aan terwijl ik vuurrood word. 'Denk je niet dat je beter kunt opnemen?' vraagt hij. In de stille vergaderkamer lijkt de vibrerende telefoon nog opvallender en lawaaiiger dan anders het geval zou zijn.

'Neem me niet kwalijk.' Ik schakel de telefoon direct uit en vervloek die stomme vrouw in stilte. 'Het is niet dringend en kan wel wachten tot deze vergadering voorbij is.'

Nog geen vijf minuten later steekt Sandy, een van de marketing-assistentes, haar hoofd om het hoekje van de deur.

'Sorry dat ik stoor,' zegt ze bedeesd, 'maar er is een dringend telefoontje voor Ellie.'

Godverdomme. Ik schuif mijn stoel naar achteren en verontschuldig me. Dan been ik naar mijn bureau om de telefoon op te nemen. Mijn stem klinkt bijzonder geërgerd.

Natuurlijk is zij het. De vrouw die niet weet wat het woord 'geduldig' betekent. Die altijd alles nú wil, maar nog liever gisteren.

'Hallo?' Ik probeer beleefd te blijven en mijn woede te verbergen, want tenslotte is ze mijn aanstaande schoonmoeder. Hoe irritant en ergerlijk ze ook is, het laatste wat ik wil is ruziemaken met de vrouw die niet alleen de moeder is van mijn aanstaande man (bij het woord 'verloofde' trek ik nog altijd een gezicht), maar die ook mijn hele bruiloft betaalt.

Bovendien ben ik iemand die iedereen te vriend wil houden; het gevolg van opgroeien met een alcoholistische moeder bij wie ik altijd voorzichtig moest zijn en me zo goed mogelijk moest gedragen vanuit de verkeerde veronderstelling dat ik haar zo tevreden kon houden. Ik ben pas blij als jij blij bent, en ook al mag ik je niet, toch zal ik mijn best doen om ervoor te zorgen dat jij mij wel mag.

Dat is de reden dat ik mijn schoonmoeder niet duidelijk maak dat ze me voor schut zet op kantoor of dat ik haar niet verbied me tussen negen en vijf te bellen. Nee, sterker nog: ze mag me nóóit bellen.

'Dag, Ellie,' zegt Linda opgewekt. 'Hoe gaat het met je?'

'Goed, dank je.' Ik heb mijn tanden opeengeklemd en er volgt een lange stilte voor ik snauw: 'En met jou?'

'Ook goed. Is je mobieltje kapot? Ik probeer je al tijden te bereiken.'

'Ik was in vergadering.' Mijn stem klinkt kil. 'Als je een boodschap had ingesproken had ik je direct daarna teruggebeld.' Dan had je me niet hoeven storen voor iets wat ongetwijfeld belachelijk is, voeg ik eraan toe. In stilte, natuurlijk.

'O, wat dom van me,' zegt Linda lachend. 'Ik dacht dat je telefoon misschien kapot was. Als ik had geweten dat je een vergadering had, zou ik je niet hebben gestoord.'

Wedden dat ze wist dat ik een vergadering had? Wedden dat Sandy dat had gezegd? 'Is alles in orde?' vraag ik na een ongemakkelijke stilte.

'Ja, hoor. Ik vroeg me alleen af of Dan en jij vanavond met Michael en mij uit eten willen. We willen dat nieuwe Indiaanse restaurantje proberen. Schikt het rond halfacht?'

Ongelooflijk. Heeft die vrouw me echt uit een vergadering laten halen voor een etentje? Is dit de belangrijke reden waarom ze me direct moest spreken en geen boodschap kon achterlaten?

'Het spijt me, Linda,' zeg ik zogenaamd verontschuldigend. 'Maar Dan is in het noorden voor opnames en hij is doodmoe, en ik heb ook een lange week achter de rug. We wilden vroeg naar bed... Maar bedankt,' zeg ik er vlug achteraan omdat ik weet hoe snel mijn schoonmoeder op haar teentjes is getrapt.

'O,' zegt Linda met een vleugje van mijn eigen eerdere kilte in haar stem. 'Maar ik heb Dan net gesproken – hij zit in de trein naar huis, overigens – en hij klonk prima. Ik belde je alleen om het even te vertellen.'

'O.' Geweldig. Nu luist ze me er ook nog in. Waarom heeft Dan in godsnaam ja gezegd? 'O,' zeg ik nogmaals, en wat aarzelend. 'Het spijt me. Dat had je moeten zeggen. Nou, als Dan ja heeft gezegd, zal het wel goed zijn.'

'Prima,' zegt Linda. 'Kom maar rond kwart over zeven. Tot dan!' En ze heeft al opgehangen.

'Sandy!' gil ik en ik marcheer naar Sandy's bureau. Ik wil me niet op haar afreageren, maar ik moet mijn frustratie kwijt en helaas is zij het dichtst in de buurt en kan ik haar het makkelijkst de schuld geven.

'Mm-mm?' Zenuwachtig kijkt Sandy op van haar computer.

'Wist je dat dat mijn aanstaande schoonmoeder is?'

'Ja.'

'Waarom heb je haar in godsnaam dan niet verteld dat ik in een vergadering zat?'

'Dat héb ik gedaan,' zegt Sandy. 'Maar zij zei dat het dringend was en vroeg of ik je wilde halen.'

'O, godsamme.' Ik schud mijn hoofd als Sandy me verslagen aankijkt.

'Het spijt me echt,' zegt Sandy. 'Ik probeerde het haar te vertellen, maar... om je de waarheid te zeggen vind ik haar nogal angstaanjagend.'

Ik slaak een zucht en laat het erbij. Wat kan ik anders? 'Nee, het spijt mij dat ik het op jou afreageer. Ik weet precies hoe angstaanjagend ze kan zijn. Dat mens is ook zo brutaal.'

Sandy haalt haar schouders op en kijkt weer naar haar computerscherm, en ik probeer te bedenken of ik tijd heb om Dan te bellen en nu tegen hem tekeer te gaan of dat ik tot na de vergadering moet wachten.

Nee. Voor ik ook maar iets doe, moet ik afkoelen, dus ik ga terug naar de vergadering, hoewel ik van het eerste kwartier niks meekrijg omdat ik nog steeds razend ben op Linda. Maar dan eist de opening van het Calden in Edinburgh mijn aandacht op en als de vergadering anderhalf uur later voorbij is, is mijn woede wat afgenomen. Ik bel Dan zodra ik achter mijn bureau zit en slaag erin niet tegen hem tekeer te gaan, wat ik ongetwijfeld wel had gedaan als ik hem anderhalf uur eerder had gebeld.

Toch hoort Dan meteen dat er iets mis is. 'Wat is er aan de hand?'

'Je moeder. Zoals gewoonlijk.'

'Kom op zeg, Ellie.' Dan doet geen enkele poging om zijn ergernis te verbergen en dat begint me ook flink te ergeren. Als mijn aanstaande echtgenoot hoort hij mij toch zeker te steunen?

'Niks, "kom op zeg". Ze heeft me uit een belangrijke vergadering laten halen met de mededeling dat het dringend was, en toen ik haar uitnodiging om met hen te gaan eten afsloeg, vertelde ze me dat jij al ja had gezegd. Nou, hartelijk bedankt, Dan. Had je niet eerst met mij kunnen overleggen voor je…'

'Wacht eens even!' valt Dan me in de rede. 'Ik heb nergens ja op gezegd. Ze zei iets over het eten en ik zei dat ik moe was en dat we waarschijnlijk vroeg naar bed wilden, maar dat ik het eerst aan jou zou vragen.'

'Nou, mooi is dat. Ze is dus even manipulatief als anders.'

'Godsamme.' Dan snuift boos. 'Hou toch eens op. Je loopt echt al weken op mijn moeder af te geven.'

'Dat komt doordat jij het nooit voor me opneemt. Als je eens een keer wat lef toont en me verdedigt of het met me eens bent als je moeder zich manipulatief of onredelijk gedraagt, dan zou het me niet zo ergeren.'

'Als je er zo mee zit, waarom trouw je dan eigenlijk met me?' snauwt Dan. Het kan hem niks meer schelen dat iedereen in de treincoupé meeluistert met zijn ruzie.

'Dat is een verdomd goede vraag,' roep ik, en dan smijt ik de hoorn op de haak, ook al was dat mijn bedoeling niet en weet ik dat het het ergste is wat ik kan doen. Een seconde, een fractie van een seconde, lucht het me enorm op.

Even voor halfzeven ontmoeten we elkaar in het appartement. Ik heb me natuurlijk de rest van de middag vreselijk schuldig gevoeld omdat ik zo gemeen heb gedaan. Ik weet dat het vooral door alle stress van de bruiloft komt, maar dat is slechts een armzalig excuus.

Ik voel me nog veel ellendiger als ik zie dat Dan behoorlijk van streek is.

Ik weet hoe hij zich voelt, eerlijk waar. Weken geleden, toen we erin zijn geslaagd hier kalm over te praten, heeft Dan uitgelegd dat hij het gevoel heeft klem te zitten tussen de twee belangrijkste vrouwen in zijn leven, en dat kan ik begrijpen. Echt waar. En ik heb verteld dat ik zijn steun nodig heb, dat ík nu de belangrijkste vrouw in zijn leven ben, of dat in elk geval zou moeten zijn. Toen knikte hij en beloofde beter zijn best te doen, en dat is op zich al een stap vooruit.

Misschien zou ik het beter begrijpen als mijn eigen familie anders was geweest, denk ik af en toe treurig. Als ik een vaderskindje was geweest, zou Dan moeten concurreren met mijn vader. Ach, misschien hoort dit er gewoon bij, word je alleen zo een vrouw, een echtgenote, een echt geëmancipeerde volwassene.

'Het spijt me,' is het eerste wat ik zeg wanneer Dan binnenkomt en zijn weekendtas in de slaapkamer zet. 'Het spijt me wat ik tegen je heb gezegd en dat ik heb opgehangen.'

Ik verwacht dat Dan zal doen wat hij altijd doet na een van onze felle ruzies: dat hij zijn armen om me heen slaat en zich op zijn beurt verontschuldigt, maar hij gaat zwijgend op de bank tegenover me zitten en kijkt naar de grond. Voor het eerst voel ik me ongerust. O, hemel. Laat hem alsjeblieft niks vreselijks zeggen. Laat hem alsjeblieft niet van gedachten zijn veranderd.

'Dan, ik zei dat het me speet,' fluister ik. De angst lijkt een strakke band om mijn borst te vormen, waardoor ik niet harder kan praten.

'Dan? Zeg alsjeblieft iets.'

Er verstrijken een paar minuten voor Dan zijn hoofd optilt en me treurig aankijkt.

'Het is gewoon moeilijk voor me,' zegt hij. 'Ik weet hoe zwaar dit is en ik weet dat mijn moeder dominant kan zijn, maar ik wil niet continu aanhoren hoe vreselijk ze is. Ze is en blijft mijn moeder, Ellie. Hoe je ook over haar denkt, ze wil alleen het beste voor ons.'

'Dat weet ik…'

'Nee, laat me uitpraten. Voorzover ik kan zien probeert mijn moeder jou uit alle macht het gevoel te geven dat je bij de familie hoort. Wij trekken nou eenmaal veel met elkaar op en mijn moeder wil alleen dat jij je welkom voelt, maar jij lijkt alles wat ze doet verkeerd op te vatten en daar krijg ik genoeg van.'

Ik zit er zwijgend bij. Beschaamd.

'Hoe je ook over haar denkt, ze is geen slechte vrouw. Ze houdt van me en ze wil dat ik gelukkig word en ze denkt, ze dácht' – hij werpt me een veelbetekenende blik toe – 'dat ze dat zou bereiken door jou in ons gezin op te nemen, maar in plaats daarvan raak jij steeds gestrester, en ik begrijp niet waarom.'

Hij heeft gelijk. Natuurlijk heeft hij gelijk. Had ik nog hartelozer kunnen zijn? Nog onaardiger? Waarom heb ik al die overhaaste conclusies getrokken, terwijl alles nu zo duidelijk is? Omdat Dan het allemaal zo rationeel uitlegt en ik duidelijk de kwade Pier ben.

Mijn hele lichaam staat stijf van schaamte en als Dan eindelijk is uitgesproken, kan ik een poosje alleen maar zeggen: 'Het spijt me.'

En vervolgens: 'Ik weet dat het geen excuus is, Dan, maar af en toe wordt het me te veel. Ik weet niet hoe ik ermee om moet gaan, omdat ik zelf nooit deel heb uitgemaakt van een echt gezin.'

'Maar je hebt steeds gezegd dat je dat wilt.'

'Ja, dat is waar. Het kost me alleen langer dan ik had verwacht om me aan te passen. Je moet me wat meer tijd gunnen.' Ik haal diep adem. 'Ik heb nooit een echte moeder gehad en ik weet dat Linda dat voor me probeert te zijn, maar ik weet niet hoe ik me bij een moeder moet gedragen. Zelfs al dacht ik dat ik dat wilde, het is veel moeilijker dan ik van tevoren besefte.'

Dan knikt. 'Dat begrijp ik best,' zegt hij na een poosje. 'Echt waar. En ik weet dat ze lastig kan zijn, maar ze is alleen lastig omdat ze van ons houdt.'

'Ik weet het.' Ik slaak een zucht als ik de klok in de gang zie. 'O, shit. Dan, we moeten over minder dan vijf minuten al bij hen zijn.'

'Nee, hoor. Ik heb afgezegd.'

'Echt waar? En je leeft nog steeds?'

'O, heel grappig. Maar niet heus. Na ons goede gesprek in de trein vond ik dat een etentje met hen wat te veel van het goede zou zijn.'

'Vond ze het erg?'

'Nee, natuurlijk niet. En trouwens, als ik toen nog niet uitgeput was, ben ik dat nu wel.'

'Wil dat zeggen dat we vanavond vroeg naar bed gaan?' vraag ik grijnzend. Eindelijk dansen er weer pretlichtjes in mijn ogen.

'Dat ligt eraan wat je precies bedoelt met vroeg naar bed gaan,' zegt Dan. Hij wenkt dat ik naast hem op de bank moet komen zitten en hij slaat zijn arm om me heen, waardoor ik me veilig, warm en bemind voel.

'Ik neem aan dat je me hebt vergeven,' zeg ik, en ik hef mijn hoofd op om hem te zoenen.

'Bijna.' Met een glimlach brengt hij zijn hoofd een stukje omhoog. 'Waarom neem je me niet mee naar bed om me alles te laten vergeten...'

Net als ik de volgende dag naar huis wil gaan van mijn werk, voel ik menstruatiepijn. Alleen wat lichte kramp, het gebruikelijke teken dat mijn ongesteldheid eraan komt. Dat is mooi, want als ik nu ongesteld word, ben ik het niet op mijn trouwdag. Vlug pak ik een Tampax uit mijn onderste la en ren naar het toilet, maar er is geen bloed. Niks.

Dus ga ik naar huis en omdat ik doodmoe ben en geen zin heb om met de metro te gaan, probeer ik een taxi aan te houden op Marylebone High Street – ja, ik weet het: vrijwel onbegonnen werk tijdens de spits – als ik ineens bedenk dat het tijden geleden is dat ik ongesteld ben geweest.

Wanneer was ik dat eigenlijk voor het laatst?

Er komt een taxi de hoek om en hij stopt, en als de passagier uitstapt en betaalt, haast ik me erheen en grijp de hendel van het portier beet. Als we eenmaal op weg zijn en voor de stoplichten van Gloucester Place staan, bekruipt me een onrustig gevoel, een gevoel dat zowel onplezierig als onbekend is. Ik rommel in mijn tas op zoek naar mijn agenda en blader haastig vier weken terug.

Ik mag dan hopeloos slordig zijn, in mijn agenda staat alle informatie die ik nodig heb en ik hou trouw bij wanneer ik ongesteld ben. Al bijna twintig jaar schrijf ik nauwkeurig op wanneer het begint, hoe lang het duurt en wanneer de volgende hoort te komen.

Alleen ben ik door alle gekte rond de aanstaande bruiloft kennelijk zo in de war geraakt dat ik een ongesteldheid niet heb opgeschreven. Heb ik dat vergeten? Zou dat kunnen? Het is wel raar – maar ja, ik heb het nog nooit zo druk gehad en ik ben nog nooit zo afgeleid geweest, dus ergens is het heel begrijpelijk...

Wacht eens even. Nee, dat kan niet. Als ik over twee weken ongesteld moet worden, had ik het twee weken geleden ook moeten zijn, en ik weet nog precies wat we toen deden. Toen was ik zeker niet ongesteld.

Het moet een vergissing zijn...

Een halfuur later zit ik thuis op het toilet in de badkamer. Voor me staat een lege tas van een drogisterij en ik staar naar een zwangerschapstest waarop twee duidelijke, dikke blauwe strepen te zien zijn.

'Shit,' fluister ik keer op keer. Angst, blijdschap en ongeloof vermengen zich en er verschijnt een glimlach op mijn gezicht. 'Wat zal Dan daarvan zeggen?'

'Zwanger? Ben je zwanger?' Dan blijft doodstil staan en kijkt me alleen maar aan. Dat is niet bepaald de reactie waarop ik had gehoopt.

Hij had een zakendiner, dus ik heb de rest van de avond mijn tijd verdeeld tussen surfen naar babysites en dromen hoe Dan me huilend van geluk in zijn armen zou nemen.

Ik wist pas een paar uur dat ik zwanger was, maar toch was er al een heel nieuwe wereld voor me opengegaan. De rest van de middag had ik op babyzone.com en ParentsPlace rondgekeken.

Ik weet nu dat ik op 30 augustus moet bevallen en ook dat het niet ongewoon is om in het begin wat kramp te voelen – vandaar die menstruatiepijn die niet van een menstruatie bleek te zijn – wat niet per se wil zeggen dat er een miskraam zal volgen. En ik weet dat ik beter niks aan andere mensen kan vertellen voor ik twaalf weken zwanger ben en het veilig is.

Daarna moest ik natuurlijk gaan kijken bij babynames.com. Tot nu toe is mijn eerste keus voor een jongensnaam Flynn en voor een meisje vind ik Tallulah prachtig. Dan kennende zal hij liever iets alledaagsers kiezen, zoals Tom of Isabel.

Na een poosje had ik alles gelezen wat er te lezen viel, dus richtte ik me op zaken als welke buggy het best is (blijkbaar is de hipste op het ogenblik iets wat de Bugaboo Frog heet), of ik een Huggies- of een Pampers-vrouw moet zijn en hoe je een droomkinderkamer kunt maken voor je kleine prinsje of prinsesje.

Er valt zo veel te leren! Er is zo veel waar ik geen idee van had!

Om elf uur ben ik nog altijd on line en surf ik nog steeds naar babysites, maar eindelijk neemt de schrik wat af, en die maakt plaats voor grote opwinding. Dan heeft de hele dag al gebeld, maar ik durfde niet op te nemen omdat ik het dan niet voor me had kunnen houden. Ik zou het gewoon hebben gezegd, maar ik wil het hem zo graag persoonlijk vertellen om de vreugde en opwinding in zijn ogen te zien.

Dan wordt vader! Ik word moeder! We worden OUDERS!

Nu is hij eindelijk thuis en sta ik in de gang terwijl mijn fantasieën over Dan die me in zijn (sterke, mannelijke) armen tilt en mijn gezicht overdekt met extatische kussen als sneeuw voor de zon verdwijnen.

'Ja, ik ben zwanger.' Mijn verrukking maakt direct plaats voor een woede-uitbarsting, gevolgd door de vrees dat ik in tranen zal uitbarsten. Blijkbaar schreven de websites de waarheid over wat er met je hormonen gebeurde.

'Ben je niet blij?' Mijn stem breekt bijna.

Er volgt een stilte. 'Je gebruikte toch iets?' zegt Dan ten slotte.

'Jezus, Dan!' Daar heb je de woede weer. Oeps. Ik mag hopen dat de komende negen maanden niet zo emotioneel zullen zijn. 'Ja, ik gebruikte iets, maar kennelijk is dat niet honderd procent betrouwbaar, waarschijnlijk vanwege die stomme antibiotica, maar dat doet er nu niet toe. Ik ben zwanger, Dan, en we gaan over vier weken trouwen. Ik dacht dat je opgetogen zou zijn.' Zo langzamerhand ben ik bijna hysterisch, en Dan, die eindelijk inziet dat hij een fout heeft gemaakt, ontwaakt uit zijn verdoving.

Hij probeert het goed te maken door zijn armen om me heen te slaan, maar dat gaat niet best (ja, ik ben stijf en stram, zou jij dat ook niet zijn?) en hij drukt een vaderlijk zoentje op mijn kruin. 'Het spijt me, schatje,' zegt hij. 'Ik ben moe en ik schrik er nogal van. Dit was wel het laatste wat ik had verwacht.'

'Dus je vindt het wel fijn?'

'Vind jij het fijn?'

'Ik ben er dolblij mee.' De woede verdwijnt even snel als hij is gekomen en een tel later omhels ik hem en giechel ik zonder te kunnen ophouden. 'Ik bedoel, het grootste deel van de dag was ik helemaal van de kook, maar nu is het echt ongelooflijk. Ik krijg een kind, Dan! Wíj krijgen een kind!'

Ik knijp hem en het kan me niet eens schelen dat hij wat zenuwachtig lacht en zegt: 'Natuurlijk ben ik blij. Alleen had ik niet verwacht dat dit zo vlug zou gebeuren.'

Ach, wat is het toch een schatje. Hij heeft net een schok te verwerken gekregen. En dat geeft niks, want mij is het vanmiddag net zo vergaan. Daarom zorg ik ervoor dat hij op de bank gaat zitten en ga ik thee zetten voor ons. (Cafeïne? Mag ik eigenlijk wel cafeïne? Ik besluit om weer internet op te gaan als ik voor Dan heb gezorgd, maar ach, één kop kan vast geen kwaad.) Ik breng de thee naar hem toe, ga naast hem zitten en vlij me lekker tegen hem aan. Met een toegeeflijke glimlach kijk ik naar de geschokte uitdrukking op zijn gezicht.

'Ik weet dat je luxe reisjes naar Europa wilde maken in de weekends,' begin ik zacht, 'en ik weet dat we hebben afgesproken om nog een jaartje te wachten voor we aan kinderen zouden beginnen, maar dit is een zegen. We kunnen nog altijd al die dingen doen die we wilden doen, alleen hebben we nu nog iemand om het mee te doen.'

69

'Dat weet ik.' Dan knikt, waarna hij met een frons vraagt: 'Maar hoe moeten we het aan mijn moeder vertellen?'

'Je moeder?' Ongelovig kijk ik Dan aan. Godsamme. Ik kan niet geloven dat hij dat net heeft gezegd. 'Wat heeft dit in godsnaam met je moeder te maken?'

'Toe nou, Ellie.' Dan slaat zijn ogen ten hemel. 'Ze betaalt immers die hele vervloekte bruiloft. Ik vind dat ze er recht op heeft het te weten. Jij niet?'

'Nee, eigenlijk niet. Ten eerste hadden we die bruiloft zelf betaald als het enigszins mogelijk was geweest, en dat weet jij ook...'

'Dat zei je toen anders niet.'

'Nee, natuurlijk niet. Ik dacht dat ze die uit de goedheid van haar hart wilde betalen, niet omdat zij alles wilde regelen.'

'Zij regelt niet alles,' sputtert Dan tegen.

'O, nee? Ik meen me anders te herinneren dat we lang geleden, toen je me net ten huwelijk had gevraagd, hadden gezegd dat we een bescheiden bruiloft wilden. Klein en intiem, zeiden we. We zouden alleen goede vrienden en familie uitnodigen.'

Dan zegt niks, en dat is maar goed ook. Hij weet dat hij dit niet kan winnen, en wat belangrijker is: hij weet dat ik het weet. Maar mijn woede is terug, en hoe minder hij zegt en hoe stiller hij wordt, hoe kwader ik word.

'Geloof je echt dat ik driehonderd mensen die ik nauwelijks ken op mijn bruiloft wil hebben?' roep ik uit. 'Denk je soms dat ik Chileense zeebaars wil serveren, of gigantisch grote witte strikken om de stoelen wil hebben?'

'Nou, waarom heb je dat dan niet gezegd? Daar heb je toch tijd genoeg voor gehad?'

'Omdat ik niet ondankbaar wilde lijken, en omdat ik al een hele poos geleden heb beseft dat dit niet mijn bruiloft is, maar de hare. Het was het makkelijkst als ik niet tegensputterde, maar haar alles liet regelen.

Maar het feit dat ze zich bemoeit met elk detail van onze trouwdag,' ga ik verder, 'wil niet zeggen dat ze zich ook moet bemoeien met elk detail van ons leven, en dit gaat haar niet aan. Dus om op je vraag terug te komen: nee, we hoeven ons niet af te vragen hoe we het haar moeten vertellen, want we gaan het haar niet vertellen. Althans, niet tot we terugkomen van de huwelijksreis. En de reden waarom we het haar pas dan vertellen is niet dat ze helemaal gek zou worden omdat ik zwanger ben op mijn trouwdag – grote genade – maar omdat het haar niet aangaat.'

'Natuurlijk heeft gaat het haar wel aan.' Dan schudt zijn hoofd. 'Dit is mijn kind, haar eerste kleinkind. Ze heeft het volste recht het te weten.'

'Jezus, Dan.' Vol afkeer schud ik mijn hoofd. 'Wil je soms dat ik haar ook elke keer bel als we met elkaar naar bed gaan? Om ervoor te zorgen dat er geen enkel aspect van ons leven is waarvan ze zich buitengesloten voelt?

O, pardon,' ga ik verder, half razend, half triomfantelijk, in de wetenschap dat Dan niet veel terug kan zeggen, 'dat doe jij waarschijnlijk al.'

Dans stem wordt koel. 'Soms doe je heel kinderachtig, Ellie. Waarom praten we hier niet verder over als je weer weet hoe je je als een volwassene moet gedragen?'

'Nee, waarom praten we hier niet verder over als jij weet dat jíj volwassen bent en dat je niet voor alles je moeder om hulp hoeft te vragen en dat mammie niet alles hoeft te weten over jouw leven?'

'Jij zegt altijd dat ik uit een disfunctioneel gezin kom,' briest Dan. 'Maar jij hebt niet echt het recht om te praten over een normale relatie met je moeder, hè?'

'Klootzak,' fluister ik. Ineens schieten de tranen me in de ogen. 'Hoe durf je mijn moeder hierbij te betrekken?'

'Omdat ik het spuugzat ben dat jij mag zeggen wat je wilt over mijn moeder, maar dat niemand iets mag zeggen over de jouwe.'

'Ik heb geen moeder,' zeg ik hooghartig, en ik draai me met een ruk om. Het verbaast me dat Dan zich hiertoe verlaagt en ik ben verbijsterd dat hij precies weet wat hij moet zeggen om me het meest pijn te doen. 'Misschien weet je nog dat ze is gestorven toen ik jong was. Ik raad je aan om vannacht in de logeerkamer te slapen. Het beddengoed ligt in de gangkast.' Na die woorden haast ik me de kamer uit en op het toilet barst ik in tranen uit. Was ik maar niet gestopt met roken toen ik Dan leerde kennen.

Op zondag is alles vergeven en vergeten, en gaan we allebei op in de opwinding over onze aanstaande baby. Omdat het zo vlak voor de bruiloft is, hebben we besloten het tegen niemand te vertellen. Gezien mijn delicate toestand kan ik de zondagslunch bij de Coopers nu echt niet aan, hoe leuk het soms ook is.

De belangrijkste reden is dat ik wel heel snel uit mijn slof schiet de laatste tijd, maar ik ben ook bang dat Linda zal raden dat ik zwanger naar het altaar zal lopen, en ik wil het nieuws voor onszelf houden tot we terug zijn van onze huwelijksreis. Daarom lijkt het me het veiligst om voorlopig zo ver mogelijk bij hen uit de buurt te blijven.

Daar komt nog bij dat ik helemaal gek word van Linda, al weet ik nu in elk geval waarom ik de laatste tijd zo opvliegend ben. Ik vond PMS al erg, maar dat is nog niks vergeleken bij de eerste weken van een zwangerschap.

Hoe meer ik erover denk, hoe meer ik tot de conclusie kom dat ruimte een groot probleem is. Ik ken genoeg vrouwen die problemen hebben met hun schoonmoeder omdat die niemand goed genoeg vindt voor hun volmaakte zoon. Ook geloven schoonmoeders vaak dat hun zoon wel iets beters had kunnen krijgen, en ik besef heel goed dat ik geluk heb dat ik daar geen last van heb.

Mijn probleem is precies het tegenovergestelde: Linda wil mijn moeder zijn. Ze doet veel te hard haar best; ze belt me drie keer per dag, ze wil met me lunchen en ze koopt cadeautjes voor me. Ik weet dat ze het goed bedoelt en ik weet hoe ondankbaar het lijkt dat ik weerstand aan haar bied, maar het wordt me allemaal te veel.

Voor dit gebeurde, dacht ik dat ik het gelukkigste meisje ter wereld zou zijn als mijn toekomstige schoonmoeder, wie dat dan ook mocht zijn, me onder haar hoede zou nemen en me zou uitroepen tot de dochter die ze nooit had gehad. Nu weet ik dat ik daar inmiddels veel te onafhankelijk voor ben. Ik wil niet zomaar een moeder, ik wil mijn moeder en dat is natuurlijk onmogelijk. Er is niemand die haar plaats kan innemen.

Ik doe hard mijn best om te voorkomen dat Linda mijn leven overneemt. Ik weet dat ze de beste bedoelingen heeft, maar het valt ook niet te ontkennen dat Linda gelooft dat grenzen er zijn om te doorbreken. Het woord 'nee' lijkt haar niks te zeggen. Dit weekend heb ik tegen Dan gezegd dat ik wat ruimte nodig heb, dat ik de oude Ellie moet terugvinden, de Ellie die ik was voor ik de helft van het stel Ellie en Dan werd.

Met een beetje mazzel verzin ik een manier om Linda tot mijn vertrouweling en vriendin te maken en vindt zij een manier om me te accepteren als haar schoondochter en niet als haar dochter. Als ik echt mazzel heb, is daar alleen een beetje ruimte, een beetje standvastigheid voor nodig, en zullen we daarna weer een gelukkig gezinnetje zijn.

Uiteraard gaat Dan dit weekend wel bij zijn ouders lunchen. Ik wil er niet de schuld van krijgen dat we er allebei niet zijn, en trouwens: Fran heeft me voor de lunch uitgenodigd. Hoe fijn ik het ook vind om een stel te zijn, ik mis wel een aantal tradities, zoals af en toe op zondag gaan lunchen bij Fran, Marcus en de kinderen en wie er verder ook maar komt aanwaaien.

Net als ik de deur uit wil gaan, zodat ik nog genoeg tijd heb om onderweg een bos bloemen te kopen, gaat de telefoon.

'Hallo?'

'Je bent een stuk geniepiger dan je eruitziet.' Emma's stem echoot een beetje op haar mobieltje. 'Ik vind het maar niks dat je onder de lunch van vandaag hebt weten uit te komen. Nu heb ik hier niemand om mee te praten.'

Ik begin te lachen. 'Je hebt Dan en Richard toch?'

'Maar jij bent de enige die deze belachelijke zondagstraditie draaglijk maakt. Hoe heb je het voor elkaar gekregen?' Emma kreunt. 'Wat nog belangrijker is: waarom heeft niemand het me verteld voor ik hier kwam? Ik had kunnen uitslapen.'

'Het spijt me.' Ik kijk op mijn horloge en hoop dat ik niet te laat ben. 'Maar ik had al een afspraak, en even voor alle duidelijkheid: je moeder leek het niet erg te vinden.'

'Nee, want nu heeft ze haar lieve Dan helemaal voor zichzelf.'

Ik trek een wenkbrauw op en zeg schalks: 'Je gaat me toch niet vertellen dat ze het zo heeft gezegd?'

'Natuurlijk niet. Maar zij mag je dan niet missen, ik wel.'

'Nou, dat is tenminste iets. Zeg, ik moet gaan. Kunnen we later bijpraten?'

'Tuurlijk. Ik zal je in geuren en kleuren vertellen wat je allemaal hebt gemist.'

'Als je me maar niks vertelt wat ik niet wil horen.'

'Nee, hoor. Ik weet dat mijn familie denkt dat ik niet weet wat tact betekent, maar ik ben veel diplomatieker dan iedereen denkt.'

Ik hang op en wil niet weten wat Emma precies bedoelde.

'Ellie!'

'Sally! Wat doe jij hier?'

'Heeft Fran je niet verteld dat ik ook zou komen?'

'Nee, maar ze heeft mij ook pas op het laatste moment uitgenodigd.'

Sally draait een rondje voor de deur voor ze aanbelt. 'Hoe zie ik eruit?'

'Net zo mooi als anders,' zeg ik, wat waar is. Sally bezit een bepaalde frisheid en beminnelijkheid. Haar haar lijkt altijd net gewassen en ruikt naar bloemen, hoewel ze zelf zegt dat het haar parfum is. Met een grijns bekijk ik haar kleding: onder een lange wollen jas draagt ze een sexy spijkerbroek van Seven, waarvan ze zelf zegt dat het haar talisman is en die ze altijd draagt als ze indruk op mensen wil maken. Of als ze iemand wil versieren. 'Ik neem aan dat er ook een begeerlijke vrijgezel zal zijn?'

'Hoe raad je het zo?' Ze glimlacht liefjes naar me.

'Ik dacht dat Fran geen zin meer had om jou te koppelen. Daarom hebben we toch dat hele gesprek gehad dat niemand ooit goed genoeg voor jou is?'

'Ja, maar dat was voordat Fran had verteld dat Marcus bevriend is met Charlie Dutton.'

'Charlie Dutton?'

'Je bent echt hopeloos, Ellie.' Ze schudt haar hoofd vanwege mijn onwetendheid. Ze weet heel goed dat ik de bladen *Heat*, *OK!* en *Hello!* niet spel zoals Fran, dat ik nooit zou weten dat er een beroemdheid in huis is tenzij Fran of Sally het me vertelt. 'Hoe kun je nou niet weten wie Charlie Dutton is?'

De deur gaat open en we worden naar binnen getrokken in een golf van rumoer en drukte. Fran en Marcus geven ons een zoen, nemen onze jassen aan en duwen ons naar de keuken, waar we ons gesprek fluisterend voortzetten terwijl onze jassen worden opgehangen.

'Wie is hij dan?'

Sally slaat haar ogen ten hemel. 'Zeg nou niet dat je *Whispers in the Dark* niet hebt gezien.'

'Natuurlijk heb ik die film gezien,' zeg ik. 'Volgens mij heeft iedereen die gezien. Hoezo, speelde hij erin mee?'

'Nee,' zegt Sally als de voetstappen van Fran en Marcus de trap af komen. 'Hij was de producer.'

'O,' zeg ik, en ik haal mijn schouders op. Net als Marcus en Fran de keuken in komen, zie ik een breedgeschouderde man met warrig haar.

'Hoe gaat het met jullie?' Fran haast zich naar het fornuis om de soep te redden die over de rand van de pan komt. 'Het loopt hier vandaag niet echt op rolletjes. O, kennen jullie Charlie al?'

'Leuk jullie te ontmoeten.' Hij heeft een warme, vriendelijke glimlach en zijn handdruk is stevig. Sally is direct verkocht en blijft hem aanstaren, zelfs als hij haar hand loslaat om zich aan mij voor te stellen. Hij is heel gewoontjes, tot hij glimlacht, want dan verandert zijn hele gezicht, en ik moet zeggen dat ik aangenaam verrast ben. Als hij zich omdraait, geef ik Sally een goedkeurende knipoog en ze grijnst. Ik steek mijn duim op, maar dan kijkt hij naar ons en doen we allebei net alsof we de vloertegels bewonderen.

'Waar zijn de kinderen?' vraag ik als we allemaal een drankje hebben en iedereen een taak heeft gekregen bij het klaarmaken van de maaltijd.

'Buiten.' Fran knikt naar de tuin.

Ik zeg verbaasd: 'Buiten? In januari? Ben je gek geworden? Het is ijskoud.'

Fran haalt haar schouders op en rolt met haar ogen. 'Probeer dat maar uit te leggen aan twee tweelingzusjes van vier. Ze wilden per se naar buiten.'

Ik ga naar het raam en kijk naar twee mini-Michelin-mannetjes, gehuld in dikke oranje-paarse jassen, die lachend achter elkaar aan rennen in de tuin.

'Wilde mijn zoon maar naar buiten in de winter,' zegt Charlie plotseling. 'Of in een ander jaargetijde. Hij is verslaafd aan de tv. Bij een ouder kind zou dat alleen wat asociaal zijn, maar bij een vijfjarige is het nogal zorgwekkend.'

'Het zou veel zorgwekkender zijn als hij naar *Weekend Miljonairs* keek,' zegt Marcus, die een ovenschaal afdroogt.

'Nee, het zou veel zorgwekkender zijn als hij naar *Tom en Jerry* keek,' zegt Fran. 'Geloof me, dat programma is ontzettend gewelddadig.'

'Daar keken wij ook naar toen we klein waren en er is niks mis met ons,' zegt Marcus.

'Maar toch.' Fran schudt haar hoofd. 'Tegenwoordig weten we veel meer over kinderpsychologie dan onze ouders, en de meeste mensen willen niet dezelfde fouten maken.'

'Is *Tom en Jerry* echt zo erg?' Tot nu toe voelde ik me altijd verloren bij gesprekken over kinderen, of over iets wat met de opvoeding te maken heeft. Maar nu ik zelf ga trouwen, nu ik zelf stiekem zwanger ben, vind ik dat ik het recht heb om mee te praten, om vragen te stellen, zelfs om een mening te geven als het nodig is.

'Wie weet?' zegt Marcus. 'Als kind kreeg ik regelmatig klappen, maar nu ken ik niemand die zijn kind zou slaan.'

'Ik heb Finn wel eens geslagen,' bekent Charlie langzaam, en hij trekt een gezicht omdat hij weet dat hij iets zegt wat zo politiek incorrect is dat hij hier misschien nooit meer zal worden uitgenodigd.

'Nee!' Iedereen kijkt hem met grote ogen aan en alle monden vallen open van schrik.

'Ja. Ik weet dat het vreselijk is en ik zweer dat ik het erger vond dan hij, maar hij wíst dat hij niet op de muren mocht tekenen. We zeiden zelfs nee, maar hij keek ons alleen aan, pakte zijn viltstiften en deed het toch.'

'Maar was het echt nodig om hem te slaan?' vraagt Fran.

'Het is de enige keer dat ik het heb gedaan, en ja: ik vond dat het toen echt nodig was. Toch zie ik het meer als een laatste redmiddel, niet iets wat je moet doen omdat je boos bent.'

'Ik begrijp wat je bedoelt,' zegt Fran tactvol. 'Alleen heb ik het nog nooit hoeven doen bij de meiden. Maar misschien komt dat nog als ze een keer heel ongehoorzaam zijn.'

'Dat zou je nooit doen,' zegt Marcus lachend. 'Je slaat mij nog liever dan de meisjes.'

Fran geeft hem een klap.

'Au! Zie je wel?' Marcus wrijft over zijn arm en kijkt Fran zogenaamd beledigd aan.

Sally kijkt Charlie Dutton aan. 'Heb je nog meer kinderen?' vraagt ze met haar beleefdste stemmetje.

Ik onderdruk een glimlach omdat ik weet dat Sally waarschijnlijk alles al weet over Charlie Dutton. Ongetwijfeld heeft ze vrijdagmiddag op internet via Google alles over hem opgezocht, in plaats van aan de opening van het nieuwe Calden te werken.

'Nee. Alleen Finn.'

'En waar is Finn vandaag?' Sally is nog steeds aan het vissen.

'Hij is dit weekend bij zijn moeder. Dat is heel jammer, want hij is dol op Annabel en Sadie.'

Fran draait zich om van het fornuis. 'Ik wil het er niet in wrijven, Charlie, maar toen de meiden vroegen wie er kwam en ik zei dat Finns papa kwam, raakten ze helemaal opgetogen omdat ze dachten dat Finn kwam.'

Charlie haalt zijn schouders op en hij kijkt ineens een stuk treuriger dan een paar minuten daarvoor. 'Dat is een van de problemen bij een scheiding. Het is vreselijk voor de kinderen en het is heel lastig om iets te plannen als hun moeder steeds op het laatste moment haar plannen wijzigt.'

Fran verbreekt de ongemakkelijke stilte die dreigt te volgen door in haar handen te klappen en iedereen op te dragen aan tafel te gaan zitten. Dan doet ze de tuindeuren open en roept ze de meisjes binnen.

De meisjes gedragen zich keurig. Ze zitten naast elkaar op een bankje aan het uiteinde van de tafel en peuzelen van hun eten terwijl ze samen giechelen om grapjes die geen enkele volwassene ooit zal begrijpen.

Fran en Marcus lachen en kibbelen en spreken elkaar tegen, en ik geniet overal in stilte van. Ik vind het heerlijk om hier weer te zijn en ik ben opgelucht dat deze lunches niet zijn veranderd tijdens mijn afwezigheid. Ik heb in geen tijden zo gelachen. Charlie probeert zich in ons gesprek te mengen, al wordt hij meer en meer in beslag genomen door Sally. Het lijkt een geslaagde koppelpoging, want aan het eind van de maaltijd schijnen ze elkaar heel aantrekkelijk te vinden, wat enig is. Ze verdienen het.

Dan worden de borden afgeruimd en komt er een citroenschuimtaart op tafel ('Vraag maar niks.' Fran slaat haar ogen ten hemel. 'Het is het lievelingstoetje van de meisjes...') en Charlie, met wie ik nauwelijks een woord heb gewisseld, vraagt ineens aan me: 'Marcus heeft gezegd dat er over een paar weken bruiloftsklokken voor je zullen luiden. Ben je al opgewonden?'

Daar denk ik even over na. Opgewonden? Dat is veel te zwak uitgedrukt voor alles wat ik de afgelopen maanden heb meegemaakt. Zenuwachtig? Ja. Angstig? Zeker. Hartstikke gestrest? Absoluut.

Maar opgewonden?

'Het klinkt misschien gek, maar dit hele gedoe is zoiets groots en overweldigends geworden dat ik niet echt de kans heb gehad om opgewonden te zijn.'

Fran schiet me te hulp. 'Bovendien heeft Ellie een vreselijke toekomstige schoonmoeder, die denkt dat het haar bruiloft is. Niet dat wij iets weten over vreselijke schoonmoeders,' zegt ze, en ze werpt een zijdelingse blik op haar echtgenoot, die zijn wenkbrauwen fronst.

'Ik dacht dat mijn moeder en jij tegenwoordig goed met elkaar overweg konden,' zegt Marcus terwijl hij de taart snijdt.

'Goed? Ha! Laten we het erop houden dat we elkaar tolereren. Maar laten we het niet over vreselijke schoonouders hebben. We hebben lang geleden al besloten dat dat onderwerp taboe is hier in huis.'

'Nou, je bent er zelf over begonnen.' Charlie grijnst.

'Ja, ik weet het. Maar toch bedankt. Als je zo doorgaat, word je hier nooit meer uitgenodigd.'

Sally en ik helpen met afruimen en de mannen nemen de tweeling mee naar een park in de buurt. Sally overstelpt Fran met vragen over Charlie en als ze eindelijk even naar het toilet gaat, kijken we haar allebei hoofdschuddend en glimlachend na.

'Ze is echt hopeloos,' verzucht ik. 'Maar in elk geval lijkt hij heel aardig.'

'Dat is hij ook. Hij is ook niet het probleem; dat is zij. Het loopt ongetwijfeld weer uit op een gebroken hart, maar wat kon ik eraan doen? Ze smeekte me zowat om aan hem voorgesteld te worden.'

'Ik heb dit gemist.' Ik kijk de keuken rond, naar de quasi-antieke gele kastjes en de Le Creuset-pannen op de planken. Dit is hét middelpunt van een gezellig huis. 'Het spijt me dat ik hier al zo lang niet ben geweest.'

'Doe niet zo raar. Je moet nu ook rekening houden met Dans familie.'

'O, god. Herinner me daar alsjeblieft niet aan.'

'Weet je, als je eenmaal kinderen hebt, verandert dat allemaal. Vergeet niet waar het om draait. Het belangrijkste is dat je je eigen gezin sticht. Echt, ik heb door schade en schande geleerd dat iedereen onbelangrijk wordt zodra je een eigen gezin hebt: ouders, schoonouders, echt iedereen. Knoop dat in je oren, want dat stelt je in staat de rest van de ellende te verdragen.'

'Dus volgens jou moet ik zwanger worden?' Ik grijns en vraag me af of ik het nog veel langer voor me kan houden.

'Zodra je niet meer voor dat altaar staat. Zeg, wil je me soms iets vertellen?' Fran kijkt me onderzoekend aan en ik stamel wat. Net als ik nee wil zeggen, slaat ze gillend van vreugde haar armen om me heen. 'Ik wist het wel!' zegt ze, me stevig omhelzend. Nu is het te laat.

'Ssst,' zeg ik waarschuwend, al ben ik dolblij dat ik het nieuws eindelijk met iemand kan delen. 'Het is pas een paar weken, dus we vertellen het nog aan niemand.'

'Maak je geen zorgen.' Plechtig legt ze haar hand op haar hart en slaat dan haar armen weer om me heen. 'Ik zal je geheim bewaren.'

8

Ik kijk om het hoekje van de deur van de woonkamer naar het grote gezelschap dat zich heeft verzameld om te drinken op ons geluk en op de bruiloft, die al over twee dagen is. Ik glimlach en geniet ervan dat mijn appartement vol mensen en lawaai is.

Ik ben altijd zo op mezelf geweest, een echte eenling, en ik heb nooit geweten wat ik heb gemist aan hechte vriendschappen. Ik vind het fijn dat Dans vrienden nu ook de mijne zijn en dat er daardoor een heel nieuwe wereld voor me is opengegaan.

Lily zit op de bank en Tom zit op de grond tussen haar benen. Anna zit bij Rob op schoot op de leunstoel met dikke kussens. Richard, Dans broer, zit ook op de grond, met zijn rug tegen de bank, en Dan zit op de andere stoel met een biertje in zijn hand en zijn blote voeten op de salontafel.

'Is het niet ongelooflijk dat jullie over minder dan een week al gaan trouwen?' Lily staat op en komt bij me staan in de keuken. Met haar elleboog duwt ze me opzij en ze begint de potten en pannen af te wassen.

Ik moet lachen, omdat ik het zelf nog maar nauwelijks geloof, maar toch zijn er momenten dat ik het gevoel heb dat Dan en ik al getrouwd zijn, zelfs al jarenlang. Misschien is dat het teken dat je je echte partner hebt ontmoet, dat je zeker weet dat de ander de ware moet zijn omdat je je bij hem zo op je gemak voelt. Tenslotte heb ik dat nooit bij een ander gevoeld.

Ik schraap het laatste restje eten in de vuilnisbak en zet de borden voorzichtig in de gootsteen. 'Het is een heel raar gevoel. In het begin richtte ik me helemaal op de dag zelf, op het feest, en stond ik niet eens stil bij de verbintenis die ik aanging, en nu mijn schoonmoeder' – ik frons even – 'de hele organisatie heeft overgenomen, kan ik alleen nog maar aan die verbintenis denken.' Ik kijk naar de deuropening en demp mijn stem. 'En om je de waarheid te zeggen ben ik doodsbang.' Anna loopt ook de keuken in en ze beginnen allebei te lachen, net als ik, om het effect van die woorden te verzachten.

'Maar even serieus,' ga ik verder. 'Ik weet zeker dat ik de juiste keus maak. Dan is gewoon de ware voor me, maar toch vind ik het hartstikke eng dat dit het is. Geen mannen meer. Geen slippertjes. Dezelfde man voor hoe lang? Veertig, vijftig jaar?'

'O, hemel,' kreunt Lily. 'Zeg dat nou niet, zo klinkt het vreselijk.' We moeten alle drie lachen.

'Denk je dat mannen dat ook denken?' vraagt Anna. 'Denk je dat het überhaupt in ze opkomt?'

'Waarschijnlijk wel,' zegt Lily. 'Ik maakte me er meer zorgen over hoe ik van de exen af moest komen.'

'Waren die dan nog in de buurt?' Verbaasd kijk ik Lily aan.

'Tom was nog met twee van hen bevriend. Daar heb ik snel een eind aan gemaakt,' zegt ze lachend, en ze kijkt me aan. 'Hoe zat dat met Dan?'

'Dat probleem hadden wij niet,' zeg ik en dat is waar. Maar zelfs al was hij nog bevriend geweest met zijn exen, dan nog had ik het vast geen probleem gevonden, want ik ben nooit erg jaloers geweest.

Ik weet dat hij contact heeft met Sophie, met wie hij op de universiteit en een paar jaar daarna een relatie had, maar die is zelf ook getrouwd en woont in Spanje. De weinige e-mails die ze hem stuurt, leest hij hardop aan me voor, dus daar hoef ik me geen zorgen over te maken.

Tussen zijn twintigste en zijn dertigste heeft hij de nodige vriendinnen gehad, en één keer heeft hij een relatie gehad die drie jaar duurde. Daar kwam een eind aan omdat hij zich niet de rest van zijn leven met haar samen zag; en een paar maanden voor hij mij ontmoette, had hij iets met Lainey, die ervandoor ging met de acteur.

Iedereen heeft op zijn dertigste een verleden en dat heeft me nooit gestoord. Ik zou me meer zorgen maken als hij nooit een langdurige relatie had gehad.

'Hij heeft maar met een van zijn exen contact,' zeg ik. 'Met Sophie, maar hun relatie was jaren geleden en ze woont in het buitenland. Daar zit ik niet mee. Eerlijk gezegd ben ik blij dat hij langdurige relaties heeft gehad; dat bewijst dat hij weet hoe hij een verbintenis moet aangaan.'

Anna leunt tegen het aanrecht. 'Ik had nooit zo aan verbintenissen gedacht toen ik met Rob trouwde. Noch uit het verleden, noch uit het heden. Ik had het te druk met de bruiloft. Volgens mij besefte ik pas dat het echt was toen we terugkwamen van onze huwelijksreis.'

Lily zegt met een grijns: 'Dus jij bent een van die meisjes over wie ik zo veel lees, meisjes die alleen trouwen omdat ze een bruiloft willen.'

'Dat zou best eens kunnen,' zegt Anna. 'Godzijdank is het ook echt iets geworden.'

'Hoe lang zijn jullie eigenlijk samen?'

'We hebben zes jaar een relatie en we zijn vier jaar getrouwd.'

Dat verbaast me. De meeste mensen die ik ken en die langer dan twee jaar bij elkaar zijn, hebben onderhand ten minste één kind. 'Ik wist niet dat jullie al zo lang samen zijn,' zeg ik tactvol. 'Denken jullie er wel eens over een gezin te stichten?'

'Daar zijn we nu wel klaar voor, geloof ik. We wilden eerst nog zo veel doen, maar we hebben zo'n beetje alles gezien wat we wilden zien en in alle hotels gelogeerd waar we wilden logeren, dus waarschijnlijk gaan we het binnenkort proberen. Lily inspireert me.' Ze kijkt naar Lily, die wat schamper glimlacht. 'En hoe zit het met jou, Ellie? Hebben jullie al plannen?'

Verdraaid, wat is het lastig om dit geheim te houden. Elke keer als iemand die vraag stelt – wat gemiddeld negen keer per dag lijkt te gebeuren – moet ik me inhouden om het niet aan iedereen te vertellen en vraag ik me af of ze het misschien hebben geraden.

Want even voor alle duidelijkheid: ik ben enorm. Echt waar, het is ongelooflijk hoe dik ik me voel. Vorige week heb ik mijn bruidsjurk voor het laatst gepast en zelfs de verkoopster was verbaasd.

'O,' zei ze met een frons. 'De meeste bruidjes vallen af voor hun trouwerij.' Ik had haar alleen nijdig aangekeken toen ze de jurk een beetje veranderde zodat hij wat wijder werd.

En Dan heeft me verteld dat ik de hele tijd over mijn buik streel. Afwezig, terwijl ik in de rij sta om een broodje te halen, of als ik thuis voor de spiegel in de badkamer sta om mijn lippen opnieuw te stiften, of als ik op de bank een boek probeer te lezen terwijl Dan naar zijn geliefde voetbal of rugby kijkt. Elke keer als ik mijn buik aanraak, creëer ik onwillekeurig een band met het groeiende leven daarbinnen.

Alleen kan ik dat niet tegen deze vrouwen zeggen. Nu nog niet. Pas na de huwelijksreis.

'We willen allebei een gezin,' zeg ik. 'Maar we hebben nog niet besproken wanneer precies. In theorie ben ik er klaar voor, maar ik weet ook dat ik niet goed kan inschatten hoe erg je leven verandert als je kinderen krijgt.'

'Het verandert zeker en je moet je enorm aanpassen,' zegt Lily. 'Toch kan ik me nu niet meer voorstellen dat ik de kinderen niet zou hebben; ze zijn het middelpunt van ons bestaan.'

'Waarom had je ze dan niet bij je toen we afgelopen zaterdag gingen lunchen?' vraagt Anna onschuldig.

'Geloof me, dat was vanwege de grootouders. Het was hun dag met de kinderen.'

'Jouw ouders of die van Tom?' vraag ik.

'Die van Tom. De mijne wonen in Yorkshire, maar die van Tom wonen zo dichtbij dat we ze elk weekend bij hen langs kunnen brengen. Hoeveel we ook van ze houden, het is ook fijn om even geen kinderen te hebben.'

'Hoe zijn Toms ouders?'

'Geweldig,' zegt Lily. 'Ik had geen lievere schoonouders kunnen treffen.'

Anna en ik beginnen tegelijk te kreunen.

'Ja, ja,' lacht Lily. 'Dat hoor ik van iedereen, maar ze zijn echt heel lief. Ze houden van de kinderen en ze houden van mij. Eigenlijk beschouw ik Sandra, mijn schoonmoeder, als een vriendin.'

'Vertel op,' zegt Anna. 'Wat is je geheim?'

'Wil je dat echt weten? Ik denk het feit dat we elkaar accepteren en niet proberen elkaar te veranderen of wensen dat we iets of iemand anders waren. We accepteren elkaar gewoon zoals we zijn en dat werkt prima.'

'Kennelijk ben jij veel aardiger dan ik,' zegt Anna binnensmonds.

'Ik zeg dit niet graag,' voeg ik eraan toe, 'maar ik ben het met Anna eens. Ik geloof niet dat ik zo tolerant zou kunnen zijn als jij.'

Lily haalt haar schouders op. 'Ik heb alleen maar geprobeerd een manier te bedenken waarop het zou werken.'

'Dat wat zou werken?' Richard komt de keuken binnen. 'Is er in dit huis ook chocola te vinden, Ellie?'

'Natuurlijk,' zeg ik met een glimlach, want ik weet dat mijn toekomstige zwager een echte zoetekauw is. 'Zou je broer soms met een vrouw trouwen die niet altijd een voorraad chocola in huis heeft?' Triomfantelijk trek ik een kastje open en onthul dozen met Marsen, KitKats en andere repen.

Richard legt een hand op zijn hart. 'Ellie, ik begrijp nu pas dat je een vrouw naar mijn hart bent.'

Van dat gevlei krijg ik het warm en ik glimlach naar hem. 'Neem maar een voorraad mee naar de andere kamer,' zeg ik als Richard zichzelf bedient.

'Waar waren jullie vrouwen over aan het praten?' vraagt hij, vlak voor hij de keuken verlaat.

Zonder erbij na te denken flapt Anna eruit: 'Boze schoonmoeders.'

'O?' Vragend draait Richard zich om en er stijgt een blos naar mijn wangen. Ik schaam me dood, maar tot mijn verbazing brengt de opmerking Richard niet van zijn stuk. Hij zegt alleen droog: 'Dus je hebt ontdekt hoe boosaardig mijn moeder kan zijn?'

Er valt een ongemakkelijke stilte, die wordt verbroken door Anna, die begint te blozen. 'Shit,' vloekt ze. 'O god, wat heb ik nou gezegd? Ik ben helemaal vergeten dat... Ik bedoel, ik dacht er niet aan dat... Ik zal verder maar niks zeggen...' Haar stem sterft langzaam weg.

'Eigenlijk...' komt Lily als reddende engel tussenbeide, en ik glimlach dankbaar naar haar, 'vertelde ik je net het geheim van een goede relatie met je schoonouders en even voor de goede orde: Ellie heeft niks gezegd over jouw moeder.'

'Echt niet?' vraagt Richard verbaasd. 'Nou, dan kent ze haar zeker nog niet goed genoeg.'

Ik weersta de neiging Richard om zijn nek te vallen, en ineens besef ik dat hij een bondgenoot is. Hoe ergerlijk ik Linda ook vind, Richard en Emma vinden haar nog veel ergerlijker, en nu weet ik dat Richard achter me zal staan in moeilijke tijden.

Richard loopt de keuken uit en ik kijk hem na. Grappig, maar als ik hen niet zo goed kende en een kamer zou binnengaan waar zowel Dan als Richard was, zou ik waarschijnlijk voor Richard kiezen. We lijken nogal op elkaar en zouden in feite beter bij elkaar passen. Alleen heeft een Dan een evenwichtigheid waar ik altijd naar heb gehunkerd. Als ik naar Dan kijk, zie ik mijn toekomst. In zijn armen zie ik onze kinderen. Als hij glimlacht, zie ik jaren vol vriendschap en pret, en in zijn stem hoor ik troost. Richard is veel wispelturiger, net als ik en net als de mannen met wie ik vroeger een relatie heb gehad. Dan is mijn rots in de branding en ik weet dat ik veilig zal zijn zolang ik me aan hem veranker.

Wel is het heerlijk om te weten dat Richard net zo kwaad kan worden op zijn moeder als ik, vooral omdat Dan weigert zich ermee te bemoeien. Toch denk ik niet dat het zo door zal gaan; het wordt vast beter. Fran zegt steeds dat een bruiloft altijd veel stress met zich meebrengt, net als verhuizen. O, trouwens, ons droomappartement blijkt een grote tuinmaisonette te zijn (dat is makelaarstaal voor souterrain, maar dat doet er niet toe) in het groene Primrose Hill.

Dankzij Dans recente tv-prijs en de verrassend hoge taxatie van mijn appartement hebben we meer geld dan we hadden verwacht, waardoor Primrose Hill ineens meer is dan de plek waar ik op zondagmiddag rondloop, terwijl ik wens dat ik me er een huis zou kunnen veroorloven. We verwachten morgen de koop en de verkoop tegelijk in gang te zetten zodat alles ongeveer veertien dagen nadat we terug zijn van onze huwelijksreis in kannen en kruiken zal zijn.

Dus eigenlijk is het ook geen wonder dat de dingen, of mensen, me een beetje nerveus maken.

9

'Kom op, Ellie, nog een keer diep ademhalen.' Linda hijgt terwijl ze het korset van mijn bruidsjurk steviger aantrekt. Ze begint te vloeken als de twee panden elkaar niet willen raken.

'O, verdomme nog aan toe.' Na een poos geeft ze het op, waarschijnlijk uit angst dat ze gaat zweten en haar perfecte make-up zal uitlopen. 'Dit is belachelijk.' Ze gaat op Dans oude bed in hun huis zitten. 'Je hebt hem een paar weken geleden toch nog gepast? Hoe kan hij nu dan te krap zijn?'

Even kom ik in de verleiding om Linda over de baby te vertellen, haar het nieuws voor de voeten te gooien. Maar zelfs als we hadden besloten het haar al te vertellen, is een uur voor de trouwerij een slecht moment. Bovendien zou Dan me wat doen als ik het zijn moeder vertel zonder dat hij erbij is.

'Ik heb de laatste tijd nogal veel trek gehad,' zeg ik nonchalant. Op die manier probeer ik mijn uitdijende taille te verklaren.

'Hè?' zegt Linda geschrokken. 'De meeste bruiden vallen juist af, verdomme. Wat moeten we doen?' Haar stem schiet omhoog en klinkt bijna hysterisch, terwijl ik vol verbazing toekijk. Want hoewel iedereen praat over de stress van het organiseren van een bruiloft en ik bijna elk artikel over hoe om te gaan met die stress heb gelezen, heb ik er zelf eigenlijk geen last van gehad, op de ruzies met Dan na, die uiteraard allemaal over Linda gingen. En op de momenten dat ik wat afstand kon nemen van alles, vond ik het op een rare manier fascinerend om te zien dat Linda almaar opgefokter werd naarmate de bruiloft dichterbij kwam.

En nu de jurk niet dicht schijnt te willen, lijkt Linda elk moment in tranen te kunnen uitbarsten.

'Het is godverdomme ongelooflijk.' Haar stem trilt. 'Ellie, weet je wel hoe duur die jurk was? Ik had mijn geld net zo goed weg kunnen gooien.' Haar stem breekt zowaar. 'Hoe kun je me dit aandoen?' Jezusmina. Wat een aanstelster. Ik barst bijna in lachen uit.

Emma, die in de hoek een provisorische kapsalon heeft ingericht, haalt de laatste speld uit haar mond en duwt hem in haar chignon. Daarna wendt ze zich tot haar moeder. 'Mam, hou je mond!' blaft ze. Ze staat op en schrijdt naderbij in haar bruidsmeisjesjurk van champagnekleurige zijde. 'Dit is Ellies trouwdag, doe niet zo harteloos.'

'Hoe durf je zo tegen me te spreken?' Opnieuw schiet Linda's stem omhoog. 'Ik ben helemaal niet harteloos, maar ik heb een kapitaal uitgegeven aan deze bruiloft, en nou past die stomme jurk niet eens omdat het de bruid niet kan schelen hoe ze eruitziet.'

Wat is het toch een schat.

'Jullie moeten een beetje kalmeren.' Emma pakt de veters van mijn korset en trekt, waardoor de panden een centimeter dichter bij elkaar komen, maar er blijft dik twee centimeter gebruinde huid tussen de veters te zien. Ach, denk ik bij mezelf, met het gevoel dat ik naar een klucht kijk, in elk geval ben ik zo slim geweest een paar keer naar de zonnebank te gaan. 'Goed, Ellie,' zegt Emma kordaat, 'geef me die kousen eens aan.'

Emma vouwt de kousen een, twee, drie keer dubbel, tot ze ondoorzichtig zijn, en stopt ze dan voorzichtig tussen de veters en mijn huid. Linda snuft en wil niet bekennen dat ze onder de indruk is van de vindingrijkheid van haar dochter.

'Zo.' Emma heeft de veters vastgestrikt en doet een stap naar achteren om haar snelle oplossing en het resultaat ervan te bewonderen. Misschien is dat resultaat niet perfect, maar het kan er zeker mee door. Zolang ik mijn sluier draag, zal niemand er iets van zien.

'Goed.' Linda haalt diep adem. 'Laten we allemaal even kalm zien te worden.'

'Je bedoelt dat jij kalm moet worden,' fluistert Emma tegen mij.

'Bedankt, Emma,' zeg ik met een glimlach die dankbaarheid verraadt. 'Je bent geweldig.'

'Ellie, draai je eens om, zodat we je kunnen bekijken.' Linda is erin geslaagd haar zelfbeheersing te hervinden en ze zegt opgetogen: 'Je ziet er prachtig uit.' Dan kijkt ze op haar horloge en ze schrikt. 'O, hemeltje, het is al bijna vier uur. Ik ga maar vlug naar beneden om te kijken of de auto er is.'

'Hmm,' zegt Emma, die me van top tot teen bekijkt. 'Je hebt dus trek gehad?'

'Ja.' Ik doe net alsof ik wat kreukels uit mijn rok strijk, hoewel ik in werkelijkheid natuurlijk uit alle macht probeer te voorkomen dat ik Emma in de ogen moet kijken.

'Ik dacht dat je had gezegd dat je bijna niks had gegeten,' gaat ze met een opgetrokken wenkbrauw verder.

'Wanneer heb ik dat dan gezegd?'

'Vorige week aan de telefoon.'

'Nou, toen had ik ook niet zo veel trek, maar deze week wel. Volgens mij komt het door de zenuwen.'

'Maar je zei dat je nooit kunt eten als je zenuwachtig bent.'

'Dan heb ik gelogen,' zeg ik halfhartig. Er verschijnt een glimlach op mijn gezicht, want Emma heeft het natuurlijk geraden en het kan me niet meer schelen dat het geheim moet blijven. Ik wil het nieuws met iemand anders delen.

'Je bent zwanger, hè?' gilt Emma.

'Ssst.' Ik wijs nerveus op de openstaande deur. 'Je mag het tegen niemand zeggen. We houden het geheim tot we terug zijn van de huwelijksreis, en het is pas tien weken.'

'Ik wist het, ik wist het!' Emma slaat haar armen om me heen, maar wel zo voorzichtig dat ze mijn sluier niet kreukt. 'O, Ellie, ik word tante!'

'Ik weet het,' zeg ik met een grijns. 'Maar beloof je dat je het echt tegen niemand zult zeggen? Je moeder krijgt een rolberoerte als ze merkt dat ze niet de eerste is die het weet.'

'O god, breek me de bek niet open. Maak je niet druk, ik zeg niks.'

'Emma,' zeg ik waarschuwend, want ik weet dat ze altijd een flapuit is geweest, 'zweer je het?'

'Op mijn woord van eer.'

De bruiloft mag dan niet zijn geweest wat ik wilde – of liever gezegd: ik heb er niks mee te maken gehad – maar hij was prachtig. De bloemen – pioenen en witte aronskelken – waren zo eenvoudig dat ze spectaculair werden. Het eten was heerlijk en de band – Dan en ik hadden een deejay gewild, maar Linda en Michael wilden per se een band – speelde hard en energiek, zodat er bijna de hele avond wel mensen op de dansvloer stonden.

Als toeschouwer, want zo voelde ik me, moest ik toegeven dat ze er werk van had gemaakt. Het was de duurste, spectaculairste, meest extravagante bruiloft waar ik ooit was geweest. Als bruid had ik toen de ceremonie voorbij was het gevoel alsof ik alles van een afstandje bekeek, alsof ik zowel naar een film keek als in de zevende hemel was. Alles leek aan me voorbij te gaan.

De ceremonie was anders. Dat was het enige waar Linda niks over te zeggen had gehad, want Dan en ik hadden onze eigen gelofte geschreven. Ik moest huilen toen ik tranen in Dans ogen zag opwellen en hij liet zijn emoties en zijn liefde voor mij duidelijk blijken toen hij de woorden uitsprak.

Annabel en Sadie, de bloemenmeisjes, zagen er heel schattig uit in hun bruidsmeisjesjurkjes, met hun haar in staartjes. Met ernstige snoetjes liepen ze op het altaar af, maar halverwege begonnen ze onbedaarlijk te giechelen en grepen alle gasten naar hun fototoestel om wat plaatjes te schieten.

En toen, bijna nog voor ik het goed en wel besefte, waren we man en vrouw, en werd de intimiteit en ernst van onze ceremonie al vlug ondergesneeuwd door het grootse en spectaculaire feest dat volgde.

De weinige echte vrienden van ons die er waren, zoals Fran en Marcus, Sally, Lily en Anna, voelden aan als veilige havens in de storm. Keer op keer zwierde ik over de dansvloer in de armen van een vage bekende die naar me glimlachte en me complimentjes gaf en dan besefte ik met een schok dat dit mijn trouwdag was. Mijn bruiloft! De vervulling van al mijn dromen.

Mijn vader liet me het meest schrikken.

Ik had niet gedacht dat hij zou komen, sterker nog: ik had hem niet eens willen uitnodigen, maar Dan had erop gestaan dat ik een uitnodiging stuurde. Ik hield vol dat hij geen belangstelling meer voor me had, dat het een verspilde uitnodiging zou zijn, dat hij alleen mijn vader was vanwege onze bloedband en dat dat niet genoeg was. Ik probeerde uit te leggen dat we tegenwoordig niks met elkaar gemeen hadden, geen vriendschap, helemaal niks.

Ik wist dat het een verspilde uitnodiging zou zijn, maar toch kwam hij.

Mijn vader en zijn vrouw zaten op de vierde rij tijdens de ceremonie. Ze zagen eruit om door een ringetje te halen, maar in vergelijking met de chique vrienden van Linda en Michael leken ze saai en slonzig. Elke keer als ik naar hen keek, leken ze niet op hun gemak en nogal beduusd, maar ook – of zou ik me dat hebben ingebeeld? – trots.

Uiteraard ging ik op de receptie direct naar hem toe. We omhelsden elkaar vrij ongemakkelijk, want we wisten allebei dat we elkaar niet veel meer te vertellen hadden. 'Hallo, pap,' zei ik. Tot mijn verbazing zag ik dat hij tranen in zijn ogen had toen ik een stap naar achteren deed.

Ik bleef van schrik stokstijf staan toen mijn vader almaar bleef herhalen: 'Het spijt me. Het spijt me zo.' Hij pakte mijn hand en hield die stevig vast. Zijn vrouw verdween in het feestgedruis, zodat we alleen waren. 'Het spijt me zo dat ik er nooit voor je was.' Omdat ik niet wist wat ik moest zeggen, zei ik maar helemaal niks. Wel slaakte ik een zucht van verlichting toen iemand me meetrok omdat er weer foto's moesten worden gemaakt.

Later, na de toespraken, hield iedereen op met praten toen een kalende man van middelbare leeftijd in een pak dat zijn beste tijd had gehad de microfoon pakte en er zenuwachtig op klopte.

'Ik weet dat jullie niet nog een toespraak verwachtten,' zei mijn vader, terwijl ik ineenkromp omdat ik wist dat dit niet gepland was. Ik schaamde me dood.

Nerveus schraapte hij zijn keel en haalde twee systeemkaarten uit zijn zak. 'Maar Ellie is mijn dochter en ik wil toch een paar woorden zeggen.

Om drie voor halfvier op 2 september 1970 werd Eleanor Sarah verwelkomd op deze aarde. Mijn vrouw heeft twaalf uur en veertien minuten weeën gehad terwijl ik door de gang ijsbeerde.' Hij zweeg even. 'In die tijd waren wij mannen heel stoer en wachtten we buiten.' Daar werd om gelachen, wat hem wat meer zelfvertrouwen gaf. Toen hij verder sprak, was de trilling uit zijn stem verdwenen. 'Er kwam een verpleegster uit de kamer die me een bundeltje gaf, en ineens zag ik een wezentje dat heel hard schreeuwde. Plotseling hield ze op en keek me recht aan en op dat moment begreep ik wat mensen bedoelden als ze zeiden dat je nog nooit van iemand hebt gehouden zoals je van je kind houdt.' Hij zweeg even en keek naar de gasten die aan de tafels zaten en die wisten wat hij bedoelde, en naar de jongere gasten die nog geen kinderen hadden en dat nog moesten ondervinden. Toen keek hij naar mij en onze blikken ontmoetten elkaar en plotseling voelde ik een ondraaglijk verlies en verdriet. Verdriet om de vader die ik niet had gekend, om zijn gevoelens waarvan ik het bestaan niet had vermoed, en om het onverwachte plezier en de onverwachte trots dat hij een toespraak hield op mijn bruiloft.

'Ik ben geen goede vader geweest voor Ellie,' zei hij, terwijl ik een brok in mijn keel kreeg en langzaam een traan over mijn linkerwang voelde glijden. 'Haar moeder is gestorven toen ze nog heel jong was.' Er klonk wat geroezemoes toen de mensen elkaar verbaasd aankeken, omdat de meeste dat niet wisten. Die kenden mij alleen als de vrouw die vandaag met Linda's zoon trouwde.

'En nu ik haar vandaag zie, moet ik denken aan de bruiloft van haar moeder en mij. Ellie, jij zult het je niet herinneren, maar je lijkt precies op haar. Je bent even mooi, vrolijk en levenslustig als zij.' Hij zweeg even terwijl de mensen klapten, zonder te beseffen welk effect zijn woorden op mij hadden. 'Ik wist niet wat ik moest beginnen met een dertienjarige dochter,' bekende hij treurig. 'Ik hield heel veel van haar, maar ik wist niet hoe ik haar moest helpen. Maar wat ik toen niet wist, weet ik nu wel, en Ellie, ik wil die lessen doorgeven aan jou en Dan. Ik wil dat jullie alle dingen weten die ik te laat heb ontdekt. Ik weet dat liefde alleen niet voldoende is. Dat je de mensen van wie je houdt, moet koesteren, dat alleen zeggen "Ik hou van je" nooit voldoende is, dat je die liefde elke dag moet uiten, zelfs als je het druk hebt met andere dingen.

Als ik iemand mag aanhalen die veel welbespraakter is dan ik: "De grootste zwakte van de meeste mensen is hun aarzeling om anderen tijdens hun leven te vertellen hoeveel ze van hen houden." Ellie, ik hou van je. Dat heb ik waarschijnlijk niet vaak genoeg gezegd, maar het is wel zo. En tegen jullie beiden, Ellie en Dan, wil ik zeggen: hou van elkaar en breng die liefde dagelijks tot uiting.'

Na die woorden liep hij van het podium af en kwam naar onze tafel toe.

'Gaat het wel?' Dan boog zich naar me toe en veegde de tranen zorgvuldig van mijn gezicht.

Ik knikte, nog te zeer aangedaan om te kunnen praten, en toen stond mijn vader naast ons. Ik kwam overeind en omhelsde hem eens goed en ik voelde me verbonden met mijn vader, voelde voor het eerst in jaren zijn liefde voor me.

'Dank je, pap,' zei ik zacht toen ik me uit zijn armen losmaakte. 'Dank je, en je hoeft niet almaar te zeggen dat het je spijt. Je hoeft geen spijt meer te hebben.'

'O, jawel,' zei hij met een trieste glimlach, 'maar ik vind het fijn dat je zegt dat het niet hoeft.' Hij wendde zich tot Dan: 'Misschien kunnen Ellie en jij een keer langskomen als jullie terug zijn van de huwelijksreis. Om wat tijd met ons door te brengen?'

Dan keek naar mij en ik knikte. 'Dat lijkt me heel leuk.'

Met een grijns schudde Dan zijn hand. 'Pa.'

Linda kwam haastig bij ons staan. 'Dag! We wisten niet dat u een toespraak zou houden!' zei ze, en ze duwde me opzij om zich aan mijn vader voor te stellen. 'Ik ben Linda, Dans moeder. En dit is Michael. We wisten niet eens dat u hier was.' Ze wierp me een boze blik toe die duidelijk maakte dat ze het niet leuk vond dat ik niet had verteld dat hij zou komen en dat ik hen niet aan elkaar had voorgesteld.

'Ik schaam me dood dat we elkaar nog niet eerder hebben ontmoet,' ging ze verder. 'Maar wat leuk dat u er bent. Is uw dochter geen plaatje? Lijkt ze niet net een prinses?'

En ik deed wat ik altijd doe als Linda beseft dat ze te ver is gegaan en me overstelpt met complimentjes of cadeautjes om het goed te maken: ik smelt en vergeef haar alles.

'Weet u,' zei Linda met een blik van verstandhouding, terwijl ze even keek of Emma niet in de buurt was, 'eigenlijk zou ik dit niet moeten zeggen, maar ik vind het heerlijk om uw dochter in mijn familie te hebben. Je hoort mensen wel eens zeggen dat schoondochters de dochters zijn die ze altijd hebben gewild, maar in Ellies geval is dat echt waar. O, niet dat ik niet van Emma hou,' zei ze snel toen ze zag dat Michael en Dan haar aankeken alsof ze volslagen gek was geworden. 'Maar Emma is zo lastig en Ellie is zo'n lieve, makkelijke meid.' Vol trots keek ze me aan. 'U heeft haar duidelijk goed opgevoed en ik bof maar met haar.'

'Het lijkt erop dat zij ook met u boft.' Linda's complimentjes en charme hadden hem duidelijk voor haar ingenomen.

'Kom mee.' Linda stak haar arm door de zijne. 'U moet me voorstellen aan uw mooie vrouw en daarna zal ik u aan al onze vrienden voorstellen. Misschien kunt u een keer komen eten als de kinderen terug zijn van hun huwelijksreis,' hoorde ik haar nog net zeggen voor ze verdwenen.

Met een kreun keek ik naar Dan, want hoe mooi mijn vaders woorden ook waren geweest en hoezeer ik ook hoopte dat er toch een soort toekomst voor ons zou zijn, ik was er nog lang niet aan toe dat Linda zich ermee zou gaan bemoeien en zijn nieuwe beste vriendin zou worden.

En Dan sloeg zijn armen om me heen en drukte lachend een zoen op mijn wang. 'Maak je niet druk, knappe echtgenote van me. Je weet dat mijn moeder af en toe kan raaskallen.'

Met een frons draaide ik me om en keek hem aan. 'Waarom mag jij dat wel zeggen en ik niet?'

Maar er lag nog steeds een grijns op zijn gezicht. 'Hoorde je wat ik zei: knappe echtgenote van me?'

Ik begon te giechelen. 'Ja, ik hoorde het. En jij bent mijn echtgenoot. Jezus, wat klinkt dat raar.'

'Weet je wat nog veel vreemder is?' Dan wees naar mijn buik en liet zijn stem dalen tot een fluistering. 'Daar zit een kindje in. Ongelooflijk, hè? Ons kind!'

'Ja, een kleintje zoals wij.'

'Yep. Een mini-Cooper,' zei Dan.

We keken elkaar aan en begonnen te lachen.

Een uur later, als ik met Fran en Marcus sta te praten, komt Dan naar me toe. Hij trekt me opzij en zegt: 'We kunnen zeker niet stiekem wegglippen van onze eigen trouwerij?'

'Tenzij je graag onterfd wilt worden.'

'Verdomme. Laten we de hoofdschakelaar zoeken en alles uitzetten. Ik wil je mee naar boven nemen.'

'Rustig, rustig,' fluister ik in zijn oor. 'Daar hebben we de rest van ons leven voor.' Met een dwaze grijns kijken we elkaar aan en we kunnen geen van beiden echt geloven dat we nu getrouwd zijn.

Twee uur later slagen we er eindelijk in te vertrekken. De gasten gaan in een rij staan waar wij langs lopen. We omhelzen vrienden en ik geef mensen een hand die ik nog nooit eerder heb gezien.

Pas als we vermoeid de trap op gaan, besef ik hoe uitgeput ik ben, hoe strak en ongemakkelijk mijn jurk zit. Het liefst zou ik nu neervallen op een bed en honderd jaar slapen.

Gelukkig voor Dan krijg ik nieuwe energie als we de deur opendoen van wat eigenlijk een gewone hotelkamer hoort te zijn. Dan blijkt dat het hotel ons de meest luxueuze suite heeft gegeven die ik ooit heb gezien. En geloof me, als werknemer van Calden heb ik heel wat luxueuze suites gezien, maar dit slaat alles.

'O, mijn god!' Met open mond sta ik in de deuropening. 'Is dit onze kamer?' Ik kijk naar de dikke tapijten, de enorme banken, de fonkelende kristallen lamp, de champagne en de bonbons die op óns staan te wachten.

'Onze suite,' verbetert Dan, en hij neemt me mee naar een grote deur die toegang geeft tot de slaapkamer, waar rozenblaadjes op het bed zijn gestrooid en mijn zijden nachthemd van La Perla op het kussen ligt uitgespreid.

'Kom hier.' Hij trekt me naar zich toe, en met onze armen om elkaar geslagen laten we ons giechelend op bed vallen.

De volgende ochtend om acht uur bellen Linda en Michael. Eerst rinkelt de hoteltelefoon, maar die mag Dan niet van me opnemen. Ik weet namelijk dat het alleen mijn schoonouders kunnen zijn en ik weet ook dat ze afscheid van ons willen nemen. Vervolgens rinkelt Dans mobieltje, en dan het mijne.

We negeren ze allemaal.

Om negen uur, als Dan net onder de douche vandaan komt en ik me bijna heb opgemaakt, wordt er vanuit de receptie gebeld om te zeggen dat er bezoek voor ons is. Niet dat dat me iets verbaast.

Deze vrouw vindt het heel normaal om me uit vergaderingen te laten halen als ze met me wil praten, dus het lijkt me onwaarschijnlijk dat ze zich laat tegenhouden door het feit dat we onze telefoons niet opnemen. Natuurlijk zijn het Linda en Michael die beneden staan. Wie zouden het anders moeten zijn?

Niet dat ik het heel erg vind. Dat kan ook niet; ik weet immers hoe ze is, en bovendien heeft ze gisteren een geweldige bruiloft voor ons georganiseerd.

Want zelfs ik moet toegeven dat Linda het fantastisch heeft gedaan, hoe weinig ik ook in te brengen heb gehad. Eigenlijk ben ik alleen een deelnemer geweest, en niet eens zo'n belangrijke.

Tien minuten na ons telefoongesprek met Linda en Michael gaan we naar beneden voor ons laatste ontbijt met hen voor we op huwelijksreis gaan.

Als we nog een kop koffie drinken en een laatste croissantje eten, kijkt Linda me met een glimlach aan. 'Op een dag,' zegt ze, 'zul jij ook een dochter hebben die gaat trouwen en dan zul jij jóúw bruiloft krijgen, als het de Lieve Heer behaagt.'

'Bedoel je dat ik de hele tijd gelijk had?' Ik schud mijn hoofd en lach ongelovig, niet zozeer om wat ze zegt, want de woorden verbazen me niet in het minst, als wel vanwege het feit dat ze er rond voor uitkomt. 'Dat dit niet míjn bruiloft was, maar de jouwe?'

'Natuurlijk had je gelijk.' Linda glimlacht. 'Ik heb tot nu toe nooit een bruiloft gehad. Denk je soms dat het mijn bruiloft was toen ik met Michael trouwde? Doe niet zo dom. Die was van mijn moeder. Maar jouw tijd komt nog wel.' Even slaat ze haar arm om mijn schouder.

'En als ik nou alleen zoons krijg?' vraag ik peinzend. Ik probeer Dans blik te vangen en vraag me af of dit een geschikt moment is om hun over de baby te vertellen, nu de bruiloft achter de rug is en alle stress en drukte van de afgelopen paar maanden als bij toverslag zijn verdwenen.

Wat belangrijker is: ik wil Linda een cadeau geven om haar te bedanken voor alles wat ze heeft gedaan. Ik wil een manier vinden om me te verontschuldigen omdat ik niet zo dankbaar ben geweest als ik had moeten zijn. En haar eerste kleinkind is het mooiste cadeau dat ik haar kan geven.

'Als je alleen zoons krijgt, dan doe je gewoon wat ik heb gedaan en bied je aan om alles te betalen.' Ze neemt een slok koffie en geeft me een knipoog.

'Mam.' Dan schudt zijn hoofd. 'Wat ben je toch uitgekookt.'

'Zie je nou wat ik allemaal moet verdragen?' Met een glimlach haalt Michael zijn schouders op. Hij weet heel goed dat hij maar een onbelangrijke rol heeft vervuld bij deze trouwerij, dat hij alleen af en toe zo'n opmerking mag maken. In de rechtszaal is hij het middelpunt, en dat moet voldoende zijn.

'Linda. Michael.' Heel even kijk ik Dan aan en ik weet dat hij mijn gedachten kan lezen en hij knikt haast onmerkbaar. Onder de tafel pakt hij mijn hand vast.

'We moeten jullie iets vertellen,' ga ik verder terwijl er op onze gezichten een glimlach verschijnt.

Het is net alsof we naar een film kijken. Linda lijkt te bevriezen en ze kijkt eerst naar Dan en vervolgens naar mij, terwijl Michael alleen vragend een wenkbrauw optrekt en afwacht.

Met een grijns zegt Dan: 'We krijgen een kind.'

Linda slaakt een gil en barst in tranen uit. Ze slaat haar armen om Dan heen en laat hem even later weer los om mij te omhelzen.

'Ongelooflijk,' zegt ze door haar tranen heen. 'Geen wonder dat je zo bent aangekomen!'

'Dank je, Linda.' Je kunt in elk geval niet zeggen dat mijn schoonmoeder ooit met haar mond vol tanden staat.

'Ik had het kunnen weten.' Linda veegt haar tranen af en er verschijnt een glimlach op haar gezicht. 'Ik kan niet geloven dat ik het niet heb geraden en dat jij het geheim hebt gehouden. O, hemel. Michael!' zegt ze tegen Michael, die ons net heeft omhelsd. Verder heeft hij misschien niks gezegd, maar hij glimlacht net zo breed als Linda. 'Michael! We worden opa en oma.' En daar komen de tranen weer.

'Eh… mam? Weet je zeker dat je het leuk vindt?' vraagt Dan twijfelend.

'Leuk? Dit is de mooiste dag van mijn leven!' Linda begint te lachen. 'Ik had het alleen nog niet zo vlug verwacht. Hoe lang ben je al zwanger, Ellie?'

'Tien weken,' zeg ik met een grijns.

'En hoe voel je je? Heb je last van ochtendmisselijkheid?'

'Nee. Helemaal niet. Ik heb alleen steeds honger.'

Linda gaat weer zitten en schudt haar hoofd. 'Dat had ik toch moeten raden. Wat denk je, Ellie?' Opgewonden kijkt ze me aan. 'Wordt het een jongen of een meisje?'

Ik haal mijn schouders op. 'Volgens mij is het nog te vroeg om dat te zeggen.'

'Maar je moet toch een idee hebben,' zegt ze. 'Ik wist het bij alle drie mijn kinderen. Wat denk je?'

'Echt, Linda.' Ik schud mijn hoofd. 'Als ik een vermoeden had, zou ik het zeggen, maar ik weet het niet.'

Linda kijkt me onderzoekend aan en knikt dan. 'Het wordt een meisje. Je krijgt vast en zeker een meisje.'

'Mam, dat kun je toch niet weten,' zegt Dan lachend.

'Ik weet het wel. Geloof me, ik heb er nog nooit naast gezeten.'

Twintig minuten later nemen we voor het hotel afscheid van elkaar. Dan en ik stappen in een taxi die ons naar Heathrow zal brengen, waar we het vliegtuig naar Antigua zullen nemen.

'Pas goed op mijn kleinkind,' zegt Linda, druk wuivend vanaf de stoep. 'Wees voorzichtig en blijf van de rum af.'

'Hoe zit het met "amuseer jezelf", mam?' roept Dan door het raampje als hij het portier dichttrekt.

'Doe niet zo raar, natuurlijk moeten jullie je amuseren,' zegt Linda. Hand in hand blijven Michael en zij op straat staan als de taxi de hoek omgaat, nog altijd in een soort shocktoestand.

In de taxi kruipen Dan en ik dicht tegen elkaar en we kijken elkaar glimlachend aan. Zachtjes praten we over hun reactie, over het nieuwe kindje dat ter wereld zal komen.

Ik weet dat sommige mensen eraan zouden moeten wennen om grootouders te worden, vooral als ze nog zo jong zijn als Linda en Michael – te jong om door te gaan voor grijsharige opa's en oma's. Maar ik weet ook dat Linda niet kan wachten om oma te worden. Omdat Linda van nature warm en moederlijk is, staat ze te popelen om weer een klein baby'tje vast te houden, de unieke babygeur te ruiken bij het tere, wiebelige nekje. Ze zal het enig vinden om een kinderwagen door de straten te duwen, om haar logeerkamer om te toveren in een kinderkamer en die vol te hangen met mobiles. Tenslotte is het dertig jaar geleden dat haar eigen kinderen rondhobbelden, tegen muren botsten en overal in huis kleverige vingeraf-drukken op de ramen achterlieten, en toch beweert ze altijd dat ze het zich herinnert als de dag van gisteren.

Toen onze taxi wegreed, draaide ik me om en zag iets wat ik nog nooit had gezien: Michael had zijn arm om Linda heen geslagen. Pas toen viel het me op hoe weinig oprechte warmte of liefde ik tussen hen zag. Ik was er zo aan gewend dat Linda Michael afkatte – omdat zijn manier van eten haar niet beviel, of zijn manier van zitten, of omdat hij volgens haar meer zus of zo moest zijn – dat het heel gek was, en hartverwarmend, om ze samen zo gelukkig te zien.

Misschien, dacht ik, terwijl de taxi naar het vliegveld reed, mis-schien is een kleinkind precies wat ze nodig hebben. Misschien wordt dat voor iedereen een nieuw begin.

10

Mag ik even zeggen dat ik het heerlijk vind om zwanger te zijn? Ik geniet van elke seconde. Eerst, toen we net terug waren van onze huwelijksreis, vond ik het doodeng om veel aan te komen vanwege de zwangerschap en de eerste drie maanden waren zo uitputtend voor me dat ik wenste dat alles al achter de rug was.

Maar zodra ik in de dertiende week kwam, voelde ik me ineens fantastisch. Het scheelde ook dat de krokussen en narcissen plotseling in bloei stonden en dat de zon zich na een lange, koude winter eindelijk weer liet zien. En wat vooral scheelde, was dat ik eindelijk iedereen kon vertellen dat ik zwanger was. Gelukkig namen de meeste mensen aan dat het kind tijdens de huwelijksreis was verwekt, dus dat hebben we er toen maar van gemaakt. Ik voelde me niet meer dik en onhandig, maar heerlijk weelderig en vrouwelijk.

Voor het eerst heb ik het gevoel dat mijn lichaam precies datgene doet waar het voor is bedoeld. Ik ben dol op mijn opzwellende borsten en mijn ronde, dikke buik. In mijn kledingkast hangen geen tenten; ik ben zo trots op mijn nieuwe lichaam dat ik er liever mee te koop loop dan het probeer te verbergen. Ik voel me sexy en knap in strakke truitjes en laag op de heupen hangende positiebroeken.

En mijn zwangerschapsgloed lijkt aanstekelijk te werken. Overal waar ik kom glimlachen de mensen naar me en zeggen ze hoe 'geweldig' ik eruitzie. Ik heb nog nooit zo veel mannelijke belangstelling gehad. Vroeger hoefde ik er nooit tegen op te zien om langs bouwterreinen te lopen. Het ergste wat me daar ooit is overkomen is dat er beleefd 'goedemorgen' werd gezegd. Maar plotseling wordt er overal naar me gefloten. Eerst dacht ik dat het tegen iemand anders was, een knappe blondine die de aandacht trok, maar al snel besefte ik dat het voor mij bedoeld was, en ik vind het heerlijk dat ik eindelijk een vrouw ben die al die mannen weet te bekoren.

Niet dat ik een van hen wil, want ik heb mijn geweldige Dan, maar het is vreemd en fantastisch dat een zwangerschap dit voor elkaar kan krijgen.

'Echt, al die mannen hebben zeker een zwangerschapsfetisj,' zei ik op een dag tegen Fran toen we met ons vieren gingen lunchen. De mannen liepen een stukje voor ons uit en wij slenterden heerlijk in het meizonnetje terwijl we etalages keken en wat met elkaar babbelden.

'Nee, hoor,' zei Fran bloedserieus. 'Je ziet er gewoon geweldig uit. Heel erg...' Ze zocht naar het juiste woord. 'Stralend! Ja, dat is het: stralend! Vruchtbaar en sexy en heerlijk. Bovendien heb jij die zwangerschapsgloed over je waar iedereen het altijd over heeft. Een man moet wel gek zijn om jou niet aantrekkelijk te vinden.'

'Hoor, hoor,' zei Marcus toen we hen inhaalden en hij het laatste deel van Frans zin opving.

Daar had Fran om gelachen. 'Even serieus,' zei ze. 'Je boft. Ik zag er vreselijk uit toen ik zwanger was van de meisjes. Vettig haar, onder de puisten. Ik heb zowat negen maanden lang overgegeven en voelde me hondsberoerd. Jij ziet er zo mooi uit dat je vast een jongetje krijgt. Ze zeggen immers dat je er fantastisch uitziet bij jongens, maar dat meisjes je uitputten.'

Ik wreef over mijn zevenentwintig weken oude bult. 'Mijn schoonmoeder houdt bij hoog en bij laag vol dat ik een meisje krijg en kennelijk heeft ze het nog nooit mis gehad,' zeg ik ernstig.

'Nou, tegen mij zei iedereen dat ik een jongen en een meisje zou krijgen toen ik zwanger was van de tweeling, en grappig genoeg hadden die mensen het ook nog nooit mis gehad.'

Ik begon te lachen. 'En wat zeiden ze toen je de meisjes had gekregen?'

'Dat ik de volgende keer zeker een jongen zou krijgen.' Fran begon ook te lachen.

Dan weet zeker dat het een jongen is en ik weet het niet. Ik heb iedereen die kinderen heeft gevraagd of zij het van tevoren wisten, en als dat zo was, hoe ze dat dan wisten, maar ik heb geen idee. Op sommige dagen word ik wakker en heb ik het gevoel dat het een jongen is en op andere dagen weet ik net zo zeker dat het een meisje is.

Als ik zeven maanden zwanger ben, steekt het verlangen om een nestje te bouwen de kop op en ineens wil ik alleen nog maar verven en inrichten. Ik voel me bijzonder energiek en breng uren door in bouwmarkten om verfkleuren te kiezen en nog veel meer uren in John Lewis waar ik me vergaap aan kindermeubels en babykleertjes, maar ik durf nog niks te kopen. Ik ben zo bijgelovig dat ik wacht met het kopen van de eerste kleertjes tot ik uit het ziekenhuis kom.

Maar als ik alles heb gedaan wat ik kan doen, als alle muren zijn geverfd en alle meubels anders zijn gezet en ik nog altijd genoeg energie heb om dingen te doen, stelt Dan voor een house-warming party te geven.

Dat is nogal laat, maar het duurde veel langer om de maisonnette te kopen dan we hadden verwacht – op het laatste moment kwamen er nog twee kopers bij en werd er druk tegen elkaar op geboden, wat we ons helemaal niet konden veroorloven. Uiteindelijk heeft Dan met de verkoper gepraat en tegen hem gezegd dat hij handelde zonder een greintje integriteit, dat zijn gedrag onaanvaardbaar was, dat hij ons bod had geaccepteerd en dat hij zich als hij een heer was aan zijn woord moest houden. Dan legde de nadruk op het woord 'heer'. Dat vind ik zo geweldig aan Dan: hij heeft een sterk ontwikkeld gevoel voor goed en kwaad en spreekt mensen erop aan als hij vindt dat ze iets immoreels hebben gedaan of hem hebben benadeeld. En het werkte: de man ging zich zo generen dat hij erin toestemde het appartement aan ons te verkopen, duidelijk voor minder geld dan hij had gehoopt. Maar boontje komt om zijn loontje, en als hij het appartement aan een van de andere belangstellenden had verkocht, zou zijn karma hem uiteindelijk terugpakken, had Dan tegen hem gezegd, of woorden van gelijke strekking.

Waar het om gaat is dat we zo moe waren van alle stress van de bruiloft, het vooruitzicht onze droomflat niet te krijgen en de verhuizing zelf, dat we nauwelijks de dozen hebben uitgepakt toen we eenmaal waren verhuisd, laat staan dat we hebben geverfd of ingericht.

Elke keer dat Linda langskwam, bood ze aan de spullen uit te pakken. Vol wanhoop bekeek ze de stapels boeken langs de muren en de dozen met potten en pannen die in een hoek van de keuken stonden. Elke keer sloeg ik dat aanbod beleefd, doch gedecideerd af en zei ik dat ik het zelf wilde doen omdat ik anders nooit iets zou terugvinden.

Dus niemand was blijer dan Linda toen ik een nestje ging bouwen en het appartement eindelijk ging voldoen aan haar hoge eisen. En niemand is blijer dan ik bij het vooruitzicht een house-warming party te organiseren.

We nodigen vrienden uit die ook op onze bruiloft zijn geweest, buren die we verbazend snel hebben leren kennen – het paar dat we tegenkomen als ze hun hond vroeg in de avond uitlaten (eigenlijk hebben we alleen naar hen geknikt en hun gedag gezegd, maar we zijn het erover eens dat ze op ons soort mensen lijken); het meisje dat in de lingeriewinkel werkt en altijd naar buiten komt om gedag te zeggen en vraagt hoe ik me voel; de andere klanten die we elke zaterdagochtend in het Poolse eetcafé tegenkomen – mensen die we graag mogen, al kennen we ze niet echt, mensen met wie we nog niet echt bevriend zijn wegens gebrek aan tijd en energie. Is er een betere manier om een hechte vriendschap te beginnen dan ze uit te nodigen voor een feestje?

Ik regel de verlichting, en na een aantal boeken geraadpleegd te hebben besluit ik om luminaria's langs de paden te zetten: bruine papieren zakken met zand erin om ze zwaar te maken en een waxi-nelichtje. In de rest van de tuin zet ik grote fakkels en in de twee appelbomen achterin hang ik slierten witte lichtjes. Op het terras hang ik Japanse lantaarns.

Dan downloadt tientallen recepten voor cocktails en als we hebben bepaald welke we het lekkerst vinden, maakt hij grote kannen met mojito's en caiprinha's. In een hoek van de tuin zet hij een bar, met een grote emmer ijs eronder.

Ik wilde koken. Echt waar, maar zelfs nu ik me zo huiselijk voel, ken ik mijn beperkingen en daarom ga ik naar de supermarkt Sains-bury's en naar Marks & Spencer om kant-en-klare salades te kopen en knoflookbrood dat ik alleen hoef op te warmen in de oven en heerlijk uitziende taarten. Op de dag zelf koop ik artistiek opge-maakte schalen met prosciutto, parmaham, koude kip, carpaccio, brie, camembert, roquefort en geitenkaas, olijven, gevulde paprika's en felgroene augurkjes.

Dan lijkt weer begin twintig te zijn, toen hij werd geobsedeerd door muziek en clubs. Ik wist wel dat muziek vroeger zijn leven was, maar ik begréép het niet echt, niet zoals ik het nu begrijp. Urenlang zie ik hem over zijn cd-speler gebogen zitten, terwijl hij zorgvuldig en methodisch de muziek uitkiest, te beginnen met relaxte Ibiza-ritmes en dan langzaam wat snellere muziek om er-voor te zorgen dat iedereen zal gaan dansen.

En ik ben zo opgewonden, wíj zijn zo opgewonden, dat we in de weken ervoor alleen nog over het feest kunnen praten. Begrijp me niet verkeerd: als twintigers zijn we allebei naar honderden, zo niet duizenden van dit soort feestjes geweest, maar daar kwam een eind aan toen we dertig werden. Onze vrienden ontvangen nog altijd veel gasten, maar op een andere manier.

Degenen zonder kinderen lijken tegenwoordig vooral gezellige etentjes te organiseren. Niet zo formeel als de dineetjes die onze ouders vroeger hielden. Hier staan we met zijn allen in de keuken te babbelen en helpen we met koken, voor we plaatsnemen aan de keukentafel met een paar flessen goede wijn.

De mensen die kinderen hebben houden meestal lunches, of zomerbarbecues in de middag, of anders doen ze niks omdat ze opzien tegen de combinatie van iets te moeten organiseren en tegelijkertijd op de kinderen te moeten letten.

Maar hoe dan ook, de mensen drinken, dansen en vermaken zich niet meer zo vaak, of zo regelmatig, als vroeger en Dan en ik hebben ons voorgenomen daar iets aan te doen. Vooral ik.

O, verdomme. Vergis ik me of is dat de deurbel? Wie komt er nou als ik net als een hoogzwangere walvis in bad lig, een uur voor het feest begint? 'Dan!' gil ik uit de veilige badkamer. 'De bel! Kun jij even opendoen?'

Geen reactie. Ik hoor alleen harde salsamuziek uit de stereo-installatie in de tuin. In de badkamer klinkt dat bijna even hard als buiten.

'Dan!' brul ik opnieuw als de bel weer gaat. Uiteindelijk hijs ik mijn lijf zuchtend en steunend uit bad, sla Dans kamerjas om me heen (de enige die me nog past) en loop druipend naar de voordeur. Eigenlijk verwacht ik de eerste mensen pas over een uur, of over twee uur, want waarschijnlijk komt niemand op het afgesproken tijdstip.

'Dag, liefje.' Linda zoent de lucht naast mijn wang en loopt langs me heen het appartement in, op de voet gevolgd door Michael. 'Zijn we te vroeg?'

'Dat kun je wel zeggen. De anderen komen pas over een uur.' Mijn stem en mijn gezichtsuitdrukking zijn grimmig. Ik had me verheugd op een ontspannen bad en nu moet ik naar de woonkamer om met Michael en Linda te praten. Mijn humeur daalt tot het nulpunt, om het nog zacht uit te drukken. Dan zie ik dat Michael een paar grote tassen draagt van Daisy & Tom.

'O, mooi. Ik wilde je laten zien wat we voor de baby hebben gekocht,' zegt Linda met een glimlach. 'Ik ben dolenthousiast. Michael wilde dat het een verrassing was, maar ik wil dolgraag weten wat jij ervan vindt.'

100

Eerlijk gezegd heb ik hier geen tijd voor. Iedereen die ik ken, en een paar mensen die ik niet ken, staat over – ik kijk even op mijn horloge – minder dan een uur voor de deur en ik sta hier te druppen op het tapijt. Mijn haar is drijfnat, in het appartement moeten nog wat laatste dingetjes worden opgeruimd voor de eerste gasten – op familie na – komen.

'Waarom gaan jullie niet even naar Dan in de tuin terwijl ik me aankleed?' Met opeengeklemde kaken glimlach ik. Ondertussen werp ik een argwanende blik op de tassen. Linda weet hoe bijgelovig ik ben en dat ik met opzet nog niks heb gekocht. Dus wat kan er in die tassen zitten? 'Schenk jezelf maar iets in.' Ik probeer rustig te klinken. 'Ik kleed me even aan en dan kom ik bij jullie.'

'Oké.' Michael loopt al weg, duidelijk niet op zijn gemak bij zijn half ontklede schoondochter.

'Doe er niet te lang over,' zegt Linda, en ik moet me inhouden om haar geen klap te geven. Nu zal ik me haasten om haar en Michael niet te beledigen, waardoor ik ongetwijfeld eindig met kroezig haar en uitgelopen oogschaduw. Ik ben nu al opgefokter dan ik in maanden ben geweest.

Gelukkig slaag ik erin me niet te haasten. Ik ga weer in het inmiddels lauwe water liggen – waar ik snel een paar liter warm bij laat lopen – en voel opnieuw een kalmte over me neerdalen. Ik neem er de tijd voor om me aan te kleden en kijk af en toe uit het raam naar het resultaat van onze inspanningen. De tuin ziet er prachtig uit als de zon ondergaat en de lampjes en fakkels de boel verlichten. Alles oogt feestelijk.

Linda en Michael babbelen gezellig met Dan en drinken allebei een grote mojito. Linda lijkt dolblij dat ze haar zoon voor zichzelf heeft, iets wat tegenwoordig nog maar zelden voorkomt. Het resultaat is dat mijn haar niet kroest, mijn oogschaduw precies de juiste kleur is en het kralenhesje van Temperley perfect past, ook al is het geen positiekleding. Ik schiet in mijn nieuwe, fonkelende sandalen – een kleine uitspatting gezien het feit dat ik tegenwoordig eigenlijk alleen nog maar schoenen kan kopen – waarna ik mijn haar opsteek met een kristallen speld. Ik voel me prachtig als ik naar de tuin loop om me bij de anderen te voegen.

'O, mooi.' Linda klapt in haar handen. 'Daar is ze dan,' zegt ze, alsof ze de afgelopen drie kwartier een stroef gesprek heeft gevoerd terwijl ze op me wachtte, terwijl ze in werkelijkheid haar favoriete zoon voor zich heeft opgeëist.

Michael geeft Linda de plastic tassen die hij droeg toen hij binnenkwam, maar voor ik ga zitten schenk ik eerst een glas ijsthee in. Wel werp ik een verlangende blik op de mojito's, maar ik weet dat alcohol en zwangerschap slecht samengaan, en het duurt niet lang voor ik weer mag drinken.

Zodra ik ga zitten, komt Linda in actie. Ze haalt de inhoud van de tassen te voorschijn. Shirtjes in alle kleuren van de regenboog, terwijl ze enthousiast vertelt hoe schattig en praktisch ze zijn. En dan katoenen luiers, pakken en pakken, gevolgd door handdoeken met capuchon en rubber eendjes. Er zijn rompertjes en kruippakjes, in gele tinten, groene, paarse en oranje.

'Als je ze niet mooi vindt, kun je ze ruilen,' zegt Linda telkens, als de stapel op tafel steeds groter wordt. 'Ik wilde alleen geen blauw of roze kopen, maar zodra we weten...'

'Ja,' zeg ik, verpletterd door de hoeveelheid die ze hebben gekocht.

Na de kleren komen de speeltjes. 'Ik weet dat ik het niet had moeten kopen,' zegt Linda, 'maar moet je zien. Is die beer geen snoepje? Ik kon de verleiding niet weerstaan. En dit muziekding moet boven de wieg hangen. Het heeft lichtjes waardoor ze makkelijker in slaap vallen, is dat niet geweldig? Ik zag een reclame op tv en deze mobile helpt bij hun ontwikkeling...'

Ik zie dat Dan blij is. Hij werpt me steeds opgetogen blikken toe en ik weet dat hij bevestiging zoekt. 'Is dit niet geweldig, Ellie?' vraagt hij terwijl ik iets brom. 'Wauw, mam, dat is gaaf. Vind je ook niet, Ellie?'

Maar ik zeg niks. Ik kan niks zeggen want hoe ondankbaar het ook klinkt, nu deze berg spullen voor me ligt – alles wat een pasgeboren baby nodig heeft – kan ik zelf niks meer kopen.

Denken ze soms dat ik niks heb gekocht omdat ik daar geen zin in had? Ik heb me juist ontzettend moeten inhouden als ik babyspullen zag. Telkens als ik langs een babywinkel kwam, wilde ik het liefst naar binnen rennen om alles te kopen wat ik zag. Toch heb ik dat niet gedaan, want ik ben bijgelovig en ik wilde het noodlot niet tarten voor ik zes maanden zwanger was. En nu ik over de vierentwintig weken ben, het moment waarop de baby een kans op overleven heeft, mocht hij nu al ter wereld komen, droom ik ervan om lekker te gaan winkelen en alle spullen te kiezen die nu hoog opgestapeld voor me op de tuintafel liggen.

Dus, ja, ik hoor dankbaar te zijn, en ja, ik weet dat ik dolblij moet zijn dat mijn baby zulke liefhebbende, gulle grootouders krijgt, maar ik heb het gevoel dat ik in tranen zal uitbarsten en op dit moment voel ik alleen maar een verzengende haat, gericht tegen Linda. Haat omdat Linda mijn opwinding en plezier heeft gestolen en die voor zichzelf heeft opgeëist.

Het is jouw kind niet! wil ik snauwen. Het is mijn kind! Ík zou die dingen moeten kopen, niet jij! Maar dat kan ik niet. In plaats daarvan doe ik mijn uiterste best om mijn tranen te bedwingen, de brok in mijn keel weg te slikken en een glimlach op mijn gezicht te toveren om te bedanken.

Al die dingen mislukken. Zodra ik de brok probeer weg te slikken, ontsnapt die en komt naar buiten als een snik, en even later huil ik tranen met tuiten. Ik spring op en ren naar binnen. Het kan me geen zak schelen dat Linda ontsteld kijkt – waarschijnlijk vanwege mijn ondankbaarheid – terwijl Michael boos kijkt – de goeie God mag weten waarom. En die arme Dan lijkt helemaal in de war.

Binnen word ik weer wat rustiger en in mijn veilige badkamer slaag ik er dankzij het open raam in alles te verstaan wat er buiten gebeurt. Met ingehouden adem luister ik toe.

'Wat is er nou?' In gedachten zie ik Linda grote ogen opzetten en haar schouders ophalen: het toonbeeld van onschuld.

'Niks wat is er nou,' zegt Michael. Zijn stem klinkt anders dan ik gewend ben, hij heeft zijn krachtige rechtszaalstem opgezet, die hij voor zijn werk gebruikt, de stem die intimideert en angst inboezemt en die ervoor zorgt dat zijn reputatie als een van de beste QC's in stand blijft. 'Ik heb nog zo tegen je gezegd dat je Ellie hiermee van streek zou maken. Ik heb gezegd dat het niet jouw taak was, dat Ellie al die spullen zelf zou willen kopen, maar jij wilde het per se.'

Onmiddellijk gaat Linda in de verdediging. 'Hoe weet je dat ze daarom huilt? Ik betwijfel of haar tranen iets met ons te maken hebben. Toe nou, Michael, een vrouw moet wel heel ondankbaar zijn als ze huilt omdat een grootouder wat spulletjes voor de baby heeft gekocht.'

Michael schudt waarschuwend zijn hoofd. 'Dat is onzin, Linda. Je weet best dat Ellie popelde om babyspullen te kopen, maar dat ze ermee heeft gewacht om het noodlot niet te tarten, maar jij wilde zelf met de eer gaan strijken, nietwaar?'

'Hoe durf je?' briest Linda. 'Ik wilde níét met de eer strijken. Ik probeerde haar nota bene te helpen, en als jij er zo over dacht, waarom heb je dan niks gezegd?'

'Dat heb ik wel gedaan,' zegt Michael kil. 'Herhaaldelijk, maar zoals gewoonlijk was je Oost-Indisch doof.'

'Wat bedoel je daar nou weer mee?' Linda vindt het prima om deze ruzie flink op te blazen, ondanks dat ze weet dat Michael gelijk heeft. Ongetwijfeld wist ze dat op het moment dat ze het eerste kruippakje in het winkelmandje legde. Zij is de matriarch in dit gezin en hoeveel kinderen we ook krijgen, hoeveel groter deze familie ook wordt en wie er ook bij mag komen, Linda is de ster waar alles en iedereen omheen draait. Dit kind mag dan in míjn buik groeien, het mag míjn kind zijn, maar wat haar betreft, is het op de eerste plaats háár kleinkind. Vergis je niet.

Op dat moment mompelt Dan iets over een acute muziekcrisis en hij verdwijnt naar binnen om met zijn cd's te rommelen.

'Wat ik daarmee bedoel,' gaat Michael verder, en ik weet dat hij van streek is omdat ik van streek ben, omdat ik weet dat hij een zwak voor me heeft. Bovendien heeft hij dit zien aankomen en heeft hij waarschijnlijk het gevoel dat hij beter zijn best had moeten doen om het te voorkomen. Ik vermoed dat hij dat niet heeft gedaan omdat hij eraan gewend is zich te onderwerpen aan Linda, te buigen voor haar sterkere persoonlijkheid. 'Wat ik daarmee bedoel,' herhaalt hij, 'is dat jij alleen hoort wat je wilt horen. Elke keer als iemand iets tegen je zegt wat je niet aanstaat, negeer je het gewoon.'

Linda snuift minachtend. 'Soms zeg je echt de meest belachelijke dingen,' zegt ze geringschattend. 'Misschien luister ik wel niet naar jou omdat je er geen verstand van hebt.'

'Dat klopt. Dat is precies wat je nu doet: je negeert wat ik te zeggen heb omdat het niet is wat je wilt horen. Waarom denk je dat ik de helft van de tijd niet tegen je praat? Nou? Omdat het geen zin heeft. Omdat je zo verdomd koppig bent dat er toch niks tot je doordringt.'

Woedend kijkt Linda hem aan. 'Waag. Het. Niet. Om. Zo. Tegen. Me. Te. Spreken,' zegt ze. 'Heb je dat goed begrepen?'

Op die manier eindigt het altijd: Linda vecht tot ze weet dat ze niet kan winnen en als ze uitgeput raakt of Michael het laatste woord lijkt te krijgen, zegt ze tegen hem dat ze het niet langer pikt. Bij de zeldzame gelegenheden dat Michael nog niet is uitgepraat en ook daadwerkelijk nog iets zegt, loopt Linda de kamer uit, slaat ze met de deur en wacht ze tot Michael zijn verontschuldigingen aanbiedt.

Wat hij altijd doet.

Maar Michael – de hemel zij dank – staat haar niet toe ons feest te bederven en als hij weer iets zegt, klinkt hij strenger dan ik hem ooit heb gehoord. Ik wist niet eens dat hij zo streng kon klinken, en het kost me de grootste moeite om niet naar buiten te rennen en hem te zoenen. In plaats daarvan blijf ik in de badkamer zitten en glimlach ik zwakjes door mijn tranen heen.

'Je gaat naar binnen en je biedt Ellie je excuses aan,' zegt Michael zo kil en zacht dat ik me moet inspannen om hem te kunnen verstaan vanaf mijn plekje onder het raam. 'Je biedt aan om alles terug te brengen en je herhaalt dat het je spijt tot Ellie besluit je te vergeven.'

Kennelijk doet Linda haar mond open om iets te zeggen, maar sluit ze hem weer. Zwijgend staat ze op en gaat op zoek naar mij.

'Mag ik binnenkomen?' De deur gaat voorzichtig open als Linda naar binnen loopt.

Ik knarsetand en ben ervan overtuigd dat ik haar vanavond precies ga vertellen hoe ik me voel en waarom ik haar gedrag zo stuitend vind. Ik zal tegen haar zeggen dat ik precies weet wat voor spelletje ze speelt, dat dit alleen om macht gaat, en dat ik het niet meer pik.

Ik ben zo kwaad dat ik meer wil dan alleen een excuus. Na vanavond heb ik er genoeg van. Ik zal ervoor zorgen dat ze alles terugbrengt en dan zal ik, voor het eerst, precies zeggen wat ik op mijn lever heb. Zonder op mijn woorden te letten. Het kan me allemaal niets meer schelen.

'Het spijt me,' zegt Linda ongemakkelijk en niet in staat me recht in de ogen te kijken. 'Ik weet dat je je erop verheugd had om babyspulletjes te kopen en ik had dat niet in jouw plaats moeten doen. Echt, ik wilde je geen verdriet doen. Ik dacht er gewoon niet bij na. Ik zag al die schattige dingen, maar nu besef ik pas hoe dom dat van me was en…'

Ik geloof er geen woord van. Linda begint te huilen.

Ze gaat zitten, snikt het uit en haalt gierend adem. Dat brengt me van mijn stuk, want ik ben klaar voor het gevecht. Ik zit helemaal klaar om te gillen en te schreeuwen als het nodig is, om Linda precies te vertellen wat ik van haar denk, en het laatste wat ik verwachtte, was Linda in tranen te zien.

Ik wist niet eens dat Linda kón huilen en het is zo eng, zo ontwapenend, dat ik er sprakeloos van word. Onwillekeurig sla ik mijn arm om haar schouders en begin haar te troosten. Ik zeg dat ik haar natuurlijk vergeef, dat ik begrijp dat ze alleen aardig probeerde te zijn, dat ik niet wil dat ze al die mooie dingen terugbrengt en dat ik alleen maar zo van streek was door de hormonen, dat ik dolblij ben dat ze zo attent en gul is.

Allemaal onzin natuurlijk, maar ik voel iets voor Linda wat ik nooit voor mogelijk heb gehouden: medelijden.

Ik heb echt medelijden met haar, zelfs al weet ik precies hoe geslepen en manipulatief ze kan zijn; zelfs al weet ik wat ze vanavond probeerde te doen, toch gelooft een deel van me dat ze er gewoon niet bij heeft nagedacht, dat het misschien niet gemeen bedoeld was, alleen tactloos, en al mijn woede verdwijnt als sneeuw voor de zon.

Vijf minuten later zijn we weer vrienden, zijn we haast moeder en dochter, voorzover dat mogelijk is tussen deze moeder en schoondochter, en gaan we naar Michael en Dan, die allebei opgelucht kijken als ze zien hoe vlug we ons meningsverschil hebben bijgelegd.

Het blijkt dat we ons net op tijd bij hen hebben gevoegd, want de bel gaat en Fran en Marcus arriveren – onze eerste gasten – en daarna lijkt het wel of iedereen tegelijk komt. Al snel staan ze allemaal te praten en vullen ze hun glazen bij en roepen ze naar vrienden die ze in geen maanden hebben gezien.

Ondanks de slechte start heeft iedereen een heerlijke avond. Zelfs Linda en Michael. Linda is in haar element met 'de jongens', de vrienden van Dan die ze heeft zien opgroeien tot sterke, knappe mannen; en Michael, de stille, bescheiden Michael, lijkt tot mijn grote genoegen nogal overdonderd, en behoorlijk gevleid, als hij staat te kletsen met de praatzieke, flirtgrage Sally. Door een kwinkslag en de sprankelende blik in haar ogen lijkt ze hem te laten wensen dat hij twintig jaar jonger was en vrijgezel.

De mensen drinken, eten en lachen. Op een bepaald moment wordt de muziek harder gezet en wordt het grasveld omgedoopt tot dansvloer. Dit is precies het feest dat ik me heb gewenst – een feest waarop iedereen zich herinnert hoe hij vroeger was, voor het leven, kinderen en verantwoordelijkheden in de weg stonden.

Volgens mij heeft iedereen het naar zijn zin gehad.

11

… the birthday of my life
Is come, my love is come to me
Christina Rossetti

Er wordt zacht op de deur geklopt en ik zeg even zacht: 'Kom binnen.' Met een stralende glimlach kijk ik naar Fran en Sally, die de kamer binnenkomen en meteen naar het bed lopen, waar ik met de kleine Thomas Maxwell Cooper in mijn armen lig.

'O, god,' verzucht Fran. 'Je vergeet hoe klein ze zijn.'

'Wat een schatje,' zegt Sally, terwijl ze elkaar opzij duwen om hem wat beter te bekijken.

'Willen jullie hem vasthouden?' Voorzichtig geef ik hem aan Fran, die op het ziekenhuisbed gaat zitten, Tom heel voorzichtig aanpakt en bewonderend naar zijn volmaakte gezichtje kijkt.

'Hoe voel je je?' Sally zet een grote bos tulpen op de vensterbank zonder te beseffen dat ze binnen het uur verwelkt zullen zijn omdat het in dit stomme ziekenhuis minstens honderd graden is, zelfs al is het augustus en is het buiten snikheet. Geen van de radiatoren (die volgens mij in de negentiende eeuw zijn geïnstalleerd) kan worden uitgezet en de ramen kunnen niet open.

'Ik voel me prima,' zeg ik stralend. 'Echt geweldig. Zo hoor je je volgens mij niet te voelen na een keizersnee, maar ik popel om naar huis te gaan.'

'Wanneer mag je naar huis?'

'Morgen.'

Het zijn vier lange dagen geweest. Ik dacht dat ik wel wat slaap kon inhalen. Elke avond stuur ik Tom naar de babyzaal – hij wordt nu al Tom genoemd in plaats van Thomas – en vraag ik het personeel hem de fles te geven zodat ik lekker kan slapen. En elke nacht word ik om precies drie over halfeen wakker. Eigenlijk moet ik dan weer gaan slapen, maar zodra ik wakker ben, herinner ik me dat ik een baby heb! En die ligt hier! Van opwinding dreig ik te barsten en voor ik het weet, loop ik op mijn pantoffels door de gangen om hem weer voor mezelf op te eisen.

Hij is net het mooiste verjaardagscadeau dat ik ooit heb gehad – met duizend keer vermenigvuldigd – en ik kan het bijna niet verdragen om hem niet in mijn armen te hebben.

Ik heb hem niet als eerste vastgehouden, dat heeft Dan gedaan. We hadden geen van beiden een keizersnee verwacht, maar na twaalf uur weeën werd de diagnose 'te weinig vooruitgang' gesteld. Tegen die tijd was ik zo moe dat ik alles goedvond, zelfs als ze in plaats van een keizersnee hadden voorgesteld al mijn ledematen te amputeren.

Ik reageerde niet goed op de verdoving en zodra ze Tom eruit hadden getrokken, heb ik mijn laatste restje kracht gebruikt om tegen de toenemende misselijkheid te vechten, en toen ze me de baby probeerden te geven was ik bang dat ik hem onder zou kotsen. Daarom pakte Dan hem en sloot ik mijn ogen toen ze me eindelijk valium gaven, zodat ik ophield met trillen en wegdoezelde.

Toen ik weer bijkwam, lag ik in de verkoeverkamer en zat Dan onderuitgezakt op een stoel in de hoek.

'Hoi.' Hij trok de stoel naar het bed en pakte mijn hand. Hij drukte een zachte zoen op mijn voorhoofd en keek me glimlachend aan.

'Ook hoi.' Mijn stem kraakte. 'Waar is de baby?'

'Met hem is alles in orde,' zei hij. 'Hij is in de babykamer. Ze hebben hem gewassen en aangekleed.'

'Is hij mooi?' vroeg ik.

'Hij is geweldig,' zei Dan, en we kregen allebei tranen in onze ogen. 'Echt geweldig.'

'Kun jij het geloven?'

Dan schudde zijn hoofd. 'Nee. Ik kan niet geloven dat we iets hebben gemaakt wat zo volmaakt is.'

'Mag ik hem zien?' vroeg ik. Dan belde de verpleegster en binnen vijf minuten hield ik Tom in mijn armen en drupten er verse, hete tranen over zijn gloednieuwe kruippakje van John Lewis, waar hij wel drie keer in paste, al was het de maat voor pasgeborenen.

'Op wie vind jij dat hij lijkt?' fluisterde ik, zonder me te bewegen, nadat Tom was gestopt met kronkelen en piepen en in mijn armen in slaap was gevallen.

'Volgens mij heeft hij jouw handen. Kijk. Moet je die lange vingers zien.' We bogen ons allebei over hem heen om te kijken en ik drukte teder een kus op elk vingertje.

'Mijn ouders vinden dat hij op mij lijkt,' zei Dan, en hij drukte een kus op Toms hoofdje. 'Blijkbaar had ik ook een dikke bos haar toen ik werd geboren. Maar ook al lijkt hij nu op mij, dan verandert dat vast nog wel. Kennelijk lijken alle baby's biologisch gezien sprekend op hun vader na de geboorte, zodat we ze niet verstoten. Alsof ik dat zou doen!' En hij begon te lachen.

Mijn hart begon sneller te kloppen.

'Vinden je ouders dat hij op jou lijkt? Hoe weten ze dat? Hebben ze hem al gezien?'

Er viel een doodse stilte toen Dan naar de grond keek. 'Ja,' zei hij onzeker en ik wist dat hij een manier probeerde te bedenken om een eind te maken aan dit gesprek, een manier om me iets niet te hoeven vertellen wat ik toch niet wilde horen.

'Hoe bedoel je, "ze hebben hem gezien"?' Ik wist dat ik mezelf herhaalde, en mijn stem klonk heel rustig, maar mijn emoties kolkten. Hoe konden ze hem hebben gezien? Ik had hem zelf pas net gezien. En wat deden ze hier eigenlijk?

Linda en Michael hadden me een paar weken geleden gevraagd of ze bij de geboorte aanwezig mochten zijn. Ze hadden verteld hoeveel dat voor hen zou betekenen, dat dit iets was waarop ze heel lang hadden gewacht.

Dat overviel me nogal. Ik heb nooit begrepen waarom je een ander dan je echtgenoot bij de bevalling van je baby zou willen hebben. Dacht Linda nou echt dat ik haar ooit nog zou durven aankijken als ze me met gespreide benen had zien liggen terwijl er een babyhoofdje uit mijn vagina kwam? Bij het idee alleen krijg ik koude rillingen. Ik heb documentaires gezien over bevallingen, gezien hoe hele families in de verloskamer rond de moeder staan, en heb er alleen afgrijzen bij gevoeld. Is dit niet het meest persoonlijke moment van je leven? Wie wil er zo open, zo kwetsbaar bij liggen voor een ander dan je arts of vroedvrouw, verpleegster of echtgenoot?

Maar ik wist niet wat ik moest zeggen toen Linda het me vroeg. Ik wilde niet onbeleefd zijn en ondanks alles probeerde ik nog altijd de gehoorzame schoondochter te zijn, en daarom had ik beleefd gezegd dat ik erover zou nadenken en het haar zou laten weten.

'Is ze nou helemaal gek geworden?' had ik aan Dan gevraagd zodra we in de auto zaten.

Hij had ongemakkelijk zijn schouders opgehaald. 'Ik heb tegen haar gezegd dat ze het aan jou moest vragen.'

'O, geweldig. Dus ze heeft het al aan jou gevraagd.'

'Ja, en ik heb gezegd dat dat niet mijn beslissing was. Dat het jouw lichaam en jouw bevalling was en dat ze het aan jou moest vragen.'

'Hmm,' zei ik, en met tegenzin erkende ik dat hij mij had gesteund.

Twee dagen later – waarin ik haar telefoontjes had ontlopen door het antwoordapparaat aan te laten slaan en alleen terug te bellen als ik van Dan had gehoord dat ze er niet was – belde ik en sprak ik met haar. Ik legde uit dat ik er behalve Dan liever niemand bij wilde en ik zei dat ik haar zou bellen zodra de bevalling voorbij was, en dat we het natuurlijk enig vonden als Michael en zij naar het ziekenhuis kwamen nádat we hadden gebeld.

Was dat soms niet duidelijk? Dat Dán én ik haar zouden bellen en dat ze pas dán naar het ziekenhuis mochten komen?

Waarom had ze dan godverdomme mijn baby al gezien?

'Waarom heeft ze godverdomme mijn baby al gezien?' Mijn stem klinkt schril en ik kan de hysterie haast niet onderdrukken. 'Ik heb mijn baby zelf nog maar nauwelijks gezien.'

Dan schudt zijn hoofd. 'O, god. Het spijt me, Ellie. Ik weet niet wat ik moet zeggen en ik zweer je dat ik niet wist dat ze hier waren.'

'Hoe bedoel je?'

'Mijn moeder belde toen ze je klaarmaakten voor de operatiekamer. Ze wilde alleen weten hoe het met ons ging en ik kon moeilijk liegen en niet zeggen dat we in het ziekenhuis waren. Voor ik het wist, waren zij er ook.'

'Hier? Waar? In de operatiekamer?' Heel even vreesde ik dat ik zo ver weg was geweest dat zij stilletjes in een hoekje hadden gestaan om naar de keizersnee te kijken, zonder dat ik het had gemerkt.

O, god. Wat is erger? Dat je schoonouders je vagina in al zijn glorie kunnen zien, of je ingewanden?

'Nee, maar ze zaten in de wachtkamer, en…' Hij zweeg en had duidelijk geen zin om verder te gaan. 'Tom werd na zijn geboorte naar de babykamer gereden en een of andere verpleegster feliciteerde ze en toen heeft ze hen kennelijk…' Weer zweeg hij onbehaaglijk.

'Kennelijk heeft ze wat?' gilde ik.

'Kennelijk heeft ze hen uitgenodigd in de babykamer om hem te zien en hebben ze hem vastgehouden. Heel kort maar.'

Ik begon te huilen van frustratie en woede, en Tom werd wakker en begon te schreeuwen en het enige wat ik op dat moment kon denken was dat Tom en ik het tegen de rest van de wereld moesten opnemen. Dat ik iedereen haatte behalve dit kleine, hulpeloze kind dat schoppend en schreeuwend in mijn armen lag.

Met een bezorgde blik kwam de verpleegster binnen en ze zei tegen Dan dat hij naar buiten moest. Ze zei dat het me allemaal te veel werd en dat hij me niet van streek moest maken, dat een keizersnee tenslotte een zware operatie is. Ik weet dat Dan, die zich op dat moment heerlijk zou moeten voelen, zich de grootste sukkel voelde die ooit op aarde heeft rondgelopen.

Mooi zo. Net goed.

Maar nu, vier dagen na de operatie, heb ik het Dan vergeven. Alleen weet ik niet of ik het Linda ooit zal kunnen vergeven.

Ik weet dat het belachelijk is. Ik vind het prima als mijn vriendinnen mijn baby vasthouden, maar elke keer als Linda en Michael op bezoek komen, haast ze zich met uitgestrekte armen naar me toe om Tom te pakken. Maar dan draai ik me een stukje om en zeg: 'Nee, ik ben er nog niet klaar voor om hem door iemand anders te laten vasthouden.' Dan gaat ze treurig in een hoekje ijzig zitten kijken en ik weet dat ze zich afgewezen voelt. Dan lig ik in bed en knuffel Tom en maak gekke geluidjes naar hem en krijg ik onwillekeurig een triomfantelijk gevoel. Jij mag mijn baby dan eerder hebben vastgehouden dan ik, denk ik, maar je zult niet winnen.

Het is jouw baby niet, hij is van mij, en ik zal ervoor zorgen dat je dat nooit vergeet.

Niets had me kunnen voorbereiden op Tom, op hoe mijn leven zou veranderen met zijn komst, en niets had me kunnen voorbereiden op de overweldigende liefde die ik voel voor dit wezentje dat ik pas een paar weken ken.

's Nachts kan ik niet slapen. Of ik ben wakker omdat Tom honger heeft of huilt – dan gaan we samen naar de woonkamer, waar ik hem laat drinken, met MTV zachtjes aan – of ik loop op mijn tenen rond zijn wieg om naar zijn slapende gezichtje te kijken, nog altijd niet in staat te geloven dat hij van mij is en dat hij er is.

Ik heb drie maanden zwangerschapsverlof opgenomen en ik mis het werk, de drukte, de routine, het volwassen gezelschap, maar als ik eraan denk dat ik terug moet en dat ik Tom dan door anderen moet laten verzorgen, word ik misselijk.

Daarom probeer ik er niet aan te denken.

In plaats daarvan richt ik al mijn aandacht op mijn nieuwe leven als moeder, met alle nieuwigheden die daarbij komen kijken, waaronder – tot mijn grote verbazing – nieuwe vrienden.

Elke dag om drie uur, na Toms middagvoeding, leg ik hem in het wandelwagentje en gaan we naar het park, waar we een poosje rondlopen. Dan gaan we in de speeltuin zitten om naar de oudere kinderen te kijken. Na een poosje merk je dat je steeds dezelfde gezichten ziet en dat de vrouwen met kinderen van dezelfde leeftijd elkaar opzoeken. Als Tom zes weken oud is, raak ik in gesprek met Lisa, die Amy heeft, een meisje van twee maanden, en Trish, die Oscar van vijf weken heeft.

We beginnen met verhalen uit te wisselen over onze bevalling, vervolgens met het uitwisselen van tips over hoe we onze kinderen zover kunnen krijgen dat ze aan de fles gaan terwijl we ze tot nu toe alleen de borst hebben gegeven, en uiteindelijk vertellen we elkaar over onze echtgenoten en onze levens.

In het begin komt elk gesprek weer op de baby's, zelfs als we het over werk hebben, over dingen die vóór de kinderen ontzettend belangrijk waren.

Maar na een poosje worden de dagelijkse ontmoetingen – die zich van de speeltuin naar een koffieshop en vervolgens naar onze huizen verplaatsen – het hoogtepunt van mijn dag.

Lisa, Trish en ik mogen dan oorspronkelijk vriendschap hebben gesloten vanwege onze kinderen, het duurt niet lang of ze lijken echte vriendinnen, en kort daarna wórden ze echte vriendinnen. Als Tom bijna drie maanden is, en ik vol schrik de dagen aftel voor ik weer aan het werk moet, vraag ik me af hoe ik ooit zonder Lisa en Trish heb gekund.

Of eigenlijk: hoe ik ooit zonder goede vriendinnen in het algemeen heb gekund. Want ik heb ook nog Fran, Sally en Emma, al lijkt Toms geboorte voor een kleine verwijdering tussen Emma en mij te hebben gezorgd. Ik zie haar nog elke zondag bij Linda en Michael, en dan praten we de hele middag met elkaar, maar omdat ik nu niet in WestEnd werk, kan ze niet even langskomen om met me te gaan lunchen; bovendien heeft ze geen enkele belangstelling voor baby's, en eerlijk gezegd is dat het enige onderwerp waar ik op dit moment over wil praten.

Ik heb nooit echt hechte vriendschappen met vrouwen gehad. Je hoeft geen psycholoog te zijn om te concluderen dat de enige vrouw die me ooit na heeft gestaan mijn moeder was, die is gestorven, oftewel me in de steek heeft gelaten, al was dat dan per ongeluk, en dat ik waarschijnlijk nooit iemand bij me in de buurt heb gelaten vanwege de angst opnieuw in de steek gelaten te worden. Alleen heb ik me niet eerder gerealiseerd wat ik miste.

Ik vind het heerlijk dat ik Tom in de wandelwagen kan zetten en de straat uit kan lopen naar Trish. Dat ik bij haar kan aankloppen om te kijken of ze er is, zonder van tevoren te bellen. Het is geweldig dat ik mijn schoenen kan uitschoppen en in haar keukenkastjes mag rommelen om thee te zetten terwijl zij boven Oscars luier verschoont.

Ik vind het heerlijk dat Lisa soms 's middags langskomt, en als ze die ochtend een cake heeft gebakken (vreemd genoeg doet ze dat regelmatig) maakt ze altijd wat extra's voor Trish en mij, wat ze dan meebrengt, netjes verpakt in een linnen doek.

Het is geweldig dat we ons net zo thuis voelen bij elkaar als in ons eigen huis en dat ze voor een zekere luchtigheid en vrolijkheid in mijn leven zorgen die eerder ontbrak.

Gedeeltelijk komt dat doordat we vlak bij elkaar wonen. Het leven is een stuk makkelijker als je niet alles hoeft te plannen. Soms lunchen we op zondag met Dans vrienden (maar lang niet zo vaak sinds Tom er is), maar als we doordeweeks iets met hen willen doen, moet dat een paar weken van tevoren worden geregeld, en meestal belt een van ons af omdat er iets onvermijdelijks is gebeurd of omdat we eenvoudigweg te moe zijn om mensen te zien.

In het begin komt het niet bij Lisa, Trish of mezelf op dat we elkaar ook 's avonds of in het weekend kunnen ontmoeten. Dan noemt hen 'mijn vriendinnetjes' en zegt dingen als: 'Je vriendinnetje Trish is aan de telefoon' of: 'Ga je vandaag nog naar je vriendinnetje toe?', waar ik om moet lachen.

Een paar weken zijn het alleen namen voor Dan, maar uiteindelijk besluiten mijn vriendinnetjes en ik om iedereen bij elkaar te krijgen en op een zondagmiddag nodigt Lisa ons uit om thee te komen drinken. Ook al is zij single – of misschien wel daardoor – ze is de beste huisvrouw van ons drieën.

'Dit is Gregory, mijn man,' zegt Trish als een kleine, glimlachende man zijn hand naar me uitsteekt. We staan met zijn allen voor de deur van Lisa's huis.

'En dit is Dan, de mijne,' zeg ik als de deur opengaat en ik behendig de Maclaren-buggy (hoera, we zijn toe aan een Maclaren) over de drempel manoeuvreer.

Binnen geven we Lisa een kus en we stellen ons voor aan haar vriend Andy, en binnen een paar minuten liggen Amy, Oscar en Tom tevreden op het speelkleed in het midden van de woonkamer en lopen Trish en ik met Lisa naar de keuken om te helpen met het klaarzetten van de theespullen.

Zoals zo vaak als ik Lisa's huis binnenkom, hangt er een heerlijke geur en ik snuif de lucht tevreden op. 'Wat heb je vandaag gemaakt? Wat het ook is, het ruikt zalig.'

'Soms wil ik een hekel aan je hebben,' zegt Trish tegen Lisa. 'Waar haal je de tijd vandaan om uitgebreid te koken terwijl je een kleine baby hebt? Ik heb nauwelijks tijd om mijn haar te wassen en jij bakt elke dag taarten.'

Verlegen schudt Lisa haar hoofd, maar het is waar: ze bakt niet alleen iedere dag taarten en koekjes, maar ze kookt ook voor haar vriend als hij komt, wat zo ongeveer elke avond van de week schijnt te zijn.

Lisa's ex-man – die Paul heet, maar bekendstaat als de Deserteur – heeft haar drie maanden voor Amy's geboorte in de steek gelaten. Hun huwelijk bleek een enorme vergissing te zijn. Hij was nog lang niet toe aan een vaste relatie (je zou toch denken dat hij daar wel achter was gekomen tijdens de drie jaar dat ze bij elkaar waren, en dan het liefst voor ze zwanger was geworden) en hij was absoluut nog niet klaar voor een baby. (De Deserteur was een hooggeboren persoon en een echte societyfiguur. Lang voor hij Lisa leerde kennen stond hij al bekend als playboy.)

Dus hij vertrok.

Toch heb ik nog nooit iemand ontmoet die zo sterk is en zo goed voor zichzelf kan zorgen als Lisa. Elke keer dat ik haar dat vertel, lacht ze en zegt ze dat Amy en zij beter af zijn zonder hem. Trish en ik hebben er samen wel eens over gepraat en wij kunnen allebei niet geloven dat iemand een vrouw als Lisa verlaat. Niet alleen kan ze geweldig koken, ze is ook beeldschoon. Echt waar. Als ze niet zo aardig was, zou ik een hekel aan haar hebben. Het heeft een hele poos geduurd voor ik me niet meer geïntimideerd door haar voelde. Ze heeft blond haar met lichtere plukken erin en benen die eindeloos lijken, en extra goed uitkomen in de Manolo Blahnik-laarzen met hakken van tien centimeter die ze altijd draagt, zelfs in het park! Waar we ook zijn, iedereen kijkt Lisa na. Een deel van me zou zich waarschijnlijk bedreigd door haar moeten voelen en ik heb me afgevraagd of het wel verstandig is om haar aan Dan voor te stellen. Niet dat ik hem niet vertrouw, want dat doe ik zonder meer, maar toen Linda hoorde dat ik een nieuwe vriendin heb die knap is en op het punt staat om te scheiden, trok ze een wenkbrauw op en zei ze dat ik voorzichtig moest zijn.

Dat is natuurlijk volslagen belachelijk. Om nog maar te zwijgen over het feit dat Lisa een vriend heeft.

Wel besteed ik de laatste tijd wat meer aandacht aan mijn uiterlijk. Niet omdat ik zo eerzuchtig ben, maar Lisa ziet er altijd uit om door een ringetje te halen en ze is altijd zo perfect dat ik gedwongen ben om dingen te doen die ik al een poos niet meer heb gedaan.

Koken, bijvoorbeeld. Als Dan echt boft, heb ik eraan gedacht kant-en-klaarmaaltijden bij de supermarkt te halen, of soms bij de delicatessenwinkel als ik tijd heb. De meeste avonden moet hij naar een afhaalrestaurant of moet hij genoegen nemen met roereieren op toast.

Maar vorige week is het me gelukt twee recepten van Jamie Oliver te maken, en crème brûlée.

En wat betreft mijn uiterlijk voor ik de meiden ontmoette... Laten we het erop houden dat ik tot zes weken na Toms geboorte in positiekleding heb gelopen. Misschien had ik wel de energie kunnen opbrengen om die kleding naar zolder te verbannen tot het volgende kind, áls er nog een kind komt, maar ik draag nu een maat groter, en dan heb ik het nog alleen over slobbertruien en stretchbroeken van Gap. Joost mag weten wat er gebeurt als ik iets aantrek wat niet een beetje rekt.

Goed, ik mag dan nog niet zijn gaan winkelen, ik doe tegenwoordig wel wat lippenstift en mascara op voor ik de deur uit ga.

Trish daarentegen is een vrouw naar mijn hart. Ze weet dat ze Lisa toch niet kan bijhouden en dat kan haar ook niks schelen. Was ik maar zo zelfverzekerd! Trish draagt nog altijd tot volle tevredenheid leggings van Mothercare en slaagt er maar net in om 's ochtends haar gezicht te wassen, laat staan dat ze zich opmaakt. Bovendien heeft ze haar man, Gregory, opdracht gegeven om te koken.

Eigenlijk vind ik het fijn dat wij drieën – Lisa, Trish en ik – zo verschillend zijn, en als we ergens heen gaan, stel ik me vaak voor dat we wel een heel vreemd groepje moeten vormen. Lisa is betoverend en chic, Trish ontspannen en nuchter, en ik? Ik vind mezelf nogal gewoontjes.

Maar we zijn vriendinnen, en als we met zijn drieën dienbladen met thee en taart naar de woonkamer dragen, heeft het er alle schijn van dat onze echtgenoten, of in elk geval Dan en Gregory, ook goede vrienden zullen worden.

12

Eigenlijk had het me niet moeten verbazen, maar Andy, Lisa's vriend, is ontzettend aantrekkelijk. Hij is zo aantrekkelijk dat ik er een beetje nerveus van word en ik durf hem niet recht in de ogen te kijken.

Lisa en hij lijken het ideale stel; ze zijn allebei lang en knap, en als ik niet beter wist, zou ik denken dat ze geknipt voor elkaar zijn, maar iets aan hem zit me niet lekker.

Ik mag er dan niet in slagen hem recht aan te kijken, ik ga wel op de bank tegenover hem zitten en probeer hem te doorgronden, terwijl ik tegelijkertijd een oogje hou op Dan, die Tom aan het lachen maakt door op zijn buikje te blazen.

In minder dan vijf minuten weet ik waarom ik me aan hem erger.

De manier waarop hij tegen Lisa praat, bevalt me niks en hij is veel te arrogant.

'Schatje,' zegt hij. Hij zit ontspannen op de bank en draait zijn hoofd een beetje, zodat Lisa, die Amy verschoont, hem kan verstaan. Toch doet hij geen moeite om naar haar te kijken. 'Heb je de suiker vergeten?'

'Heb ik die vergeten?' vraagt Lisa afwezig.

'Mm-mm,' zegt hij. Zonder verder in actie te komen, pakt hij een kop thee voor zichzelf, maar hij biedt niemand iets aan. 'Kun je die even halen?'

Trish en ik kijken elkaar uitdrukkingsloos aan, maar het lijdt geen twijfel dat we allebei hetzelfde denken. We wachten alleen tot Lisa het hardop zegt: 'Mankeer je wat aan je handen? Pak het zelf.'

'Ik kom er zo aan,' zegt Lisa.

Op dat moment sta ik op en geef Tom een kus op zijn hoofd. 'Laat maar,' zeg ik tegen Lisa, zorgvuldig Andy's blik vermijdend. 'Ik pak het wel.'

'Ik loop even met je mee.' Trish springt op en we rennen zowat de keuken in.

'Is het niet ongelooflijk?' vraag ik aan Trish zodra de keukendeur dicht is.

'Ongelooflijk!' herhaalt ze. 'Wat denkt hij wel niet?'

'Wat een klootzak, zeg.'

'Ja, dat vind ik ook.'

'Jezus.' Ik schud mijn hoofd en praat zacht verder, voor het geval er iemand aan de andere kant van de deur staat te luisteren. Ik weet dat het gek is, maar op dat punt ben ik nogal paranoïde. Ik pak ook altijd de telefoon weer op zodra ik heb opgehangen om te controleren of ik wel de kiestoon hoor, hoewel ik daar een goede reden voor heb...

Toen Tom vier weken was en veel last had van krampjes, was Fran een middag bij me. Linda belde en ik zei dat ik geen tijd had om te praten en dat ik haar een andere keer zou bellen.

Ik legde de telefoon neer en Fran vroeg hoe het nou ging met mijn schoonmoeder. Ik zei dat het niet lekker liep. Ik moest me even afreageren en dit was dé gelegenheid. Ik liet mijn woede en frustratie de vrije loop.

Later die avond belde Linda weer. Deze keer liet ik het antwoordapparaat aanslaan en ze sprak een boodschap in; ze zei dat ik de telefoon niet goed had opgehangen en dat ze alles had gehoord.

Misselijk bleef ik zitten. O, hemel. Een hekel aan haar hebben was één ding, maar het was iets heel anders dat zij nu wist hoezeer ik haar haatte, en geloof me: na mijn uitbarsting van die middag verbaast het me dat ze niet meteen naar de politie is gegaan omdat ze voor haar leven vreesde.

Daar zat ik, bang en misselijk en veel te laf om haar terug te bellen. Tot Dan thuiskwam, bleef ik onbeweeglijk zitten en toen vertelde ik hem het hele verhaal met een bang, klein stemmetje, al verzweeg ik welke rotdingen ik precies over haar had gezegd. Ik zei alleen dat ze misschien wat dingen had gehoord die niet zo aardig waren.

En Dan belde haar terug. Wat ze had gehoord, waar ze twintig minuten naar was blijven luisteren terwijl Fran en ik naar de keuken waren gegaan om een flesje klaar te maken – godzijdank – was Toms geschreeuw.

Dank u, God. Dank u. Ik zal nooit meer iets slechts doen.

Maar ondertussen ben ik wel helemaal paranoïde geworden over telefoons die niet goed zijn opgehangen en mensen die aan de andere kant van deuren luisteren, dus voor ik verder praat tegen Trish, zelfs al fluister ik zowat, doe ik de keukendeur nog een keer open om er zeker van te zijn dat er niemand staat.

'Misschien ben ik dom of zo,' fluister ik, 'maar ik begrijp iets niet. Waarom kiest Lisa altijd van die rotzakken?'

'Ik weet precies wat je bedoelt!' stemt Trish in. 'Je zou toch denken dat ze een leuke vent verdient na de Deserteur, maar dit is gewoon een arrogante lul.'

'En zij is juist fantastisch,' zeg ik peinzend. 'Zou ze onzeker zijn?'

'Wat is hier aan de hand?' De deur gaat open en Lisa komt binnen met een grijns op haar gezicht. 'Is dit een privé-gesprek, of mag iedereen eraan deelnemen?'

'We zeiden net tegen elkaar hoe knap Andy is,' zeg ik snel.

'Ja, hè?' Lisa knikt. 'Is het geen stuk? Zelfs al is hij een beetje een lul.'

Trish en ik slaken een hoorbare zucht van verlichting. 'O, god,' zeg ik. 'We zeiden net tegen elkaar dat hij wel lef heeft om zo tegen je te praten.'

'Ja. Waar is zijn laatste slaaf aan gestorven? Te hard werken?'

Het is een oude grap, maar we moeten er toch om lachen nu we hem hier, in deze context, horen.

'Waarom pik je dat?' vraag ik. 'Behandelt hij je de hele tijd zo?'

'Niet de hele tijd,' zegt Lisa. 'Ik weet dat hij geen blijvertje is, maar hij maakt dat ik me niet eenzaam voel en hoe vreselijk het ook klinkt: beter hij dan helemaal niemand.'

'Echt waar?' Trish kijkt haar twijfelend aan. 'Ik vind je altijd zo zelfstandig. Lijkt het je niet beter om op iemand te wachten die heel bijzonder is dan met de eerste de beste genoegen te nemen?'

Lisa haalt haar schouders op en bekent: 'Ik vind het vervelend om alleen te zijn, en bovendien heeft hij ook zijn goede kanten.'

'Welke dan?' Ik ben nog altijd sceptisch.

Met een grijns zegt Lisa: 'Nou, op sommige vlakken behandelt hij me prima. Kijk.' Ze steekt haar arm uit om een nieuwe armband te laten zien. 'Die heeft hij me pas gegeven. En hij neemt me mee naar leuke gelegenheden. En het belangrijkste is' – samenzweerderig buigt ze zich naar ons toe – 'dat hij hartstikke goed is in bed.'

Er valt een vervelende stilte, terwijl Trish en ik elkaar aankijken en niet weten wat we moeten zeggen. Niet vanwege Lisa's onthulling, maar omdat we niet begrijpen hoe dat een voordeel kan zijn als je een baby hebt.

Dan begint Trish te lachen. 'Dat meen je niet!'

'Jawel. Echt waar. De beste seks die ik ooit heb gehad.'

'Hoe kun je zelfs maar aan seks dénken? Ben je daar niet veel te moe voor?' Mijn ogen worden groot van ongeloof. En van een tikje respect.

'Te moe? Ben je helemaal gek? Op dit moment is dat het enige waar ik me op kan verheugen.'

118

Ik denk terug aan de vorige avond. Zoals gewoonlijk had ik om acht uur een warm bad genomen en lag ik om kwart voor negen in mijn flanellen pyjama in bed. Heerlijk. Ik wilde een kwartiertje lezen en het licht om negen uur uitdoen. Ik wist dat ik binnen een paar minuten zou slapen.

Maar om vijf voor negen komt Dan binnen en hij gaat aan mijn kant op het bed zitten. Hij buigt zich voorover om me een kus te geven. Ik hoop dat het alleen maar een licht zoentje op de lippen is, maar als hij zijn hoofd niet meer dan een paar centimeter wegtrekt, bekruipt me een welbekend angstig gevoel.

Terwijl ik in bed tegen de kussens leun en mijn echtgenoot me nog een kus geeft, maak ik snel een rekensommetje.

De laatste keer dat we hebben gevreeën was maandag tien dagen geleden. Eén keer per week is waarschijnlijk een redelijke verwachting, en niet onredelijk om van mij te verlangen, dus moet ik het vanavond wel doen, en als ik dat doe – ik werp een blik op de wekker – kan ik dan zorgen dat het korter dan een kwartier duurt?

Ik hoop Trish' wereldrecord van zes minuten te evenaren.

Of ik kan doen wat ik vaak doe – maar niet al te vaak, omdat ik niet wil dat Dan te zeer van streek raakt – en zeggen dat ik moe ben. Want eerlijk gezegd bén ik ook moe. Ik ben voortdurend uitgeput en omdat ik overdag nog borstvoeding geef, voelen mijn borsten aan als koeienuiers en zo zien ze er ook uit. Ik heb me nog nooit minder begeerlijk gevoeld, of zelf minder begeerte gevoeld.

Daardoor is seks iets mechanisch geworden. Iets wat ik moet doen om mijn echtgenoot blij te maken, maar ik doe mijn uiterste best om het zo min mogelijk, en zo kort mogelijk, te doen.

'Goed.' Ik haal diep adem. 'Ik wil toch even zeggen dat ik het geen enkel probleem zou vinden om nooit van mijn leven meer met iemand te vrijen.'

'Precies!' roept Trish. 'Elke keer als Gregory me aankijkt en zijn wenkbrauw optrekt, zinkt de moed me in de schoenen.'

Ik begin te schateren, maar trek dan een ernstig gezicht en kijk Trish met opgetrokken wenkbrauw aan. 'Kom je naar bed, schatje?' zeg ik, en ik probeer Dan zo goed mogelijk na te doen. Trish stikt zowat van de lach.

'Ja, precies! Zo! Die blik! Die heeft Gregory ook. Of je bent naar bed geweest met Gregory, of alle mannen hebben dezelfde blik!' Ze schatert het uit.

De keukendeur gaat open en Andy verschijnt in de deuropening.

'Schat?' vraagt hij streng aan Lisa. 'De suiker?' En wij drieën beginnen nog harder te lachen. Hij kijkt ons een tel verward aan waarna hij de deur weer dichtdoet en teruggaat naar de woonkamer.

Als we terugkomen in de woonkamer, blijken Dan en Gregory het prima met elkaar te kunnen vinden. Gregory is precies de man die ik voor Trish zou hebben gekozen. Hij is klein, een beetje mollig, maar op een knuffelige, aantrekkelijke manier, en hij is bijzonder vrolijk. Hij lijkt altijd te glimlachen en hij straalt gewoon vrolijkheid uit. Ik kan me niet voorstellen dat iemand een hekel aan hem heeft.

Ook kan ik me hem niet aan het werk voorstellen, maar hij is hoofd Public Relations voor een grote televisiemaatschappij en daarvoor was hij hoofd Public Relations voor een bekend en belangrijk politicus, en daarvoor was hij advocaat.

Met andere woorden: er bestaan niet veel mensen die belangrijker zijn dan Gregory, maar toch is hij de nuchterste, meest bescheiden man die je kunt treffen, en ik vind het fijn dat Dan en hij zo veel gemeenschappelijke interesses blijken te hebben. Het is kinderachtig, maar ik vind nog iets leuk, namelijk dat Andy helemaal buitengesloten is.

Ha!

En het feit dat hij een rotzak is en dat zelfs Lisa hem een rotzak vindt, maakt me immuun voor zijn knappe uiterlijk – sterker nog: ik durf te beweren dat hij met de seconde minder aantrekkelijk wordt – en ik krijg een beetje medelijden met hem nu hij daar in zijn eentje op de bank zit. Daarom ga ik naast hem zitten om mijn beste beentje voor te zetten, misschien zelfs om hem een tweede kans te geven.

'Je kunt goed overweg met Amy,' lieg ik, aangezien hij Amy nog geen blik waardig heeft gekeurd. Het lijkt echter een veilig onderwerp om mee te beginnen. 'Je houdt vast van kinderen.'

Zodra ik het heb gezegd, heb ik er al spijt van, want hij kijkt me aan en ik weet wat hij ziet. En ik vind het vreselijk wat hij ziet.

Hij ziet een slonzige moeder uit een buitenwijk die het alleen over haar kind kan hebben, of over kinderen in het algemeen, of over verwante onderwerpen zoals crèches, oppassen en de voor- en nadelen van een speelklas.

Ineens krijg ik zin om te roepen: 'Ik had een goede baan, hoor! Ik héb een goede baan. Ik ben heel succesvol! Ik ben niet alleen een moeder, maar ook een mens.'

Maar nu ik over een paar weken weer aan het werk moet, krijg ik mijn twijfels. Ik had echt nooit durven denken dat ik een vrouw was die tevreden zou zijn met alleen de zorg voor een baby, en nu ik thuis ben, geniet ik ervan. Ik meen het echt. Het geeft me alle voldoening die ik kan wensen en het is het mooiste wat ik ooit heb gedaan. Ik betwijfel of ik al klaar ben om weer aan het werk te gaan, alleen moet ik nog een manier bedenken om dat onderwerp bij Dan aan te snijden.

Ondertussen lees ik toevallig nog wel de kranten en kijk ik af en toe naar het nieuws. Ik weet wat er in de wereld gebeurt en ik vind het vreselijk dat deze man me een blik toewerpt die zegt dat er geen enkele kans bestaat dat ik iets te zeggen zou kunnen hebben wat hem interesseert.

'Ik ben niet zo gewend aan kinderen,' zegt hij met een verveelde blik. 'Maar gelukkig regelt Lisa al die dingen.'

Dat geloof ik graag.

'Lisa heeft verteld dat je fotograaf bent,' probeer ik. 'Wat voor werk doe je vooral?'

'Met name opdrachten voor kranten en tijdschriften,' zegt hij. 'Hoewel ik probeer wat meer commerciële opdrachten te krijgen. Ik heb gepraat met een vakantiecomplex in het Caribisch gebied om hun brochure te doen en het lijkt erop dat dat iets wordt.'

'Echt? Dat is mooi. Wij zijn altijd op zoek naar nieuwe fotografen voor onze campagnes. Heb je misschien een visitekaartje?'

Toe dan, denk ik. Vraag wat ik doe, dan kan ik je vertellen hoe interessant ik ben. Dan kan ik laten zien dat ik veel meer ben dan alleen een moeder.

'Ja,' zegt hij. 'Ik heb er boven een paar. Ik zal je er een geven voor je weggaat.'

Ik kan er niks aan doen. Op dat moment had ik het erbij moeten laten. Hij was zo vol van zichzelf dat ik mijn nederlaag had moeten erkennen, maar ik kwam net goed op gang en ik wilde die arrogante kerel per se bewijzen dat ik zijn gelijke was. Nee, verdomme, dat ik beter was dan hij.

'Onze laatste campagne is gemaakt door Bruce Weber,' zeg ik. 'Die heb je vast wel gezien. Calden. We hebben er drie prijzen voor gewonnen. Hij heeft het fantastisch gedaan.'

Eindelijk is zijn belangstelling gewekt. 'Calden? De hotels?'

'Ja.' Nu is het mijn beurt om nonchalant en verveeld te kijken.

'Wat doe jij daar?' Zijn tong hangt bijna uit zijn mond, zo graag wil hij nu met me praten. Het was namelijk een enorm grote campagne en iedereen die iets voorstelt – en zelfs een paar mensen die dat niet doen – kent die campagne, en alle creatieve mensen willen dolgraag meewerken aan de volgende.

'Ik ben hoofd Marketing,' zeg ik. Daarna sta ik snel op zonder hem nog een kans te geven verder te praten. 'Oeps, ik ruik dat er een luier verschoond moet worden. Kom mee, Tom.' Ik pak Tom van het speelkleed en loop naar de commode. 'Laten we dat varkentje eens even wassen.'

Als we klaar zijn en Andy me nog steeds gretig en enthousiast aankijkt, duidelijk op zoek naar nieuwe handige contacten, ga ik met opzet naast Trish en Lisa zitten. We beginnen een gesprek over slaaptraining.

De rest van de middag ontloop ik met succes Andy's pogingen om weer met me te praten.

'En wat vond je van ze?'

Dan, Tom en ik zijn weer thuis. Tom is in bad geweest, gevoed en voorgelezen en ligt nu lekker te slapen. Dan leest de *Sunday Times* aan de keukentafel en ik kijk in de koelkast, de vriezer en de kastjes op zoek naar inspiratie voor het eten.

Dan laat zijn krant zakken. 'Ik vond ze heel aardig,' zegt hij. 'Héél aardig.'

'En Gregory? Jullie leken het goed met elkaar te kunnen vinden.'

'Inderdaad. Hij was ook bij die lunch waar ik van de week naartoe moest en hij kent degene die de toespraak hield heel goed. Hij was erg interessant. En Trish vond ik ook heel aardig.'

'Wat vond je van Andy? Wat een zak, hè?'

'Ik heb niet veel met hem gepraat, maar ik heb jouw gesprek wel gehoord.' Met een grijns kijkt Dan me aan en ik glimlach onschuldig terug.

'Hij deed zo zijn best om met je te praten en jij had geen oog voor hem!' grinnikt hij. 'Goed gedaan.'

Ik haal lachend mijn schouders op.

'Is hij er nog in geslaagd je een visitekaartje toe te stoppen?' vraagt Dan.

Ik knik bevestigend, haal Andy's kaartje uit mijn zak en scheur het boven de prullenbak in kleine stukjes.

'Alsof ik iemand zou inhuren die zo arrogant is,' zeg ik, terwijl ik het deksel van de prullenbak met een klap laat neervallen.

'Groot gelijk,' zegt Dan. 'Hij was echt arrogant. En veel te knap.'

'Ja, maar elke tel dat ik langer met hem praatte, werd hij minder knap. En Lisa? Vond je Lisa niet aardig? Is ze niet beeldschoon?'

'Om je de waarheid te zeggen' – Dan haalt zijn schouders op – 'heb ik ook niet zo veel aandacht aan Lisa besteed, omdat Gregory en ik nogal intensief hebben zitten praten.'

'O.' Ik ben teleurgesteld. Ik had graag gewild – nee, ik wíl graag dat Dan mijn nieuwe vriendinnen even aardig vindt als ik. Ik wil dat hij even enthousiast over hen is, maar wat ik vooral wil, is zijn goedkeuring.

'Nou, de eerstvolgende keer dat je wel met Lisa praat, zul je zien hoe geweldig ze is. Echt, je wordt vast dol op haar.'

'Over geweldige mensen gesproken.' Dan staat op van de tafel en loopt naar me toe. Hij slaat zijn armen om mijn schouders en trekt me dicht tegen zich aan. 'Heb ik de laatste tijd nog tegen je gezegd dat ik van je hou?'

'Mm-mm. Ik geloof dat ik dat al een poosje niet meer heb gehoord.' Met een glimlach kijk ik hem aan. Dan heeft een wenkbrauw opgetrokken en hij kijkt me aan met de blik.

Vanavond laat ik me door hem kussen. Vanavond doe ik meer dan me laten kussen: ik kus hem terug. We gaan naar de slaapkamer en veertig minuten later – blijkbaar is vanavond niet de juiste avond voor wereldrecords – trekt Dan zijn kleren weer aan om een Indiase afhaalmaaltijd te gaan halen. Ik lig in bed en besef dat ik net weer een week uitstel voor mezelf heb geregeld.

13

Die liefdevolle momenten, vol zorgzaamheid en vriendelijkheid, waarop we precies weten waarom we met elkaar zijn getrouwd en waarom we bij elkaar willen blijven tot de dood ons scheidt, zijn tegenwoordig erg zeldzaam.

Ik had niet verwacht dat de eerste paar maanden na de geboorte van een baby zo moeilijk waren, dat een kind tussen ons in zou komen te staan in plaats van ons dichter bij elkaar te brengen.

Als mensen me hadden gewaarschuwd voor de uitputting, de eenzaamheid, het identiteitsverlies, had ik ze voor leugenaars uitgemaakt of had ik aangenomen dat andere vrouwen of andere paren zoiets overkwam, maar ons niet.

Maar natuurlijk overkomt het ons wel. De eerste weken zijn afschuwelijk en bijna elke avond ga ik in bed liggen met mijn rug naar Dan toe, als gevolg van een nieuwe ruzie, onuitgesproken verwijten die 's avonds laat tot uitbarsting komen in een heftige ruzie en geschreeuw.

Want ik ben degene die elke nacht opstaat voor Tom. Ettelijke keren per nacht zelfs. Ik ben degene die het appartement niet voor de middag kan verlaten, die zelfs haar pyjama niet kan verwisselen voor normale kleren, omdat ik met mijn zoontje, dat last heeft van krampjes, de trap op en af moet blijven lopen zodat hij niet schreeuwt.

Ik duw hem in het weekend in de armen van zijn vader zodat ik even op adem kan komen, alleen eis ik hem al snel weer op als ik met toenemende wanhoop zie dat Dan geen flauw idee heeft hoe hij zijn eigen zoon moet kalmeren.

En ik ben degene die vol woede en wrok zit en volslagen afgepeigerd is. Ik begin mijn werk vreselijk te missen, maar ik kan het idee niet aan om mijn zoon zelfs maar een middagje alleen te laten, laat staan de hele week. Ik heb besloten om thuis te blijven bij Tom en als freelance consultant voor Calden te gaan werken, in plaats van als hoofd Marketing.

Daar begrijpt Dan niks van. Hij kán het ook niet begrijpen want hij gaat 's ochtends van huis en is de rest van de dag onder volwassenen met wie hij het over volwassen beslommeringen heeft. Hij is alleen verantwoordelijk voor zichzelf en iedereen ziet hem nog steeds als dezelfde Dan Cooper: de geweldige producent die nu toevallig een zoon heeft.

Hij zal nooit begrijpen hoe het is om je identiteit te verliezen, om van een succesvolle zakenvrouw te veranderen in iemand tegen wie geschreeuwd wordt, alleen omdat je achter het stuur zit van een terreinwagen.

Hij zal nooit weten hoe het is om met een vermoeide, gillende baby in de buggy door de smalle gangpaden van een supermarkt te lopen en de mensen te ontwijken die vol verachting naar jou en je kind staren, mensen die zelfs tegen je zeggen dat je een baby niet moet meenemen naar de supermarkt.

Op die zeldzame zondagochtenden dat Dan met Tom gaat wandelen, komen de mensen van alle klanten hun hulp aanbieden omdat ze het zo leuk vinden een man met een baby te zien.

Hij zal het nooit begrijpen en eigenlijk moet ik hem dat niet verwijten, maar dat doe ik wel.

Ik verwijt het hem, en ik verwijt het zijn moeder.

'Hoe gaat het met mijn lieve kleinzoon?' luidt de boodschap die Linda een paar keer per dag inspreekt op het antwoordapparaat. 'Hoe gaat het met mijn schatje?' kirt ze als ik mijn hoofd schud en haar het liefst door elkaar zou willen rammelen en zeggen: Het is jouw schatje niet, dom wijf. Het is mijn schatje.

En een paar dagen geleden: 'Hallo, knappe jongens,' zegt ze, terwijl ik mijn groeiende woede probeer te onderdrukken. Ik mag dan de moeder van haar lieve kleinzoon zijn, de vrouw van haar geliefde oudste zoon, maar ik lijk volkomen onbelangrijk te zijn geworden. Bij haar draait alles om 'de jongens', en nu begrijp ik hoe moeilijk het moet zijn voor Emma, de dochter die Linda nooit echt heeft gewild.

Want wat Linda ook zegt over haar dochter, hoezeer ze ook beweert dat ze Emma aanbidt, ik weet, iedereen weet, dat de jongens de ware liefde van haar leven zijn, dat ze leeft voor Dan en Richard, en dat ze Tom ook als een van haar jongens beschouwt.

En daar zal ik een stokje voor steken.

Linda belt, en als ik niet opneem of terugbel, komt ze onverwacht langs, iets wat dagelijks vaste prik wordt. Ik heb geprobeerd om net te doen alsof ik niet thuis ben, maar ze herkent mijn auto als die in de straat staat. Aangezien ik nooit goed heb kunnen liegen, laat ik haar met tegenzin binnen.

'Maar ik heb gebeld,' zegt ze dan onschuldig, 'en je was er niet, en ik kwam toevallig langs…'

Ze komt de hele tijd toevallig langs, en toevallig heeft ze ook altijd een pakje bij zich. Tegenwoordig gaan haar onverwachte bezoekjes altijd vergezeld van cadeautjes voor Tom: kleren, speelgoed, iets voor de kinderkamer wat ze toevallig zag en waar ze geen weerstand aan kon bieden.

Ongetwijfeld lijk ik heel ondankbaar, maar ze komt aan met belachelijke dingen die we niet nodig hebben. Vorige week was het een winterjas, terwijl we al een winterjas hebben, een heel mooie die ik heb gekocht in de uitverkoop bij Selfridges, en de week daarvoor een Fisher-Price-aquarium, dat hij al van Rob en Anna heeft gehad toen hij thuiskwam uit het ziekenhuis.

Vroeg ze het me maar. Vroeg ze maar of hij iets nodig heeft, of wíj iets nodig hebben; dan kan ik tenminste nee zeggen, of: 'Ja, inderdaad, we hebben meer handdoeken nodig', of meer slabbetjes, of iets anders wat we echt kunnen gebruiken.

Maar ik weet wel waar ze mee bezig is: ze laat me weten dat ze mijn smaak afkeurt. Dat ze de dingen die ik koop niet mooi vindt. Of de manier waarop ik mijn zoon aankleed. Ze laat me weten dat zij het beter kan, dat dit een wedstrijd is – ik twijfel er niet aan dat zij dit als een wedstrijd ziet – en dat zij aan de winnende hand is.

Ze zal niet winnen.

Ik vertel Lisa en Trish dat ik in oorlog ben met mijn schoonmoeder en elke keer dat ik een van de geschenken weiger te accepteren of haar vertel dat we dat speelgoed of die jas of die mobile al hebben, win ik een slag en ben ik een stap dichter bij het winnen van de oorlog.

Dat zeg ik ook tegen Dan, en ik doe mijn best om uit te leggen hoe ik me voel; ik zeg dat ik weet dat ze een duel met me houdt en dat die geschenken niet worden aangeboden uit vriendelijkheid, maar uit ambitie, en dat ik weiger haar te laten winnen.

We maken er ruzie om. Om haar. Heel veel. Veel meer dan in de aanloop naar ons huwelijk, dat nu een miljoen jaar geleden lijkt, alsof het een ander is overkomen, in een ander leven.

Dan vindt het afschuwelijk om tussen twee vuren in te zitten. Hij zegt herhaaldelijk, zoals hij altijd heeft gedaan, dat ik problemen met zijn moeder met haar moet bespreken. Wat ik natuurlijk nooit zal doen.

Hij zegt dat het door mijn hormonen komt, waardoor ik geheid een rode waas voor mijn ogen krijg van woede, en dat hij weigert erbij betrokken te raken. Soms staat hij zelfs op en gaat de kamer uit.

Maar toch, ondanks mijn groeiende afkeer van haar, zijn er momenten waarop we een soort vrede vinden. Momenten waarop ik erin slaag mijn afkeer los te laten, momenten waarop ik me schuldig voel en denk dat ik het me inbeeld, dat Linda alleen maar een oma is die dol is op haar kleinzoon. Dan probeer ik het goed te maken door haar uit te nodigen met Tom en mij ergens heen te gaan, of door haar te bellen en haar op de thee te vragen, of simpelweg door haar Tom te geven zodra ze binnenkomt – iets wat ik normaal niet graag doe.

Want Linda wíl gewoon te veel. Ze is zo verdomd behoeftig. Ze weet niet wanneer ze moet ophouden en ze beseft niet waar de grenzen liggen. Als ik Tom draag wanneer ze binnenkomt, probeert ze hem uit mijn armen te rukken; als hij slaapt, buigt ze zich over de wieg zodat haar gezicht slechts op een paar millimeter afstand van het zijne is, en begint ze tegen hem te koeren en hem te aaien tot hij huilend wakker wordt, waarop ze hem onmiddellijk probeert op te pakken.

Hoewel ik haar meestal voor ben.

Ik praat met andere vrouwen over hun schoonmoeders, en hun problemen zijn altijd hetzelfde: ze vinden de vrouwen niet goed genoeg voor hun geliefde zonen.

Maar dat probleem heb ik niet met Linda. Mijn probleem is dat Linda niet weet wanneer ze afstand moet houden, wanneer ze mij, ons, de ruimte moet geven. Dus hoewel we soms een soort vrede tekenen, duurt die nooit lang. Linda slaagt er altijd in iets te zeggen of te doen waardoor ik razend word, en ik kan het haar niet vertellen, kan het nooit uiten, dus trek ik me weer terug in een stille woede en bid dat ze ons allemaal met rust zal laten.

'Jij houdt het meest van oma, hè?' kirt Linda regelmatig tegen Tom, en dan kan ik haar wel vermoorden.

'Als mammie en pappie naar doen, kom je maar bij oma wonen' was nog zo'n uitspraak die me altijd deed trillen van woede.

Soms wens ik dat ik haar ermee kan confronteren, zodat we erover kunnen praten, maar dat is nooit mijn stijl geweest. Dus slik ik al die gevoelens in en krijgt Dan de volle laag, wat niet eerlijk is, maar ik lijk er niks aan te kunnen doen.

Denk je soms dat ik niet weet dat Dan bijna niet meer thuis durft te komen? Natuurlijk weet ik dat wel. Ik weet precies hoe vervelend hij het vindt om binnen te komen als ik een slechte dag heb gehad en hij de volle laag krijgt. En ik weet ook hoe opgelucht hij is als ik een goede dag heb gehad, als het Linda is gelukt mijn kalmte niet te verstoren, en ik liefdevol en warm ben tegen mijn man.

Mijn arme man.

Als we erin slagen er rustig over te praten, geeft Dan toe dat zijn moeder dominant kan zijn, dat ze soms niet weet wanneer ze moet ophouden, maar hij weet, hij gelooft oprecht, dat ze het hart op de juiste plaats heeft en dat ze alleen wil helpen.

Hij geeft zelfs toe dat ze Oost-Indisch doof is als er nee wordt gezegd, maar zegt dat ik moet leren voor mezelf op te komen. Maar ik heb geprobeerd uit te leggen dat ik wil dat híj voor mij opkomt.

Wat doet Dan als Linda zich op Tom stort als ik hem de fles geef en probeert hem uit mijn armen te tillen? Wat zegt Dan in dat geval? Helemaal niks.

'Ik laat hem wel boeren, als je wilt,' zegt Linda tegen me. Ze steekt haar armen uit om Tom van mijn schouder te tillen en ik moet me letterlijk omdraaien.

'Nee, dank je. Het lukt wel,' zeg ik, terwijl Dan weer eens zwijgt.

Nu Tom drie maanden is en bijna de hele nacht doorslaapt, vraagt ze of Tom een nachtje bij haar mag slapen, zodat Dan en ik even rust hebben.

Dan vond het een geweldig idee; volgens hem zag ze hoe moe wij allebei waren en was het een oprecht vriendelijk aanbod. Een kans die hij met beide handen wilde aangrijpen.

'Niet dat ik onze weekendjes met Mr. T. niet leuk vind,' kirde Dan tegen Tom, terwijl hij hem door de lucht liet vliegen en motorgeluiden maakte, 'maar het is ook leuk als wij een keer een avondje vrij hebben. Stel je voor: een romantisch etentje. Uitslapen. Tom vindt het een geweldig idee, nietwaar Mr. T.?' Hij drukte zachte, kriebelige zoenen in Toms halsje.

Geen sprake van. Echt niet. Het kan me niet verdommen hoe moe ik ben, hoe heerlijk het zou zijn om een nacht ongestoord te kunnen slapen, die vrouw mag mijn zoon niet hebben als ik niet in de buurt ben.

Naarmate de tijd verstrijkt, lijkt het alleen erger te worden.

'Ik haat haar gewoon,' zeg ik vermoeid tegen Fran. Ik heb haar het hele verhaal verteld tijdens de lunch. Fran heeft mij onverwacht meegenomen voor een lunch voor volwassenen in Marylebone High Street, en ze heeft godzijdank haar eigen kindermeisje bij zich om op Tom te letten, terwijl de meisjes op de peuterschool zijn.

Fran trekt een gezicht. 'Is het echt zo erg?'

Ik knik. 'Ik wist niet dat ik iemand zo erg kon haten, maar geloof me, ze is de ergste schoonmoeder die je je kunt voorstellen.'

Met gefronste wenkbrauwen zegt Fran: 'Oké, ik moet toegeven dat ze domme dingen zegt, maar ik denk dat ze gewoon een bijzonder ongevoelige vrouw is die niet weet waar de grenzen liggen. Want je moet toch toegeven dat ze heel goed voor jou is geweest.'

'Ben je gek geworden? Alleen omdat ze mijn leven wil overnemen?' zeg ik heftig. Mijn stem schiet omhoog en ik kijk Fran ongelovig aan.

'Het klinkt vreselijk, maar je zit met haar opgescheept,' zegt Fran. 'Moet je horen, ik begrijp echt precies wat je doormaakt, maar ze is je schoonmoeder. Zolang je getrouwd bent met Dan zul je haar moeten dulden.'

En ik haal diep adem en zeg wat ik nog tegen niemand heb durven zeggen. Niet tegen Fran, niet tegen Sally, niet tegen Trish en niet tegen Lisa. Datgene wat ik nog niet hardop heb durven zeggen uit angst dat het daardoor werkelijkheid zal worden.

'Weet je,' zeg ik langzaam, met mijn blik op de tafel gericht omdat ik Fran niet aan durf te kijken. 'Soms lig ik 's avonds in bed en denk ik erover hem te verlaten. Op zulke momenten vraag ik me af of Tom en ik het alleen zullen redden.' Ergens schokt het me dat ik erin ben geslaagd mijn grootste geheim op te biechten, maar in tegenstelling tot wat ik verwachtte, kijkt Fran niet verschrikt, maar begint ze te lachen.

'Denk je soms dat ik daar niet elke nacht over droomde nadat ik de meiden had gehad? Ik lag in bed en haatte Marcus en droomde over een scheiding. Maak je geen zorgen: dat is doodnormaal.'

Er gaat een golf van opluchting door me heen. 'Echt waar?'

Met een glimlach zegt Fran: 'Jazeker. Maar Ellie, heb je wel eens overwogen om hulp te zoeken?'

'Wat voor hulp?'

'Een therapeut.'

'Nee. Dat is niks voor mij. Ik kan echt niet een uur tegen iemand over mezelf praten, bovendien heb ik geen tijd. Wie moet er dan op Tom letten?'

'Je kunt altijd je valse schoonmoeder vragen om te babysitten,' zegt Fran met een duivelse grijns.

'O, ha ha. Heel grappig. Trouwens, ik heb pas een boodschap ingesproken bij Sally en ze heeft nog niet teruggebeld. Is alles goed met haar?'

Fran slaat haar ogen ten hemel. 'Ja, ze is stapelverliefd op Charlie Dutton, maar ik geloof niet dat het iets wordt.'

Charlie Dutton. Charlie Dutton. Die naam komt me bekend voor, maar ik kan hem niet plaatsen. Ik schud mijn hoofd tegen Fran en haal mijn schouders op.

'De filmproducent. Hij was bij ons toen Sally en jij kwamen lunchen, weet je nog?'

'O, ja.' Nu weet ik het weer. 'Leuk. Met een zoontje.'

'Precies. Nou, Sally is erin geslaagd een afspraakje met hem te regelen en kennelijk heeft ze besloten dat hij de ware is.'

'Dus ze heeft eindelijk iemand gevonden die goed genoeg is voor haar?'

'Dat komt alleen doordat ze hem nauwelijks kent. Hij is met haar gaan eten bij Isola en daarna zijn ze naar Soho House gegaan, waar ze kennelijk aan een tafeltje hebben gezeten met Hugh Grant. Daardoor is ze nu helemaal hoteldebotel en droomt ze van een huwelijk.'

'Wil je zeggen dat ze niet van gedachten is veranderd en verliefd is geworden op Hugh Grant?'

'Zelfs Sally kent haar grenzen,' zegt Fran lachend. 'Bovendien was hij met een knappe brunette. Maar toch, Sally is min of meer haar bruiloft aan het regelen.'

'En Charlie Dutton?'

Met een gepijnigde uitdrukking haalt Fran haar schouders op. 'Die heeft niet meer gebeld. Sally heeft me gesmeekt of ik Marcus wil vragen hem te bellen om erachter te komen wat er aan de hand is, maar, zoals Marcus zei, we zijn geen zestien meer en ik heb geen trek in dat gedoe van "mijn vriendin vindt jou leuk".'

Ik begin te lachen. 'Ik weet dat ik hoor te zeggen dat ik blij ben dat ik niet meer in dat schuitje zit, en ik heb absoluut geen spijt van Tom, want hij is geweldig, maar ik mis het wel om single te zijn. Ik mis alle avonturen. Ik mis het om in Soho House te zitten en mensen als Hugh Grant te ontmoeten.'

'Onzin,' zegt Fran. 'Je bent gewoon vergeten hoe het echt is. Als je mazzel hebt, beslaan die avonturen misschien vijf procent van de tijd, en de rest van de tijd doe je wat Sally doet en wacht je naast de telefoon tot de prins op het witte paard zal bellen. En vervolgens overtuig je jezelf er maandenlang van dat hij niet belde omdat je niet slank genoeg was, of niet knap genoeg, of niet trendy genoeg, of niet genoeg wat dan ook. Daar heb je mee te maken als je weer single zou zijn.

Bovendien,' gaat ze verder. 'Je zou een alleenstaande moeder zijn als je bij Dan weggaat, wat niet alleen moeilijk is, maar waardoor de meeste mannen geen belangstelling voor je zouden hebben.'

'Goed, goed,' mompel ik. 'Ik zei alleen maar dat ik het af en toe miste.' Wat waar is.

'Dat weet ik. Neem me niet kwalijk. En ik begrijp het wel dege-lijk, maar ik weet ook dat Dan een goeie kerel is. Ik geloof dat deze fase wel voorbijgaat en dat je nu geen drastische maatregelen moet nemen. Wacht nog even af. Ik verzeker je dat het echt beter wordt. Hoe oud is Tom nu?'

'Zevenenhalve maand.'

'Gelukkig maar. Dan krijg je weer wat meer energie en binnen-kort voel je je een andere vrouw. Geloof mij maar.'

'Weet je het zeker?'

'Zoals ik al zei: ik heb het allemaal zelf meegemaakt. Wat betreft je schoonmoeder moet je me ook geloven. Ze is geen duivels adder-gebroed, ze probeert alleen een manier te vinden om in jouw leven te passen, en jij moet een manier bedenken om haar in je leven toe te laten.'

'Ik weet het,' verzucht ik. Fran mag haar eigen schoonmoeder dan haten, waarschijnlijk heeft ze gelijk. 'Ik zal mijn best doen. Echt waar.'

En ik doe mijn best. Als Linda's naam later die middag op het dis-play van mijn telefoon verschijnt, tover ik een glimlach op mijn ge-zicht – ik heb ooit eens gelezen dat je automatisch blij klinkt als je met een glimlach telefoneert – neem op en zeg vrolijk hallo.

'Hoi,' zegt Emma.

'O! Ik dacht dat het je moeder was.' Ondanks mijn goede voor-nemen voel ik me opgelucht.

'Nee. Ze is er niet. Ik ben even naar huis gegaan om een boek te halen dat ik het afgelopen weekend hier heb laten liggen en ik vroeg me af of je thuis was. Mag ik langskomen?'

'Ja, leuk.' Ik glimlach en merk dat ik Emma mis. 'Het ziet ernaar uit dat de zon gaat schijnen, dus we kunnen met Tom in de tuin spe-len. Ik zal meteen thee gaan zetten.'

'Ik vind haar ook vreselijk,' zegt Emma. Ze knuffelt Tom en bedelft hem onder lawaaiige kussen, en hij begint te gillen en te lachen. 'Maar ik geloof dat ze het goed bedoelt.' Emma herhaalt Frans woorden en ik vraag me af of het wel zo slim is om haar in vertrou-wen te nemen. Tenslotte blijft Linda haar moeder, en het hemd is nader dan de rok.

'Ze wil er gewoon bij horen en dit is haar eerste kleinzoon,' ver-volgt Emma.

'Maar ze laat me verdomme geen moment met rust,' protesteer

ik. 'Ze belt me elke dag minstens twee keer en ze komt steeds on-verwacht langs.'

Met een berustende glimlach haalt Emma haar schouders op. 'Ik weet dat ze onmogelijk is. Je moet gewoon hetzelfde doen als ik en haar op flinke afstand houden.'

'Dat probeer ik ook,' zeg ik. 'Maar ze begrijpt het gewoon niet. Elke dag, nota bene. Waar wil ze me elke dag over spreken? Ik neem niet eens meer op. Als ik haar naam op het display zie, laat ik het antwoordapparaat aanslaan. Maar als ze een boodschap heeft inge-sproken en ik haar niet terugbel, blijft ze bellen en hangt weer op om opnieuw te bellen tot ik opneem. Echt, je moeder is stapelgek.'

'Ik weet er alles van,' zegt Emma lachend. 'En jij dacht nog wel dat je de ideale schoonfamilie had gevonden.'

'Breek me de bek niet open.' Ik trek een gezicht en weet dat Emma niet beseft hoe dicht ze bij de waarheid zit. Ik kijk toe hoe Emma Tom met haar lange haar kietelt. Tom giechelt onbedaarlijk en steekt zijn hand uit om haar gezicht aan te raken. 'Je bent heel goed met baby's, hè?' vraag ik met een glimlach. 'Nog een verbor-gen kant van je.'

'Ik ben gek op baby's.' Emma drukt een klapzoen in Toms hals waardoor hij nog harder gaat lachen. 'Als je een oppas nodig hebt, hoef je het maar te zeggen.'

'Meen je dat?'

'Jazeker.'

'Nou, onze nieuwe vrienden hebben ons voor donderdag te eten gevraagd, maar we kunnen geen oppas krijgen, dus ik wilde afzeg-gen, maar als jij kunt…'

'O, dat lijkt me hartstikke leuk. Maar… aanstaande donderdag?' Ik knik.

'Het spijt me, maar er is een feest en daar kan ik echt niet onder-uit. Heb je al aan mijn moeder gedacht? Waarom vraag je haar niet? Ja, ja,' zegt ze lachend als ze mijn gezicht ziet. 'Ik weet dat je dat niet wilt doen, maar laten we wel wezen: jij hebt een oppas nodig en zij wil niets liever dan babysitten. Ze zal zeker ja zeggen.'

'Misschien.' Ik haal mijn schouders op, maar ik weet dat ik het niet zal vragen. Ach, misschien kunnen Trish en Gregory en Lisa en Andy bij ons komen.

14

Uitgaan is er tegenwoordig niet meer bij en vakantie kan ik al helemaal vergeten. De lente was regenachtig en somber, al waren er eind mei twee prachtige weken, waarin iedereen in zijn ondergoed in het park ging liggen om er zo veel mogelijk van te genieten. Nu is het juni en is het warm en regenachtig, en ben ik vergeten hoe de zon eruitziet.

Maar vandaag was het een mooie dag, en niet alleen omdat de zon toch nog door het wolkendek heen brak. Dagen als deze mogen wat mij betreft vaker voorkomen. Ik wist dat er vandaag iets zou gebeuren; ik werd vanochtend al wakker met een opgewonden gevoel dat deze dag anders zou zijn dan andere zaterdagen, al wist ik dat er niks op het programma stond.

Dan heeft Tom vanochtend meegenomen naar Linda en Michael. Dat is de laatste tijd een soort gewoonte geworden, en ik moet toegeven dat we daar allemaal wel bij varen. Ik ben eindelijk in staat om Tom alleen te laten; Dan kan rustig bij zijn ouders zijn zonder bang te hoeven zijn dat Linda en ik een passief-agressieve confrontatie aangaan, die er ongetwijfeld toe zal leiden dat we allebei tegen hem over elkaar gaan zeuren.

Even voor alle duidelijkheid: Dan zou nooit zeggen dat zijn moeder over mij zeurt, maar ik weet zeker dat ze dat doet. Natuurlijk doet ze dat. Alleen is hij zo slim om dat niet tegen mij te zeggen.

Vanochtend heeft Dan Tom aangekleed, hem zijn fles gegeven en zijn pap gevoerd, terwijl hij hem op een kinderlijk, zangerig toontje voorlas uit de *Guardian*. Als het nodig was, voegde hij er zijn eigen commentaar aan toe.

'Moet je horen, Mr. T.,' zeg hij dan als hij Tom een recensie van een film voorleest. 'Zullen jij en ik daarheen gaan? Het klinkt als een goede film.' En Tom kirt van plezier.

Dus mijn huidige zaterdagochtenden lijken veel op de zaterdagochtenden van vroeger. Ik ontbijt, drink een kop thee en kruip dan weer in bed met alle kranten. Als ik uitgelezen ben, zet ik de telefoon meestal uit en doezel ik weer weg. Als ik dan weer wakker word, meestal laat in de ochtend, voel ik me zowaar weer helemaal mens.

Rond lunchtijd neemt Dan Tom weer mee naar huis. Linda en Michael hebben Dans oude kamer al in een super-de-luxe kinderkamer veranderd, waar ook een prachtig nieuw bedje staat te wachten tot Tom er een keer in zal slapen, maar zelfs als ik dat goed zou vinden, geloof ik niet dat Tom ergens anders zou willen slapen dan in zijn eigen bed in zijn eigen kamer.

Vandaag brengt Dan Tom thuis voor zijn middagslaapje en zodra hij binnenkomt, zie ik dat hij in een goede bui is. Nee, een geweldige bui. Als Tom op bed ligt, tilt Dan me op en zwiert met me rond zoals hij in geen maanden heeft gedaan. Hij drukt een dikke zoen op mijn lippen en vraagt hoe ik het zou vinden om met vakantie te gaan.

Hoe ik dat zou vinden? Wat een domme vraag! Hartstikke leuk, natuurlijk. Maar aangezien ik niet meer fulltime werk en ons appartement in Primrose Hill goud geld kost, zitten we financieel even niet zo ruim. Daarom hadden we afgesproken dat we ons voorlopig geen vakantie konden veroorloven.

Niet dat dat zo'n ramp is, want eigenlijk denk ik zelden aan vakantie. De enige keer dat ik vakantie echt heb gemist, of heb gedacht dat het best leuk zou zijn om op vakantie te gaan, was een paar weken geleden toen ik bij de dokter was.

Daar moest ik veertig minuten wachten, dus pakte ik het reistijdschrift *Condé Nast Traveller* – wat dat tijdschrift bij de dokter deed, mag Joost weten – en toen ik het uit had, kon ik alleen nog maar denken aan witte zandstranden en warm, helderblauw water.

Maar toen ik uit de dokterspraktijk kwam, werd ik bijna overreden door bus 113 op Finchley Road, waardoor mijn fantasieën over zon, zee en strand op slag waren verdwenen.

Dus hoe zou ik het vinden om met vakantie te gaan? Als we echt konden gaan, zou ik niks leukers kunnen bedenken.

'Ga zitten,' zegt Dan met een brede grijns op zijn gezicht. Hij duwt me neer op de bank en vertelt me wat er die ochtend bij zijn ouders is gebeurd.

'Je vader en ik moeten ergens met je over praten.' Volgens Dan was hij bij die woorden bang geworden. Elk gesprek dat zo begon, gaf hem meteen het gevoel dat hij een ondeugende tiener was. Ook al was hij volwassen, getrouwd en had hij zelf een kind, die woorden, een echo uit zijn jeugd, joegen hem nog altijd angst aan en bezorgden hem dat verschrikkelijke, gevreesde gevoel dat ze hem op iets verkeerds hadden betrapt.

'Je vader en ik moeten ergens met je over praten.' Ze hadden Dan betrapt op het stelen van kleingeld uit de ladekast van zijn vader.

'Je vader en ik moeten ergens met je over praten.' Dan en Emma waren betrapt op het roken van wiet op het platte dak waar je via Emma's raam op kon klimmen.

'Je vader en ik moeten ergens met je over praten.' Ze zwaaide met zijn rapport voor zijn gezicht, waarop altijd de gevreesde woorden stonden: Moet beter zijn best doen.

Ach, natuurlijk hadden ze niks ontdekt, zei hij tegen zichzelf. Wat kon hij hebben gedaan dat ze niet mochten weten? Welke clandestiene geheimen konden ze eigenlijk hebben ontdekt?

Dan zette een belangstellend gezicht op om het vage gevoel van onrust te verbloemen. Dat gevoel was vermoedelijk een overblijfsel uit zijn verdorven jeugd.

En die jeugd was inderdaad nogal verdorven, dankzij zijn gegoede afkomst. Net als elke andere jongen uit Noord-Londen die uit de upper class kwam en naar privé-scholen ging, rookte Dan volgens eigen zeggen op zijn dertiende sigaretten en op zijn veertiende wiet, en deed hij op donkere slaapkamers tijdens feestjes waar hij onuitgenodigd was binnengevallen niet nader te noemen dingen met meisjes van de naburige scholen. Op zijn zestiende reed hij zonder rijbewijs in de tweede auto van zijn ouders – een Mini die zogenaamd voor de au pairs was – en hij vierde zijn afstuderen aan de Universiteit van Manchester met een vijf dagen durend feest met een heleboel cocaïne en champagne.

Dat zou je nu niet meer zeggen als je hem ziet, die rechtschapen man. Maar Dan zei dat hij daar, in het huis waar hij was opgegroeid, met zijn ouders tegenover zich aan de keukentafel, weer het gevoel kreeg dat hij zestien was en ernstig in de problemen zat.

Dreigend schraapte zijn vader zijn keel. 'We willen met je praten over Frankrijk.'

'Frankrijk?' Dat sloeg nergens op. Waarom wilden zijn ouders met hem over Frankrijk praten?

'Je weet dat we deze zomer een villa in Zuid-Frankrijk hebben gehuurd,' zei Linda. 'Daar wilden je vader en ik de maanden juli en augustus heen. Maar we zijn de laatste twee weken van augustus uitgenodigd op de boot van vrienden en aangezien het huis dan leegstaat, dachten we dat jij, Ellie en Tom misschien een weekje weg wilden. Jullie zien er allebei moe en gestrest uit en een vakantie zal jullie goeddoen.'

Daar voegde Michael aan toe: 'We weten dat jullie financieel een beetje krap zitten, met het nieuwe appartement en zo, dus het leek ons een mooie kans. En jullie hoeven natuurlijk niks te betalen, behalve de reis.'

'Je kunt zelfs vrienden uitnodigen,' zei Linda. 'Daar is het huis groot genoeg voor. Hoeveel slaapkamers zijn er?' vroeg ze aan Michael. 'Vier? Vijf?'

Michael knikte. 'Vier slaapkamers op de eerste verdieping en een kleine kamer voor het dienstmeisje achter de keuken, dus in theorie zou je een hele groep kunnen uitnodigen.'

'Hoewel een grote groep me niet zo'n goed idee lijkt.' Waarschuwend keek Linda naar Michael. 'Misschien nog een stel. Dat lijkt me prima.'

Michael haalde zijn schouders op. 'Het doet er niet toe, schatje,' zei hij zacht. 'Dan is volwassen. We krijgen vast geen herhaling van dat feestje dat hij gaf toen wij weg waren.'

'Mam, pap,' onderbrak Dan hen snel, 'ik weet niet wat ik moet zeggen.' Er verscheen een grijns op zijn gezicht die niet meer wegging.

Een week in een luxe villa in Zuid-Frankrijk, vlak buiten Mougins. En natuurlijk snakten we naar een vakantie, al hadden we er geen gepland voor dat jaar, of voor de eerstvolgende jaren.

Prompt kreeg Dan visioenen van zwembaden, zonnebrandcrème die naar kokos rook en luieren onder de blauwe hemel, maar hij kon geen ja zeggen zonder het eerst met mij te bespreken, al had hij wel een vermoeden wat ik zou zeggen.

'Het klinkt fantastisch,' zei hij kalm. 'Ik denk dat we dat graag willen, maar laat me eerst even met Ellie praten. Ik zal het jullie zo vlug mogelijk laten weten. Maar bedankt, dat is heel aardig van jullie.'

Michael begon te lachen. 'Nee, het zou pas echt aardig zijn als we jullie tickets zouden betalen.'

'Zit die kans erin?' vroeg Dan hoopvol.

'Niet overdrijven.' Michael lachte weer en Dan was vertrokken, zo blij dat hij zijn enthousiasme maar ternauwernood kon bedwingen tot hij thuis was en mij het goede nieuws kon vertellen.

'Hoera!' Samen met Dan dans ik door de kamer, en we giechelen als schoolkinderen. 'Zuid-Frankrijk. Hoera!'

'Dus je wilt wel?' Na een hele poos laat Dan zich op de bank vallen, dolblij dat ik zo enthousiast ben.

'Bel ze nú!' Vlug pak ik de draagbare telefoon en toets het nummer in, waarna ik het toestel aan hem geef. 'Snel. Zeg ja voor ze van gedachten veranderen.'

Later die avond liggen we in bed over Frankrijk te praten. Dan laat me foto's zien van het huis: het is een oude, stenen mas in de heuvels, met een mooi zwembad en uitzicht op de vallei. Er staat een pergola bedekt met klimop rond het zwembad, en op het betegelde terras staan enorme terracotta potten die uitpuilen van de geraniums.

Het lijkt idyllisch. Het ís idyllisch. Het kan zo uit een film komen. Ik had nooit gedacht dat ik ooit in zo'n huis op bezoek zou gaan, laat staan er een week zou logeren.

'Jezus!' fluister ik. Diep onder de indruk bekijk ik alle foto's. 'Moet je zien. Het lijkt wel een paleis!'

Dan haalt zijn schouders op, want hij is veel meer aan dit soort luxe gewend dan ik. Het mag dan niet onze huidige levensstijl zijn, maar ik weet dat Dan in weelde is opgegroeid.

Bij de zeldzame gelegenheden dat we naar een van de beste restaurants gaan, of naar een van de beste hotels, weet ik dat Dan zich volslagen op zijn gemak voelt, terwijl ik me dat nooit helemaal zal voelen. Hij kan praten met de gerants en managers met het gemak van iemand die is opgegroeid met het beste van het beste. Ik weet dat Dan in zijn jeugd vaak in dit soort gelegenheden heeft gelogeerd, terwijl ik ze alleen ken van mijn werk en uit tijdschriften als *Condé Nast Traveller.*

'Moeten we nog iemand vragen?' zegt Dan peinzend. 'Of wil je dat het een romantisch uitje voor ons tweeën wordt?'

'Hoe heerlijk dat ook klinkt' – ik draai me om naar Dan en zoen hem teder – 'met vrienden erbij hebben we vast meer plezier.'

'Dat denk ik ook. En nu Tom bijna tien maanden is, vindt hij het vast ook leuker als er andere baby's meegaan.' Vragend kijkt hij me aan. 'Ik denk dat ik wel kan raden wie je mee wilt vragen.'

Vroeger zou Dan de jongens hebben voorgesteld: Simon, Rob, Tom en Cheech en hun partners. Maar hoe graag ik hen ook mocht – mág – onze vriendschap lijkt wat te zijn verwaterd; na de bruiloft hebben we hen niet meer zo vaak gezien en sinds Toms geboorte praktisch helemaal niet meer.

In de afgelopen maanden zijn Trish en Gregory onze beste vrienden geworden. We hebben iets wat volgens ons heel bijzonder is: een vriendschap van gelijken, en volgens mij ontbrak dat in onze vriendschappen met de jongens. Ik mocht hun vrouwen, Anna en Lily, graag, maar ik had nooit het gevoel dat ik op dezelfde manier met de jongens kon praten. Als ik had kunnen kiezen, zou ik hen nooit als vrienden hebben gekozen.

Maar in onze nieuwe vriendschap vind ik Gregory even aardig als Trish, en Dan denkt er hetzelfde over.

Als Trish belt en Dan neemt op, babbelen ze tijden met elkaar en ik doe hetzelfde als Gregory opneemt als ik haar bel.

In zeer korte tijd zijn wij vieren vrijwel onafscheidelijk geworden en het kost me vaak moeite om me te herinneren wat we deden voor we ze kenden.

'Zal ik Gregory en Trish bellen, of wil jij dat doen?'

'Ik bel haar morgen wel.' Ineens verschijnt er een frons op mijn gezicht. 'En Lisa en Andy dan? We kunnen Trish en Gregory niet uitnodigen zonder Lisa en Andy.'

Dan haalt zijn schouders op. 'Jij bent degene die Andy niet mag. Ik vind hem niet heel aardig, maar ik heb ook geen hekel aan hem, dus ik vind het niet erg om hen mee te vragen.'

'En je moeder dan? Die heeft toch gezegd dat we een ander stel mochten vragen? Denk je dat ze het erg vindt als we ze allebei vragen?'

'Dat lijkt me niet. We zijn geen tieners meer, wat ze ook mogen denken. We zullen hun gehuurde villa echt niet vernielen.'

'Ik weet het niet,' zeg ik lachend. 'Ik heb wel zin om een groot feest te geven.'

'Nou, zeg.' Met een vragende blik kijkt Dan me aan. 'Waar is mijn geliefde, conservatieve, bedaarde vrouw?' Hij rolt naar me toe als ik begin te giechelen.

Begrijp je nu waarom vandaag zo'n geweldige dag was?

Donderdag zouden we uit eten gaan met Trish en Gregory en Lisa en Andy. Ik had me ingehouden en nog niks over Frankrijk gezegd, want ik wilde het hun vragen als ik hen aan kan kijken, als we met zijn zessen zijn. Donderdag leek me daar de ideale gelegenheid voor.

Natuurlijk heb ik Linda niet gebeld om te vragen of ze wil oppassen en ook al heb ik een overheerlijk menu samengesteld, toch vind ik het vreselijk dat ik iedereen moet bellen om te zeggen dat we niet kunnen omdat we geen oppas hebben en te vragen of ze in plaats daarvan bij ons willen komen.

Trish zegt: 'Godzijdank.'

'Wat?' vraag ik onzeker.

'Godzijdank hoef ik niet te gaan. Ik heb de hele week al een kledingcrisis en ik ging alleen omdat ik dacht dat jullie zo graag wilden. Ik heb een hekel aan trendy restaurants. Ik voel me er niet op mijn gemak en ik krijg er altijd een minderwaardigheidsgevoel van.'

Ik begin te lachen. 'Waarom heb je dan geen nee gezegd toen Lisa het voorstelde?'

'Ik dacht dat het leuk zou zijn, maar ik trek veel liever mijn legging aan om bij jou te gaan eten.'

'Ik weet precies wat je bedoelt,' geef ik met tegenzin toe. 'Ik voel me altijd een beetje stom dat ik niet naar de juiste restaurants en clubs ga. De helft van de tijd weet ik niet eens over welke tenten Lisa het heeft.'

Trish zegt lachend: 'Precies. Ik wil haar niet afkatten, maar...'

Ik begin te glimlachen, want die woorden worden altijd gevolgd door een kat. Met zijn drieën hebben we het gehad over de gevaren van een trio. Nee, niet zó'n trio, maar een lastige vrouwenvriendschap waarin er altijd iemand wordt buitengesloten, of waarbij eentje het slachtoffer van alle katten wordt en de andere twee de katten zelf zijn. Trish en ik hebben er tijdenlang weerstand aan geboden, maar Lisa – en ik mag haar echt heel graag – is ongelooflijk oppervlakkig.

Eerst vond ik het grappig. Lisa's obsessie met de peperdure Chloéspijkerbroeken, tot ze er een had. Toen raakte ze in de ban van een Prada-tas, tot Andy er eentje voor haar kocht, via een kennis op het vasteland, waarna ze geobsedeerd raakte door een ring van Cartier.

Nogmaals: ik mag haar graag, maar onze levens zijn heel verschillend. Avondjes uit bij Embassy zeggen me niks, evenmin als de nieuwste Gucci-jas of een vermelding in een artikel in *Tatler* over 'hippe mama's', al kreeg ik van dat laatste zelfs het gevoel dat ik cool was omdat ik Lisa ken.

Toch blijft het een feit dat Trish en Gregory en Dan en ik om andere dingen geven dan Lisa, en er zijn onvermijdelijk momenten waarop Trish en ik daarover praten. Dan zeggen we altijd 'Ik ben dol op haar, maar...' om ons schuldgevoel te verminderen.

'Ik wil niet katten... maar ik durf te wedden dat Lisa niet komt eten.'

'Waarom niet? Denk je dat ze de reservering niet afzegt en alleen met Andy gaat?'

'Precies. Daar durf ik om te wedden.'

'Volgens mij heb je het mis,' zeg ik. 'Ik weet ook wel dat ze oppervlakkig is, en daar bedoel ik niks mee want ik ben dol op haar, maar wij zijn haar vrienden en dit etentje ging juist om het samenzijn met vrienden, niet om een bezoek aan een hip restaurant.'

'Geloof me, ze gaat naar het restaurant.' Trish lacht. 'Bel haar anders nu. Ze is thuis want ik heb haar net nog gesproken. Bel me maar terug.'

'Goed, maar volgens mij heb je het mis.'

Vijf minuten later bel ik Trish terug.

'Wat ben je toch een betweter.'

'Nee!' Ze snakt naar adem. 'Gaat ze naar het restaurant?'

'Ja, en je hoeft niet zo verbaasd te klinken.'

'Wat zei ze dan?'

'Er viel een lange stilte toen ik zei dat we het bij ons moesten houden, en toen vroeg ze of ik het erg vond als zij toch zouden gaan omdat ze zich erop verheugd hadden en ik wist toch hoe moeilijk het was om er een tafeltje te krijgen, en bla, bla, bla.'

'Goed, dus we zijn met zijn vieren. Dat is veel beter want dan is Andy er in elk geval niet.'

'Een geluk bij een ongeluk.'

'Wat moet ik meenemen?'

'Wil jij voor het toetje zorgen?'

'Jazeker. Tot donderdag.'

Ik ben dol op mijn vrienden, denk ik. Ik zit opgekruld op de bank naast Dan, terwijl Gregory iets voor zichzelf inschenkt. Trish trekt haar schoenen uit en ploft neer op de bank tegenover ons.

Het is fantastisch dat ik hen te eten kan vragen en een spijkerbroek en pluizige pantoffels kan dragen. We voelen ons volkomen op ons gemak bij elkaar. Ik mag dan niet zijn opgegroeid in een hechte familie, maar ik creëer mijn eigen familie en wij houden minstens evenveel van elkaar, zo niet meer, als echte bloedverwanten.

'Nou.' Gregory gaat zitten en neemt een slok van zijn drankje. 'Jullie wilden ergens met ons over praten.'

Dan pakt het fotoalbum van het huis in Frankrijk onder de salontafel vandaan. 'Ja.' Hij schuift het over de tafel naar Trish en Gregory. 'Bekijk dit eens en zeg wat je ervan vindt.'

'Wat is het?'

'Kijk maar.'

Er verschijnt een grijns op mijn gezicht als ze erdoorheen bladeren.

'Laat me raden,' zegt Gregory terwijl hij de bladzijden omslaat. 'Jullie hebben plotseling een erfenis gekregen en daarmee hebben jullie deze villa in Toscane gekocht, en nu gaan jullie ons trakteren op een vakantie daar.'

'Bijna goed,' zegt Dan lachend. 'Het is Toscane niet, maar Zuid-Frankrijk, maar als jullie zin hebben, is die villa de laatste twee weken van augustus voor ons.'

'Voor ons?' Trish' ogen lichten op als ze me aankijkt. 'Hoe bedoel je?'

Dan legt uit hoe het met het huis zit en zegt dat we het hartstikke leuk zouden vinden als ze meegaan.

'Graag!' Gregory geeft een klap op zijn knie en drukt Dan de hand. 'Jullie kunnen op ons rekenen.'

Trish springt op en omhelst me. 'O, wauw! Dit is precies wat we altijd hebben gewild: een huis delen met vrienden. Het wordt een geweldige vakantie. Wat zullen we een pret hebben!'

'We wilden Lisa en Andy ook vragen,' zeg ik, als we allemaal weer zitten. 'Wat vinden jullie daarvan?'

'Moet je doen!' zegt Trish.

'Tenzij Lisa een betere uitnodiging krijgt,' zegt Dan ongewoon scherp.

'Mi-auw!' Gregory begint te lachen. 'Je wordt al net zo erg als onze vrouwen.'

'Hé! Dat is niet eerlijk,' werpt Trish tegen. 'We zijn dol op haar.'

'Waarom zeuren jullie dan de hele tijd over haar?' vraagt Dan met een frons.

'Dat doen we niet,' zeg ik rustig. 'We praten alleen over haar, en trouwens: we zeggen niks tegen elkaar wat we haar niet in het gezicht zouden durven zeggen.' Dat laatste is niet helemaal waar, maar het klinkt goed en wat nog belangrijker is: het klinkt alsof ik het meen en het is een verzachtende omstandigheid.

'Rustig maar. Wat mij betreft geldt: hoe meer zielen, hoe meer vreugd.'

'Er zijn vijf slaapkamers, dus als we reiswiegen meenemen kunnen de kinderen bij elkaar slapen.'

'Of bij ons op de kamer,' zegt Trish. 'We zien wel. Wat opwindend! Een vakantie! In Zuid-Frankrijk!' Ze bladert terug naar de eerste pagina van het fotoalbum en ik ga naast haar zitten op de bank. Samen bekijken we elke foto uitgebreid en proberen we elk luik en elke stenen muur in ons geheugen te griffen, net als de oude kersenhouten *lits-bateaux* in de slaapkamers.

'Is het niet idyllisch?' verzucht Trish.

'Inderdaad. En het mooiste is dat het nog maar acht weken duurt.'

'O, god,' zegt Trish geschrokken. 'Acht weken? Ik ben na mijn zwangerschap nog lang niet op mijn oude gewicht. Hoeveel kun je afvallen in acht weken?'

'Zes kilo. Makkelijk,' zeg ik. 'Maar je mag morgen pas beginnen met lijnen. Ik heb me de hele middag staan uitsloven in de keuken en ik wil dat je vanavond alles opeet.'

'Goed,' zegt Trish met een glimlach. 'Ik zal mijn best doen om niet aan bikini's te denken.'

'Bikini's?' Vol afschuw kijk ik haar aan. 'Dat meen je niet. Ik heb sinds mijn zestiende geen bikini meer gedragen.'

'Nee, ik ook niet. Maar ik mag er toch wel van dromen?' Ze kijkt sip. 'Wedden dat Lisa een bikini aantrekt?'

'Ja. En ze ziet er dan natuurlijk fantastisch uit.' Naast elkaar op de bank kijken we naar onze uitgezakte buiken.

'Denk je dat ik dit in acht weken kan laten verdwijnen?'

Ik kijk naar mijn eigen bult. 'Het lijkt me een stuk eenvoudiger om een Miraclesuit te kopen.'

'Een Miraclesuit?'

'Dat is iets nieuws. Het schijnt dat je gegarandeerd vijf kilo afvalt alleen al door zo'n ding te dragen.'

Gregory, die naar ons luistert, begint te lachen. 'Als je gegarandeerd vijf kilo verliest door zoiets aan te doen, is het inderdaad wonderbaarlijk. Of bedoel je dat het líjkt alsof je vijf kilo kwijt bent?'

'O, doe maar niet zo pedant,' zeg ik verontwaardigd. 'Je weet best wat ik bedoel. Nou, wat zeg je ervan? Zullen we volgende week een Miraclesuit gaan kopen?'

'Reken maar,' zegt Trish als we naar de keuken lopen om te gaan eten.

15

Waarom heeft niemand me ooit gewaarschuwd voor inpakken als er kinderen meegaan, vooral kinderen die net één zijn geworden en voor wie alles behalve het aanrecht mee lijkt te moeten?

Vroeger kostte inpakken me een halfuur. Ik maakte een kort lijstje, zodat ik nooit deodorant of ondergoed vergat, haalde de kleding uit mijn kledingkast, legde die in een koffer en klaar.

Ditmaal – onze eerste vakantie sinds we een kind hebben – heeft het pakken me bijna drie weken gekost. Ik heb lijst na lijst gemaakt, en daar weer lijsten bovenop. Ik moest pakken voor de vakantie, en toen voor de vlucht. Ik ben midden in de nacht zwetend wakker geworden, uit bed gesprongen om de koortsremmer Calpol uit het medicijnkastje te halen en in de tas te doen die als handbagage mee aan boord gaat.

Ik heb speelgoed, luiers, afveegdoekjes en hapjes meegenomen. Ik heb boeken ingepakt, sunblock voor baby's, en anti-bacteriële doekjes en verschoningen.

We hebben de reiswieg, het autostoeltje, de wipstoel en de draagbare kinderstoel. En ik ben nog nooit in mijn leven zo moe geweest.

Mocht ik de vakantie eerst niet nodig hebben gehad, nu ben ik er hard aan toe.

Voor ongeveer de vijftigste keer vandaag sta ik in Toms kamer, waar ik onderzoekend om me heen kijk. Morgen vertrekken we, en ik kan het onrustige gevoel dat ik iets heb vergeten niet van me afzetten. Dan zegt steeds maar dat we naar Zuid-Frankrijk gaan en niet naar Mongolië. Als we iets vergeten, kunnen we het daar krijgen.

De telefoon gaat en ik hoor Dan opnemen. Ik probeer te raden met wie hij praat; dat kan ik meestal aan zijn stem horen.

Het is zijn moeder. Zonder enige twijfel. Ik sla mijn ogen ten hemel, ook al is Tom de enige die me kan zien. Hij begint te lachen omdat hij denkt dat ik rare gezichten naar hem trek. Vervolgens doe ik de deur dicht en gá ook echt gekke bekken naar hem trekken. Wat ze ook te zeggen heeft, ik ben niet geïnteresseerd.

Vijf minuten later doet Dan de deur van de kinderkamer open en komt zuchtend binnen.

'Zeg het maar.' Ik kijk hem aan. 'Wat had ze te vertellen?'

'Wil je het goede nieuws of het slechte?' vraagt hij, en de moed zakt me in de schoenen. Shit. Ik zie dat het erg is.

'O, kut. De vakantie. Ze kunnen nu niet afzeggen. We vliegen er morgen heen. Het is ongelooflijk,' mompel ik, en ik schud mijn hoofd. 'Ik ga ze vermoorden.'

'Nee. Nee. Kalm maar,' zegt Dan. 'We gaan gewoon. Dat is het goede nieuws.'

'Wat is het slechte nieuws dan?'

'Zij zullen er ook zijn.'

Het jacht waar ze mee zouden gaan varen blijkt te zijn vastgelopen; daarom blijven ze nu in de villa, maar dat geeft niet, want ze zullen ons niet in de weg lopen. En zo wordt het een echte familievakantie, en dat is toch zeker heel erg leuk?

'Maak je een geintje?'

Treurig schudt Dan zijn hoofd.

'Dat is van de gekke. Dat is geen vakantie, maar een nachtmerrie. Ik wil niet bij je ouders logeren. We moeten iets anders bedenken. Ergens anders heen gaan. Wat dan ook!'

'Ik weet niet wat ik moet zeggen,' zegt Dan. 'We kunnen de vlucht niet meer annuleren en eigenlijk kunnen we het ons niet permitteren ergens anders heen te gaan. Bovendien is het onwaarschijnlijk dat we nog iets zullen vinden voor de laatste twee weken van augustus in Zuid-Frankrijk. Ongetwijfeld is alles volgeboekt.'

Ik begin te huilen, lamgeslagen door teleurstelling en frustratie.

'Ach, schatje.' Dan hurkt naast me en slaat zijn armen om me heen. 'Ik weet dat dit niet is wat we hadden verwacht, maar we kunnen nog altijd plezier hebben. Wie weet, misschien hebben ze zelf van alles gepland en zien we ze nauwelijks.'

'Ik moet de anderen bellen.' Ik snuif. 'God mag weten wat zij ervan zullen zeggen.'

Ik spreek een boodschap in op Trish' antwoordapparaat, en dan bel ik Lisa's vaste nummer, waar ik ook een boodschap inspreek, maar daarna bereik ik haar op haar mobieltje.

'Waar ben je nu?'

'Ik doe nog wat laatste boodschappen in Selfridges. Tot mijn schrik ontdekte ik dat Amy geen badpak heeft en toen ik er was, zag ik een prachtige bikini van Missoni, die volgens mij perfect is.'

Ik wacht tot ze me heeft verteld over haar nieuwste aanwinsten – o, wat is het toch fijn om een rijke ex te hebben – voor ik haar overdonder met mijn nieuws. 'Hoor eens, ik heb slecht nieuws.'

'Nog meer slecht nieuws?' Pas vorige week heeft Andy haar verteld dat hij niet met ons mee kan. Op het laatste moment had hij een opdracht gekregen die samenvalt met de vakantie. Het speet hem zeer, maar de opdracht werd zo goed betaald dat hij hem niet kon afslaan, en zijn werk kwam op de eerste plaats. Heel misschien kon hij het laatste weekend komen, maar dat wist hij nog niet zeker.

Ik weet niet wie opgeluchter was: wij of Lisa. Trish en ik waren dolgelukkig, al konden we dat natuurlijk niet tegen Lisa zeggen, maar zelfs zij bekende dat hun relatie de laatste tijd niet zo lekker liep, en dat ze beter af was als ze zonder hem met vakantie ging.

Volgens haar was een deel van het probleem – nog afgezien van zijn algehele klootzakkerigheid – Amy. Hij had geen enkele belangstelling voor haar, dus zou het op de lange duur toch nooit iets worden. Zo langzamerhand waren ze op het punt dat de relatie haar langste tijd had gehad.

Ze vond het alleen vervelend dat zij in haar eentje zou zijn.

'Waarschijnlijk pik je wel een miljonair op wiens jacht voor anker ligt in de haven,' zei ik half ernstig, want Lisa is precies het type vrouw dat je aan de arm van Europese playboy-miljonairs ziet.

'Hmm,' zei ze. 'Dat lijkt me wel wat. Misschien is het toch niet zo erg om alleen te gaan.'

'Nee, dit is echt slecht nieuws,' zeg ik nu tegen haar. 'Dans ouders zijn er ook. Het is toch niet te geloven?'

'Hoe bedoel je, "ze zijn er ook"? Ik dacht dat ze op een jacht gingen varen.' Ik leg het uit en Lisa begint te lachen.

'Ach, liefje, dat geeft toch niks? Ik dacht dat je zou vertellen dat de vakantie niet doorging. Zo erg zullen zijn ouders heus niet zijn. Wedden dat we ze nauwelijks zien? Ze vinden het vast heel vervelend en waarschijnlijk zijn ze bijna de hele tijd weg.'

'Dat zei Dan ook al.'

'Zie je wel? En het zijn zijn ouders, dus hij kent ze het best. Hoe dan ook, nu Trish en ik erbij zijn, durft je schoonmoeder zich heus niet als een kenau te gedragen. Als ze gemeen tegen je doet, geef ik haar een dreun. Hoe lijkt je dat?'

Ik begin te lachen. Misschien heeft Lisa wel gelijk. Misschien zal het toch niet zo erg zijn.

'Bekijk het van de positieve kant,' gaat Lisa verder. 'Er is elke avond iemand die kan oppassen zodat wij met z'n allen uit eten kunnen. Geloof me: het wordt hartstikke leuk. Je hoeft je nergens druk over te maken.'

Heathrow stikt van de opgetogen vakantiegangers en drukke kinderen. Gelukkig gedraagt Tom zich buitengewoon goed voor een eenjarige, ondanks het feit dat we hem vanochtend al om vijf uur hebben gewekt. In de auto is hij weer in slaap gevallen, maar nu lijkt hij het wel leuk te vinden om geduwd te worden in zijn buggy. In zijn knuistjes houdt hij zijn konijn – dat nogal fantasieloos Konijn heet – stevig vast en hij heeft grote ogen opgezet vanwege al dat lawaai.

Ik draag een Gap-trainingspak dat precies lijkt op het veel duurdere pak van Juicy Couture, en nieuwe Puma-gymschoenen, en ik voel me prima. Al zeg ik het zelf: ik voel me net Victoria Beckham die over een luchthaven loopt, minus het honkbalpetje, de zonnebril en de hairextensions, natuurlijk.

Ik kan haast niet geloven dat we echt met vakantie gaan! Naar de zon! Ontspanning! De teleurstelling dat Linda en Michael er ook zullen zijn is verdwenen en nu ben ik alleen maar blij dat we eindelijk vertrekken.

Vakantie is een soort onbekend terrein voor me. Als kind ging ik nooit ergens heen – vanwege haar relatie met de fles was mijn moeder een gevaarlijke reisgenote – en ik heb nooit begrepen waarom mensen honderden ponden uitgeven om ergens op een strand te gaan liggen, terwijl dat geld voor talloze belangrijker dingen kan worden gebruikt.

En hoewel ik begrijp wat er wordt bedoeld met 'aan vakantie toe zijn', heb ik daar nooit aan toegegeven. Ook heb ik maar zelden, of zelfs helemaal nooit, het gevoel gehad dat ik er een nodig had.

Dat was voor ik een kind had. Nu Tom er is, zijn slapeloze nachten niet alleen meer het gevolg van twee keer per jaar een hele nacht gezellig stappen. Nee, nu komen slapeloze nachten wekelijks en soms zelfs dagelijks voor en horen ze gewoon bij het ouderschap, en tegenwoordig begrijp ik dan ook precies waarom mensen een vakantie 'nodig' hebben.

Maar voor vanochtend, voor we op het vliegveld kwamen en werden gegrepen door de opwinding die in de lucht hing, wist ik niet hoe opgetogen ik kon zijn.

Kortom, ik voel me geweldig – en dan zie ik Lisa. Ze staat met een Louis Vuitton-koffer tussen haar benen aan de andere kant van de vertrekhal en praat geanimeerd in haar mobieltje. Ze draagt een strakke witte broek, sandalen met hoge hakken, een Pucci-blouse met felgekleurde strepen, een grote donkere zonnebril à la Jackie O. en ronde gouden oorbellen.

Ineens krijg ik het gevoel dat er van alles aan me mankeert. Nog geen drie minuten geleden bewonderde ik mezelf in een etalageruit en nu voel ik me een slonzige huisvrouw uit een buitenwijk die haar best doet om trendy te zijn. O, zag ik er maar meer uit als Lisa, die momenteel heel erg op Elizabeth Hurley lijkt, maar dan blonder.

En Amy is het ideale accessoire. Ze ligt prachtig gekleed in een ouderwets jurkje met roosjes erop in een Bugaboo Frog, de allernieuwste designerbuggy. Ze konden allebei uit een advertentie zijn gestapt.

Net als we ons bij hen voegen, komen Trish en Gregory van de linkerkant aan. Trish is rood aangelopen omdat ze niet alleen de buggy duwt, maar ook haar armen vol jassen heeft en tegelijkertijd probeert het spoor van zoutjes op te rapen dat Oscar achterlaat.

Ze omhelst me, kust Dan en wendt zich vervolgens tot Lisa, die haar mobieltje dichtklapt en ons allemaal omhelst.

'Lisa!' Hoofdschuddend kijkt Trish haar aan. 'Hoe kun je er zo chic uitzien op dit uur van de ochtend? Waarom kan ik dat niet? Zeg op, hoe doe je dat?'

Lisa moet lachen en ik ontspan me. Dom om me van de wijs te laten brengen door zo'n goede vriendin. We checken allemaal in, gaan daarna door de douane en wachten vervolgens in de vertrekhal.

De mannen passen op de kinderen en wij drieën gaan naar de boekwinkel om boeken te kopen die we aan het strand kunnen lezen, en daarna naar de taxfreewinkels voor wat Lisa de 'verplichte bruiningsmiddeltjes' noemt. Net als we terugkomen wordt onze vlucht omgeroepen.

De stewards van Air France slagen erin Trish en mij te negeren, knikken kort naar Dan en Gregory, en verdringen zich vervolgens om Lisa, die, naar blijkt, een aardig mondje Frans spreekt. Dat had ik kunnen weten, al beweert ze als we zitten dat er wel het een en ander mankeert aan haar woordenschat, maar dat haar goede accent mensen doet geloven dat ze de taal veel beter spreekt dan in werkelijkheid het geval is.

We maken het ons en de kinderen gemakkelijk op onze plaatsen. Dan, die naast me zit, bekijkt alle passagiers die het vliegtuig binnenstromen.

'Waarom geef je ze allemaal het boze oog?' vraag ik na een poosje.

147

'Ik probeer alleen te kijken of er ook terroristen bij zitten,' zegt Dan doodernstig terwijl ik het uitproest.

'Aha. Waar let je dan op? Iemand met een bom om zijn middel gebonden? Draden die onder zijn T-shirt vandaan steken?'

'Ha ha ha.' Dan onderbreekt zijn boze-oogbeoordeling en kijkt naar mij. 'Ze zeggen dat je tegenwoordig moet weten wie je mede-passagiers zijn.'

'Waarom stel je je dan niet aan hen voor? Vraag naar hun levens-verhalen.' Ik snuif minachtend.

'Ja. Goed idee. Ik zal me even aan haar voorstellen.' Met een glimlach wijst hij naar een beeldschone vrouw die zó model had kunnen zijn en die over het gangpad in onze richting komt. Haar zonnebril zit sierlijk in haar haar gestoken.

'Kalm, kalm.' Ik wrijf over zijn arm en buig me voorover om hem een bezitterige zoen te geven. 'Dat is nog niks. Als je haar al knap vindt, wacht dan maar tot je alle topless stukken op het strand ziet.'

Met een grijns zegt Dan: 'Waarom denk je dat ik zo enthousiast ben over deze vakantie?'

'Niet door het vooruitzicht mij topless te zien?' Met een frons kijk ik naar Trish, die aan de andere kant van me zit en zich naar me toe buigt.

'Ik geef het toe,' zegt ze. 'Ik heb jullie zitten afluisteren.' Vol ver-bazing kijkt ze me aan. 'Je wilt toch niet echt topless gaan zonnen, hè?'

'Dat lijkt me niet. Vóór Tom had ik dat misschien gedaan, maar nu hangen mijn borsten ergens rond mijn enkels en heb ik alle steun nodig die ik kan krijgen.'

'O, mooi. Dan ben ik dus niet de enige. Je weet toch dat Lisa ze heeft laten doen?'

Ik knik en Dans ogen lichten op. 'Laten doen?' vraagt hij. 'Be-doel je dat ze haar borsten heeft laten opereren?'

'Ja.' Ik knik. 'Ze heeft ze laten liften en implantaten genomen. Hou op met dat gehijg, Dan. Je krijgt ze echt wel te zien.'

'Het verbaast me dat ze niet topless in het vliegtuig zit,' zegt Trish, en ik lach want Lisa's openheid blijft een bron van verbazing voor me.

Ze is een paar maanden geleden geopereerd, al leek daar eigen-lijk geen noodzaak voor te zijn, en zodra de wonden genezen waren, trok ze in de woonkamer haar kleren uit, en ze stond erop dat we aan haar borsten voelden. Heel voorzichtig deden Trish en ik dat. Het is moeilijk om objectief te blijven als een van je beste vriendin-nen halfnaakt voor je staat en eist dat je haar borsten betast.

Maar ik moet toegeven dat ik best jaloers was. Haar borsten waren prachtig, ook al voelden ze vrij hard aan. Ik twijfel er niet aan dat Lisa alleen een bikinibroekje zal dragen en dat Dan en Gregory van elke seconde zullen genieten.

'Lisa!' De modelachtige vrouw met de zonnebril als haarband bereikt ons en haar ogen worden groot als ze Lisa ziet.

'Kate!' Lisa geeft Amy over het gangpad aan mij en staat op om de ander te omhelzen. 'O, hemel! Wat doe jij hier?'

'We gaan bij Jonathan en Caro in Grasse logeren! Er komt een hele groep! Sarah en Mark en ik en nog een paar mensen. Je moet ons komen opzoeken. Maar wat doe jij hier?'

'We hebben een huis in Mougins, op een steenworp afstand van jou. Jij moet ons ook komen opzoeken!'

Als ik dat hoor, word ik weer kwaad op mijn schoonouders. Als die er niet zouden zijn, konden we iedereen uitnodigen die we maar wilden; maar ze waren er wel, en ik geloof niet dat ze het leuk zouden vinden als er hele volksstammen zouden langskomen.

'O.' Lisa kijkt naar ons. 'Dit zijn mijn vrienden.' Ze stelt ons allemaal voor en we buigen ons glimlachend naar voren om handen te schudden. Ondertussen wens ik dat ik een spijkerbroek en een wit T-shirt zou dragen, zelfs al zou ik minstens drie kilo moeten afvallen om er ook maar half zo goed uit te zien als deze Kate.

'Goed,' fluister ik tegen Trish zodra Kate is doorgelopen. 'Ik weet dat het belachelijk klinkt, maar ik voel me altijd zo onbeholpen vergeleken bij Lisa en haar vriendinnen.'

'Wat kan jou het schelen?' Trish haalt haar schouders op. 'Denk eraan dat eerste indrukken kunnen bedriegen. Ik weet dat Lisa eruitziet als een model, maar we zouden niet bevriend met haar zijn als ze ook niet oprecht en aardig was. En die Kate is vast ook heel aardig.'

'Hoe komt het toch dat jij altijd het goede in de mensen ziet?'

Trish haalt haar schouders op. 'Zo ben ik nou eenmaal. Al sluit ik mijn ogen niet voor het slechte. Hoe aardig Lisa bijvoorbeeld ook is, soms sta ik ervan te kijken hoeveel waarde ze hecht aan designerlabels.'

'Bedoel je dat ze oppervlakkig is?' vraag ik met een grijns.

'Precies. Hoe dan ook, we katten niet. We zijn juist zo dol op haar omdát ze oppervlakkig is. En bovendien zeggen we niks dat we haar niet in haar gezicht zouden durven zeggen,' zegt Trish serieus, en we barsten allebei in lachen uit.

'Waar lachen jullie om?' Lisa buigt zich over het gangpad heen, met Amy keurig op haar schoot.

'We zeiden net dat we graag net zo veel van kleding wilden weten als jij,' zeg ik. Dichter bij de waarheid zal ik waarschijnlijk nooit komen.

Zodra we uit het vliegtuig stappen valt de hitte als een zware deken over ons heen. Ik pak Dans hand en knijp er hard in. Onze huwelijksreis lijkt al zo lang geleden. Ik kan me de tijd niet heugen dat we werden overvallen door de hitte van de zon, en er lijkt prompt iets te veranderen, alsof warmte en geluk aan elkaar zijn gekoppeld.

Met een glimlach kijkt Dan me aan en hij kan mijn gedachten lezen. 'Blijkbaar waren we echt aan vakantie toe.'

'Het voelt wel lekker, hè?'

'Vind je het niet meer zo vervelend dat mijn ouders er zijn?'

Ik schud mijn hoofd. Nu ik hier ben, heb ik het gevoel dat het geen enkel verschil maakt. Ik heb deze vakantie veel harder nodig dan zij, en schoonouders of niet, ik ben van plan me te amuseren.

Op het vliegveld wisselen we telefoonnummers uit met Kate en we beloven elkaar te zullen opzoeken. Ik ben een beetje van slag als ze erop staat ons allemaal twee luchtzoenen te geven, al kent ze ons niet.

'Ach, nu we in Frankrijk zijn, moeten we ons aanpassen.' Lisa lacht als we naar het autoverhuurbedrijf lopen. 'In elk geval zijn we niet in Parijs,' gaat ze verder. 'De laatste keer dat ik daar was, gaf iedereen elkaar vijf kussen. Jezus, het duurt zowat een uur om afscheid te nemen van drie mensen.'

Er staan twee Renaults voor ons klaar en nog geen kwartier later laten we het vliegveld achter ons en rijden we in noordelijke richting langs de kust vanaf het vliegveld van Nice, via Cagnes-sur-Mer, naar Mougins.

'Kijk, palmbomen!' zeg ik telkens. Ik draai me om naar Tom om ze aan te wijzen, hoewel hij waarschijnlijk geen idee heeft wat ik zeg. Ik heb ergens gelezen dat de slimste kinderen ouders hebben die veel tegen hen praten, al gaat het over onbenulligheden, en aangezien Tom een genie wordt, doe ik mijn best om dat te bevorderen door de hele dag tegen hem te praten, meestal over de grootst mogelijke onzin.

Dan heeft me eens betrapt toen ik Tom vroeg of ik een zwarte of bruine broek moest aantrekken. Tom lag op ons bed op een stapel kussens en kauwde fanatiek op een rubberen bijtring, hoewel hij wel naar me keek toen ik de broeken omhooghield, zodat hij ze kon zien.

'Eh…' zei Dan vanuit de deuropening, en ik maakte een sprongetje van schrik. 'Misschien heb je wat te veel opgetrokken met

Tom. Volgens mij moet je wat meer onder volwassenen komen.'
Daar moesten we allebei om lachen.

Toch is het lastig om die gewoonte af te leren, en bovendien wil ik dat niet echt, en daarom maak ik Tom attent op alles wat we zien. Soms vertaal ik zelfs iets uit het Frans, al moet mijn schoolfrans van ver komen.

Vlak buiten Mougins rijden we een steile heuvel op, terwijl ik de aanwijzingen probeer te volgen die Dans ouders naar ons hebben gefaxt. Trish, Gregory en Lisa rijden in de huurauto achter ons en lachen ons uit door hun open raampjes als we steeds verkeerd rijden en moeten keren op de opritten van vreemden.

Eindelijk vinden we de rue des Oiseaux en rijden we een zandpad vol kuilen op dat nergens heen lijkt te gaan – tot het pad bovenaan verandert in een grindweg, en even later rijden we tussen stenen pilaren door en staan we onder een carport die bedekt is met klimop.

We stappen uit en haasten ons over het oude pad naar de voorkant van het huis, waar we de zware eiken deur openduwen. Daar zien we een briefje op de mat liggen.

Dan, Ellie en de rest,
We zijn naar het dorp om boodschappen te doen. Doe alsof je thuis bent.
Bij het zwembad liggen handdoeken. Neem het ervan!
Liefs, mam en pap

'Goed,' zegt Gregory, en hij laat de tassen vlak achter de deur vallen. 'Zullen we gaan zwemmen?'

Met een frons kijkt Trish hem aan. 'Wat dacht je ervan om eerst onze kamers op te zoeken, zodat we kunnen uitpakken en alles kunnen opbergen? Bovendien is Oscar hard aan een dutje toe.'

Precies op dat moment begint Oscar te blèren, waarna eerst Tom en vervolgens Amy hetzelfde doet.

'Goed idee, Trish,' zegt Dan. 'Laten we de kinderen ergens onderbrengen zodat de volwassenen wat lol kunnen maken.'

'Heel vriendelijk.' Ik schud mijn hoofd. 'Het is maar goed dat je zoon je niet begrijpt.'

'Al begreep hij me wel, door dat geschreeuw kan hij me toch niet verstaan.'

'Nou, waarom helpen jullie ons niet de slaapkamers op te zoeken zodat we de reiswiegen kunnen uitpakken?'

'Goed, goed.' Dan pakt een paar koffers en loopt de trap op. 'Ik ga wel als eerste. Laten we proberen iets te regelen.'

16

Ik had kunnen weten dat Linda en Michael de grote slaapkamer voor zichzelf zouden houden. De afgelopen twee maanden bladerde ik steeds door het fotoalbum om naar het huis te kijken. Ik droomde ervan in het enorme tweepersoonsbed te liggen met de terrasdeuren open, zodat het zonlicht naar binnen kon stromen, over het blad met het ontbijt dat op bed staat – vol warme verse croissants, *pains au chocolat* en dampende *café au lait*.

Daarom vind ik dat ik best een beetje pissig mag zijn. Zodra we de grote slaapkamer in komen, is het duidelijk dat Linda en Michael niet van plan zijn daar weg te gaan om ruimte te maken voor ons.

Linda's flutromannetjes liggen hoog opgestapeld op de boekenplank, op de vloer staan haar schoenen op een rijtje en over een leunstoel in een hoek hangen een paar pashmina-sjaals.

Toch open ik de grote klerenkast om te kijken en inderdaad: die hangt propvol met kleren van Linda en Michael.

'Kut!' zeg ik binnensmonds. Ik ga op bed zitten, terwijl Dan me bezorgd aankijkt.

'Het spijt me,' zegt hij met een zucht, en hij slaat een arm om me heen. 'Ik weet dat je je erop hebt verheugd in deze kamer te slapen, maar het komt allemaal wel goed. We zullen het echt naar onze zin hebben.'

'Ja, dat weet ik. Het is niet eerlijk van me, vooral niet omdat dit hun vakantie is en zij ervoor betalen. Alleen had ik echt graag in deze kamer willen slapen.'

'Kom, dan gaan we de andere kamers bekijken en pikken we vlug de een na beste in voor de anderen er zijn.' Met een grijns trekt Dan me overeind en ik loop met tegenzin achter hem aan.

De kamers heten, op volgorde, de blauwe kamer, de groene kamer, de gele kamer en de kamer van de dienstbode. Hoewel het eerst een goed idee leek om de kinderen op één kamer te leggen, zien we dat er in de dienstbodekamer nauwelijks genoeg ruimte is voor één reiswieg, laat staan voor drie.

'Kunnen we ze niet bij elkaar in één bed leggen?' vraagt Lisa kreunend, en wij beginnen te lachen.

'Nee, maar we kunnen een deal sluiten. Wie de kleinste kamer krijgt, mag de dienstbodekamer hebben voor zijn kind.'

'De koffers horen in de kleinste kamer,' zegt Lisa hoopvol, maar uiteindelijk schrijven we de kleuren van de kamers op stukjes papier en trekken die uit een asbak. Lisa sluit haar ogen en mompelt: 'Gele kamer, gele kamer, gele kamer', terwijl ze onhandig graait naar haar magische stukje papier.

Lisa krijgt de blauwe kamer, Trish en Gregory de groene, die waarschijnlijk het grootst is op de kamer van Linda en Michael na, en Dan en ik de gele. Dat mag dan de kleinste zijn, maar hij heeft als voordeel dat er een klein balkon is dat uitkijkt over een dak met rode pannen en een olijfgaard.

Op het balkon staat een gammel ijzeren tafeltje met twee stoelen en als we alles hebben opgeborgen in de zware kersenhouten kledingkast die in de hoek van de kamer geprop staat, gaan we met Tom op het balkon zitten om te genieten van de zon en het uitzicht.

'Kom mee,' zegt Dan na een poosje. 'Laten we Tom op bed leggen en gaan zwemmen.'

Ik vind mijn Miraclesuit behoorlijk miraculeus. Het is alleen jammer dat hij niet tot mijn knieën komt, want mijn cellulitis kan wel een mirakel gebruiken. Maar toch. Die lelijke delen bedek ik met een grote, half doorzichtige sarong van Accessorize, waarna ik me met een tube zonnebrand in mijn hand naar het zwembad haast.

Het lijkt erop dat we allemaal hetzelfde idee hadden. Trish smeert zonnebrand op Gregory's rug. Ze kijkt op als wij de hoek om komen en wijst met een grijns naar Lisa. Ik hoor Dan naar adem happen.

'Haal diep adem en ontspan je,' mompel ik, en ik geef een paar zachte klopjes op zijn arm. Toch moet ik toegeven dat ze er verdomd goed uitziet, drijvend op een luchtbed met haar blote borsten die glimmen van de olie en recht naar de hemel wijzen.

'Lisa,' roep ik als ze loom naar ons toe drijft. 'Volgens mij moet er een waarschuwing op je borsten komen te staan. Mijn man krijgt nog een hartaanval.'

'Wat heeft het voor nut om er veel geld aan te besteden als niemand het resultaat ziet?' roept ze terug.

'Daar zit iets in,' zeg ik. 'Hoe dan ook, je zult in elk geval mijn schoonvader blij maken.' Daarna mompel ik, veel zachter, tegen Dan: 'Ik vraag me alleen af wat je moeder ervan zal denken.'

'Die ziet vast groen van jaloezie,' zegt Dan. 'En ze zal willen weten welke chirurg ze heeft gehad.'

Dan zet een paar ligstoelen naast Gregory en Trish.

'Goed,' zegt Trish. Ze staat op en houdt haar hand voor haar ogen tegen de zon. 'Aangezien we elkaar zo meteen allemaal voor het eerst bijna naakt zullen zien, moet ik even wat dingen rechtzetten. Dit' – ze draait zich om en wijst op haar kuiten – 'zijn mijn walgelijke spataderen die erfelijk zijn, maar veel erger zijn geworden door die lieve, kleine Oscar. Dit' – ze pakt een handvol vel op haar dijen – 'is mijn cellulitis, en dit' – ze klopt op haar bolle buik – 'is ook het gevolg van de verschrikkelijke Oscar.'

'Schat.' Gregory drukt zich overeind op zijn ellebogen. 'Waarom wil je al je onvolkomenheden laten zien? Ik zeg toch ook niks over de mijne?'

'Dat is omdat jij perfect bent.' Ze geeft me een knipoog.

'Ik wist wel dat er een goede reden was om met je te trouwen.' Gregory pakt haar hand en knijpt er liefdevol in.

'Echt waar?' Trish fronst haar wenkbrauwen. 'Ik wil gewoon dat er geen geheimen zijn. Ik zal nooit de vakantie met mijn ouders en hun vrienden vergeten. Zodra we weer in het hotel waren, raakte mijn moeder er niet over uitgepraat hoe uitgezakt de borsten van haar vriendinnen waren, en ze zei steeds dat ze zich nooit had gerealiseerd dat haar figuur op een peer leek. Ik zou het vreselijk vinden als jullie het op je kamer over mijn cellulitis of over mijn spataderen hadden; daarom besloot ik er zelf over te beginnen, zodat jullie niks meer te roddelen hebben.'

Dan kijkt naar Trish en schudt zijn hoofd. 'Je bent niet goed wijs.'

'Ik ben gewoon praktisch.' Trish haalt haar schouders op.

Ik kijk naar Lisa, die zo mee kan spelen in een promotiefilmpje voor Hawaï.

'Heeft Lisa al je onvolkomenheden al kunnen bewonderen?'

'Natuurlijk.' Trish knikt.

'Laat me raden: zelf heeft ze geen enkel onvolkomenheidje?'

'Welles!' roept Lisa uit het zwembad. 'Op mijn dij heb ik de ergste spataderen die je ooit hebt gezien. Kijk!' Ze wijst op haar dijen. Grote stukken strakke, goudkleurige huid.

'Ik zie niks, jij wel?' vraag ik lachend aan Trish.

'Ik kon niks vinden.' Trish lacht terug.

'En ik heb heel veel ingegroeide haren bij mijn bikinilijn,' roept Lisa. 'Lelijke, grote, paarse bulten…'

'Goed, goed,' onderbreekt Dan haar. 'Zo is het wel genoeg voor vandaag.'

154

'Dat vind ik ook,' valt Gregory hem bij. 'En ik wil graag zeggen dat jullie de drie mooiste vrouwen zijn die ik ooit heb gezien. Au!' Boos kijkt hij naar Trish, die hem hard aanstoot. 'Hoewel ik moet toegeven, zonder dat ik bevooroordeeld ben, dat mijn vrouw de mooiste is van jullie allemaal.'

'Ik wist wel dat er een goede reden was om met jou te trouwen,' zegt Trish tegen Gregory, en ze bukt zich om hem een zoen te geven.

'Is dit niet heerlijk?' Ik leg mijn boek weg, draai me om en druk een zoen op Dans warme schouder. 'Hmm. Je smaakt naar kokos.'

'Dit is fantastisch.' Met een glimlach kijkt Dan me aan. 'Grappig dat je pas merkt dat je aan vakantie toe was als je echt weg bent, en dan vraag je je af waarom je niet vaker gaat.'

'Tot je thuiskomt en drie dagen later alweer bent vergeten dat je weg bent geweest,' zeg ik lachend. 'Ik ga even bij Tom kijken.'

'Wil je ook even naar mijn kind kijken?' roept Lisa. 'Al denk ik dat ze nog slaapt.'

'Ik ga met je mee om bij Oscar te kijken.' Trish komt van haar ligstoel af en rekt zich uit. 'Zou het niet fijn zijn als ze zo moe zijn dat ze de hele middag slapen en wij hier de hele dag kunnen luieren terwijl we net doen alsof we geen kinderen hebben?'

'Niet dat we ze kwijt zouden willen…' Veelbetekenend kijk ik haar aan.

'Precies,' zegt ze lachend. 'Niet dat we ze kwijt zouden willen. Al zouden fulltime kindermeisjes handig zijn voor op vakantie.'

Oscar slaapt nog altijd vredig met zijn armpjes en beentjes uitgespreid. Hij maakt zachte snurk- en snufgeluidjes.

'Wat zijn ze toch lief als ze slapen,' fluistert Trish, en ze doet de deur zachtjes dicht als we bij Amy gaan kijken, die ook nog diep in slaap is.

Als we door de gang naar onze kamer lopen, draait Trish zich ineens met een vragende blik naar me toe.

'Ssst,' zegt ze, en we blijven allebei stilstaan om te luisteren.

'Wat raar.' Ze fronst haar wenkbrauwen. 'Ik dacht echt dat ik iemand op jouw kamer hoorde praten.'

'O, ja? Nou, mijn kind mag dan geniaal zijn, maar dat lijkt me zelfs voor hem wat overdreven.' Ik begin te lachen, maar dan hoor ik het ook: het onmiskenbare stemgeluid van Linda.

'Jij bent oma's lieve jongen.' Linda zit op bed en laat een giechelende Tom paardjerijden als ik de deur opendoe. 'Wie houdt er van zijn oma?' kirt ze. 'Wie houdt er van zijn oma?'

Tom kijkt naar mij en onmiddellijk betrekt zijn gezichtje en steekt hij zijn armpjes naar zijn mammie uit.

Ha!

Ik haast me naar hem toe en til hem op. Terwijl ik zachtjes op zijn rug klop en hem zoentjes geef, kijk ik Linda woedend aan.

'Heb je hem wakker gemaakt?' Mijn stem klinkt heel boos.

'Nee!' zegt ze, en haar ogen zijn groot en onschuldig. 'We kwamen terug en ik wilde hem even zien. Ik wist niet in welke kamer hij lag, maar ik zweer dat zijn ogen open waren en dat hij me aankeek toen ik de deur hier opendeed.'

'Hoe lang is hij al op?' Nog steeds kwaad kijk ik op mijn horloge.

'Ik zei het toch?' Michael zegt voor het eerst iets en hij kijkt hoofdschuddend naar Linda. 'Ik zei toch dat je niet naar binnen moest gaan?'

'Maar ik heb hem niet wakker gemaakt!' beweert Linda. 'Hij was al wakker.'

'Goed,' zeg ik. 'Maar hoe lang is hij al op?'

'Ik ben ongeveer tien minuten geleden binnengekomen.'

Michael snuift en ik weet dat ze liegt, maar ik heb nu geen kracht. 'Goed,' zeg ik nogmaals. 'Dus hij heeft anderhalf uur geslapen, in plaats van de gebruikelijke drie uur. Dat betekent dat hij om vijf uur niet te genieten is. Bedankt, Linda. Ga jij voor hem zorgen als hij straks oververmoeid is en de hele boel bij elkaar brult?'

'Ja,' zegt ze gretig. 'Natuurlijk. Dat doe ik graag.' Ik rol met mijn ogen en been kwaad terug naar het zwembad.

'Die stomme moeder van je ook.' Ik ga voor Dans ligstoel staan en zorg ervoor dat ik precies in zijn zon sta en een grote schaduw over hem werp.

'Wat heeft ze nu weer gedaan?' vraagt Dan zuchtend.

'Ze is hier, ze heeft Tom wakker gemaakt en ze heeft met hem gespeeld en je weet hoe hij is als hij niet lang genoeg slaapt. Straks is hij niet te genieten. Het is echt niet te geloven dat ze dat heeft gedaan. Hoe durft ze?'

'Goed, goed. Rustig maar. Ze bedoelde het vast niet zo. Ik wist niet eens dat ze terug waren. Waar zijn ze?'

'Ergens binnen. Ik wist ook niet dat ze terug waren. Ik zag ze pas in Toms kamer, waar ze met hem aan het spelen waren.'

'Blijf jij maar hier om een beetje tot bedaren te komen. Ik ga wel naar binnen om hun gedag te zeggen. Ze moeten toch naar buiten komen om iedereen te begroeten. Geef Tom maar aan mij, dan neem ik hem mee.'

'Zodat je moeder hem weer in handen krijgt?' snauw ik. 'Helemaal niet. Tom blijft fijn bij mij.' Ik doe net alsof ik druk bezig ben en rommel in de strandtas, op zoek naar factor 30. 'Ga maar gauw. Wij redden ons best.'

Na twintig minuten – waarin ik behoorlijk tot rust kom, al is het vermoeiend om achter Tom aan te rennen, die steeds probeert het zwembad in te kruipen – komen Dan, Linda en Michael naar buiten om gedag te zeggen.

Goed, ik moet het toegeven: ik geniet van Linda's gezicht als Lisa uit het zwembad klimt en haar een hand geeft. Lisa schenkt haar een stralende glimlach en ze draagt nog altijd niet meer dan een piepklein bikinibroekje.

Linda, die een badpak met luipaardprint draagt en een bijpassende sarong, voelt zich duidelijk heel ongemakkelijk en weet niet waar ze kijken moet.

'Hoe maakt u het?' zegt ze formeel terwijl ze Lisa's hand schudt. Ze blijft Lisa strak aankijken en doet net alsof ze niet ziet dat Lisa praktisch naakt is en zich daar ook helemaal niet ongemakkelijk onder voelt.

Daarentegen kijkt Michael opgetogen.

'Hal-lo daar,' zegt hij met opgetrokken wenkbrauw. Linda draait zich om en rolt met haar ogen, zonder echt iemand aan te kijken. 'Aangenaam kennis te maken.' Hij schudt Lisa's hand en bekijkt haar van top tot teen. 'Dus jij bent een goede vriendin van Ellie? Het is altijd leuk om vrienden van Ellie en Dan te ontmoeten.'

Ik val bijna om van verbazing. Dit is Dans vader. Zijn vader! Zijn onder de plak zittende, grijzende, gereserveerde vader. Zijn vader die buiten de rechtszaal geen greintje charme of charisma bezit, lijkt ineens te zijn veranderd in een vlotte, joviale vent.

'Nee, maar,' verwacht ik hem elk moment te horen zeggen, 'jullie jonge moeders weten van wanten, zeg.'

Natuurlijk zegt hij dat niet. Hij geeft Trish en Gregory een hand ('Eigenlijk wilde ik me verontschuldigen,' zegt Trish later. 'Zo van: "Het spijt me dat ik geen blondine van een meter tachtig met opgepompte tieten ben."') Wel verontschuldigt hij zich zo snel mogelijk om even te gaan zwemmen, al vermoed ik dat dat vooral is om Lisa

157

– die weer op het luchtbed is gaan liggen – beter te kunnen bekijken.

Met een lichte frons kijkt Trish me aan. 'Die schoonvader van je is me nogal een charmeur, hè?' We kijken hoe hij een paar baantjes trekt en na elk baantje even stil blijft staan om op adem te komen en naar Lisa te kijken.

'Ik weet het.' Ik begin te lachen. 'Wie had dat kunnen denken? Mijn oude, grijze schoonvader die op Lisa geilt. Ik wist niet dat hij het in zich had.'

'Ach, kom. Zo oud en grijs is hij niet,' zegt Trish verbaasd. 'Eigenlijk vind ik hem best aantrekkelijk. Misschien kan je schoonmoeder maar beter oppassen.'

'O, bah.' Ik trek een gezicht, maar bekijk Michael toch met andere ogen. Zou ík hem aantrekkelijk vinden als hij niet mijn schoonvader was? Ik heb me nog nooit aangetrokken gevoeld tot oudere mannen, maar als dat wel het geval was, en als hij niet Dans vader was, en als ik niet zou weten hoe erg hij onder de plak zat, zou ik hem best leuk kunnen vinden; hij lijkt namelijk een beetje op Michael Douglas.

En hoewel ik dat niet tegen Trish ga zeggen, is het waar dat je mensen met heel andere ogen bekijkt als je ze praktisch naakt ziet.

Ik heb me nooit afgevraagd hoe mijn schoonvader eruitziet zonder zijn kleren aan, maar ik moet toegeven dat het me verbaast hoe fit hij is nu ik hem in zijn zwembroek zie. Laat ik het anders zeggen: voor een man die achter in de vijftig moet zijn, heeft hij een zeer jeugdig lichaam.

'Geloof je echt dat hij flirt?' vraag ik. Michael is net weer gestopt na een baantje en kijkt weer naar de drijvende Lisa, die niets van zijn belangstelling merkt. 'Het is een heel raar idee dat hij misschien flirt met een van mijn vriendinnen.'

'Nee,' zegt Trish. 'Volgens mij flirt hij niet echt. Hij geniet alleen van het uitzicht. Waarschijnlijk heeft hij nog nooit zoiets gezien. In elk geval niet van zo dichtbij.'

'O, je bedoelt de beroemde heuveltoppen van Zuid-Frankrijk.'

'Precies.' We grijnzen allebei.

Dan komt naar ons toe en gaat op de rand van de ligstoel zitten. 'Ellie, wil jij mijn rug insmeren?' Ik ga overeind zitten en wrijf de crème in. Als ik klaar ben druk ik een zoen op de zijkant van zijn hals.

'Mmm. Dank je. Ik ga zwemmen met Tom. Wil je mee?'

'Geef me even de tijd om het fototoestel te halen. Ik ben zo terug.'

'Goed idee.' Ook Trish staat op. 'Ik ga even bij Oscar kijken. Als hij wakker is kunnen we een paar groepsfoto's nemen.'

Als het avond wordt, heb ik Linda vergeven. De middag was dood-vermoeiend. Om de beurt renden Dan en ik achter Tom aan, die te-genwoordig razendsnel kan kruipen, en ook al heeft hij steeds zijn vlindertjes om, toch word ik doodsbang elke keer als hij te dicht bij het zwembad komt.

'Het was toch de bedoeling dat we zouden uitrusten?' zei ik een keer hijgend tegen Trish.

'Vraag je schoonmoeder dan om op hem te letten,' mompelde ze, en ze wees naar mijn schoonmoeder, die net deed alsof ze haar boek las, maar elke paar seconden verlangend naar Tom keek.

'Nee,' zei ik, maar toen Tom in mijn armen begon te spartelen, gebeurde het automatisch. 'Linda?' vroeg ik. 'Wil jij hem soms een poosje in de gaten houden?'

Linda struikelde bijna in haar haast bij ons te komen, alsof ze hem wilde optillen voor ik van gedachten veranderde. 'Ik neem hem wel mee naar binnen,' zei ze. 'Dan gaan we wat spelletjes doen. Kom, schatje. Oma zal je laten zien wat ze allemaal voor je heeft ge-kocht.' Vlug nam ze hem mee en ditmaal protesteerde ik eens niet. Met een glimlach ging ik weer liggen en liet alle zorgen van die dag van me af glijden.

'Bestaat er een kansje dat we vanavond uit eten kunnen gaan?' vraag ik aan Dan als we samen op onze kamer zijn. De een houdt een oog-je op Tom terwijl de ander onder de douche gaat.

'Wie? Jij en ik?'

'Nee, domoor! Wij! Wij allemaal. Denk je dat je ouders dat ver-velend vinden?'

Dan fronst zijn wenkbrauwen. 'Ja, eigenlijk wel. Dit is onze eer-ste avond hier, en ik neem aan dat ze iedereen willen leren kennen. En je kent mijn moeder: ze heeft zich vast uitgesloofd om een heer-lijk etentje klaar te maken.'

'Nee, dus,' zeg ik sip.

'Ik wil het haar niet eens vragen,' zegt Dan. 'We hebben zeeën van tijd. Morgen gaan we met z'n allen uit. Zij vinden het vast niet erg om op te passen, zodat wij een leuk restaurantje kunnen opzoe-ken in het dorp. Hoe lijkt je dat?'

'Goed,' brom ik. In de kast sla ik mijn nieuwe jurken van chiffon over en pak een short. 'Dan trek ik mijn feestkleding morgen wel aan.'

Als de andere dagen net zo zullen verlopen als vandaag, heb ik me voor niks zorgen gemaakt om Linda en Michael, denk ik 's avonds. Ondanks hun aanwezigheid ziet het ernaar uit dat we een leuke tijd zullen hebben.

Ik durf zelfs bijna te beweren dat Linda vandaag ontzettend gastvrij is geweest, en bijzonder behulpzaam met Tom. Terwijl de vrouwen de kinderen in bad deden, ze te eten gaven en ze in bed legden, heeft Linda met de mannen een heerlijk etentje gemaakt zoals we soms ook thuis eten, al smaakt het veel lekkerder als je op een terras in Zuid-Frankrijk zit.

Rond halfacht komen we in de woonkamer, waar borden vol hapjes op de salontafel staan: warme, knapperige baguettes, prosciutto, parmaham, salami, brie, camembert, reblochon, augurkjes, gegrilde paprika, paté en olijven.

En dat zijn nog maar de hors d'oeuvres.

Lisa maakt haar reputatie helemaal waar door te verschijnen in een wikkeljurk van Diane von Furstenberg met een jaren zestigpatroon erop. Als ze gaat zitten, zijn haar dijen te zien en Trish en ik stoten elkaar aan en giechelen als schoolmeisjes elke keer dat we Michaels blik naar haar benen zien gaan.

'Zes keer,' fluistert Trish tegen me. Allebei houden we onze blik strak gericht op Michael, die gelukkig niet merkt hoe kinderachtig we doen.

'Zeven,' fluister ik als hij vlug naar haar decolleté kijkt, en we stikken bijna van de lach.

Dan schudt zijn hoofd. 'Hoe oud zijn onze vrouwen ook alweer?' vraagt hij zogenaamd streng aan Gregory.

'Volgens mij zijn ze vanavond ongeveer vijf,' zegt Gregory met een grijns.

'Vijfenhalf!' roept Trish pruilend.

'En ik ben vijf jaar en negen maanden!' gil ik, waarop we allebei weer beginnen te schateren, terwijl de anderen hun hoofd schudden.

Ik geloof dat we een beetje aangeschoten zijn.

Tegen de tijd dat we buiten aan tafel gaan lijken de paté en de baguette – waar Trish en ik flink van moesten eten van Dan – een deel van de alcohol te hebben geabsorbeerd.

'Zeg pa,' zegt Dan tegen Michael, die aan het hoofd van de tafel zit. 'Wil je de vrouwen alsjeblieft niet elke avond dronken voeren?'

Michael lacht. 'Maak je niet druk,' zegt hij. 'Je bent met vakantie. Doe gezellig met ze mee.'

Dan kijkt naar zijn moeder. 'Is dit mijn echte vader of is die vannacht meegenomen door marsmannetjes?'

Wrevelig schudt Linda haar hoofd. 'Blijkbaar zijn de meiden niet de enigen die vanavond terug zijn gegaan in de tijd. Je vader denkt kennelijk dat hij weer jong en vrijgezel is.'

'Ach, hij is ongevaarlijk, mam,' zegt Dan lachend. 'En je moet toegeven dat Lisa oogverblindend is. Maak je geen zorgen.' Hij dempt zijn stem zodat de anderen hem niet kunnen verstaan, behalve ik omdat ik naast hem zit en naar zijn gesprek luister. 'Hoe beter je haar leert kennen, hoe minder aantrekkelijk je haar vindt.'

'O, ik maak me niet druk over hém,' zegt Linda. 'Ik heb gewoon mijn twijfels over háár.' Ze kijkt veelbetekenend naar Dan en ik sla mijn ogen ten hemel en neem nog een slok wijn.

'Een toast!' roept Michael vanaf de andere kant van de tafel. 'Op vakanties! En nieuwe vrienden!'

'Op vakanties en nieuwe vrienden!' herhalen we allemaal, en we heffen ons glas en drinken. En als we zitten te praten en lachen, voel ik me tevreden en kalm en vergeet ik dat ik problemen heb gehad met een van de anderen hier aan tafel.

Zoals te verwachten was, heeft Linda een authentieke Franse cassoulet gemaakt, gevolgd door een warme *tarte tatin* met vanilleijs.

En als we buiten onder de klimop eten en de lantaarns op tafel voor een zacht, romantisch licht zorgen, vergeet ik een paar uur welke geschiedenis ik heb met Linda. Als ze soms iets complimenteus zegt over haar kleinzoon of een verhaal vertelt dat de indruk wekt dat we het goed met elkaar kunnen vinden, knik ik alleen maar met een glimlach, te tevreden – of misschien te aangeschoten – om er iets van te zeggen.

Of om me er iets van aan te trekken.

17

Is het niet vreemd dat een groep mensen ineens heel anders met elkaar omgaan als er nieuwe mensen bij komen? Als we 's zondags bij Michael en Linda lunchen praten we over onze belevenissen van de week ervoor zonder eigenlijk iets te zeggen. In ongeveer een halfuur zijn we klaar met eten en gaan we van tafel, en vervolgens tellen we de minuten tot we weg kunnen zonder onbeleefd te lijken.

Maar vanavond, met Trish, Gregory en Lisa erbij, heb ik het gevoel dat ik een heerlijke avond heb met een grote groep vrienden.

In plaats van over koetjes en kalfjes te babbelen, vertellen we elkaar verhalen, en probeert iedereen met een verhaal op de proppen te komen dat grappiger of buitenissiger is dan het voorgaande.

Later, als ik Linda in de keuken help met afwassen, kijkt ze me aan. Haar gezicht is rozig door de zon en de wijn. 'Ik wist niet dat je zulke leuke vrienden had,' zegt ze.

Ik haal mijn schouders op. 'Je hebt er nooit naar gevraagd. Maar je klinkt verrast... Verbaast het je dat ze zo leuk zijn?'

'Helemaal niet,' zegt ze. 'Ik vind het fijn voor je. Ik geloof dat het de zwaarste baan ter wereld is om voor de eerste keer moeder te zijn, en de enige manier waarop je het kunt redden is als je vrienden hebt die in hetzelfde schuitje zitten. Ik vind het geweldig dat jullie zo goed met elkaar overweg kunnen en dat de kinderen allemaal van dezelfde leeftijd zijn.'

'Ja, daar heb je gelijk in. Dat is fijn. Ik zou niet weten hoe ik het zonder hen had moeten redden.'

'Die Trish is een lieverd,' zegt Linda. 'Ik kan wel merken dat ze een goede vriendin van je is.'

O, o. Daar gaan we. Nog voor ze haar mond opendoet, weet ik al dat ze iets over Lisa zal zeggen, ook al is Lisa de hele avond alleen maar charmant geweest en heeft ze Linda en Michael duidelijk laten blijken hoezeer ze hun gastvrijheid op prijs stelt.

'Vertel eens wat over Lisa,' zegt Linda uiteindelijk. 'Hoe zit het met haar?'

162

'Wat wil je precies weten?'

Quasi-nonchalant haalt Linda haar schouders op. 'Het verbaast me dat iemand als zij geen partner heeft.'

'O, die heeft ze wel. Andy. Hoewel hij waarschijnlijk binnenkort zijn congé krijgt. Maar met haar uiterlijk heeft ze vast zo een ander.'

'Ze is heel knap,' zegt Linda. 'Ze heeft gezegd dat ze gescheiden is. Heeft ze je ooit verteld wat er is gebeurd?'

'Dat weet ik niet precies.' Ik wil niet uit de school klappen over mijn vriendin en ik wil niet dat Linda nog meer te weten komt, ook al is het duidelijk dat Linda denkt dat Lisa is vreemdgegaan.

'Wat je ook van haar mag denken,' zeg ik verdedigend, 'ze is heel aardig. Oprecht en nuchter. Ze is niet wat ze lijkt.'

'Een del, bedoel je.' Linda probeert er een grapje van te maken.

'Linda.' Nu word ik echt kwaad. 'Ze is een van mijn beste vriendinnen. Wil je alsjeblieft niet zo over haar praten?'

'Je hebt gelijk,' zegt ze schuldbewust. 'Het spijt me. Dat meende ik niet, en ze komt heel charmant over.' Er volgt een stilte als Linda een glas pakt en het geconcentreerd afdroogt. 'Kan Dan het goed met haar vinden?'

Nu begrijp ik waar ze heen wil. Mijn stem klinkt ijskoud. 'Dan kan het prima met haar vinden, Linda. Hoezo? Wat wil je daarmee impliceren?'

Linda slaakt een zucht. 'Ellie, je moet dit niet verkeerd opvatten. Ik moet altijd zo voorzichtig zijn als ik iets tegen je zeg omdat ik bang ben je te beledigen, maar ik ga al een stuk langer mee dan jij en ik heb honderden meisjes als Lisa ontmoet. Ik geloof dat je moet oppassen.'

'Hoezo? Waarvoor dan? Denk je soms dat ze Dan van me wil afpikken?'

Linda haalt haar schouders op, een beweging die precies aangeeft wat ze denkt. 'Ik vind het nogal gevaarlijk om een knappe, gescheiden vriendin te hebben, vooral omdat ze ook een kind heeft. Een hoop van die meisjes, meisjes zoals Lisa, zijn op zoek naar zekerheid, naar een rijke man die hen kan onderhouden op de manier waarop ze gewend zijn.'

Ik moet even lachen. 'Rijke man? Nou, dan komt Dan niet aanmerking.'

'Je kunt erom lachen,' zegt Linda zonder ook maar een spoortje vrolijkheid op haar gezicht, 'maar ik zeg je: ik ken haar type en als ik jou was, zou ik heel voorzichtig zijn. Ik zeg niet dat je niet bevriend met haar moet zijn, maar pas op dat ze niet te dicht bij je gezin komt. Neem deze vakantie bijvoorbeeld: zoiets kun je beter niet nog een keer doen.'

Ik haal diep adem en schud mijn hoofd vanwege dit belachelijke gesprek; het is zelfs zo belachelijk dat ik er bijna geen aanstoot aan kan nemen. Eigenlijk vind ik het alleen maar grappig. Natuurlijk is Lisa adembenemend knap – dat zie je meteen als je naar haar kijkt – maar ze is ook een goede vriendin van me.

'Hoor eens, Linda. Ik waardeer je bezorgdheid.' Mijn stem klinkt sarcastisch. 'En ik waardeer alles wat je deze vakantie voor ons hebt gedaan, maar toch moet je...' Ik zwijg even en probeer een vriendelijke manier te bedenken om te zeggen dat ze zich met haar eigen zaken moet bemoeien. '... je gedachten over mijn vrienden voor jezelf houden.'

'Het spijt me als ik je heb beledigd. Dat was mijn bedoeling niet en ik zal proberen het niet weer te doen, oké?'

'Prima.' Ik leg de theedoek neer en ga op zoek naar Dan.

'Je gelooft niet wat je moeder net zei,' fluister ik, zodra ik hem heb gevonden. Hij zit op de bank en speelt backgammon met Gregory.

'Wat dan?'

'Maak je spelletje maar vlug af, dan gaan we naar bed en zal ik het je vertellen.'

Als we samen op de slaapkamer zijn, herhaal ik het hele gesprek voor Dan en hij kijkt me een paar tellen aan voor hij in lachen uitbarst.

'Dat heeft ze toch helemaal mis?' Mijn stem klinkt hoopvol en het is meer een vraag dan een opmerking. Ik vertrouw Dan. Voor honderd procent. Ik geloof niet dat hij een man is die ooit vreemd zou gaan, en zelfs al was hij dat wel, dan nog voelt hij zich volgens mij totaal niet aangetrokken tot Lisa. Maar Linda heeft een zaadje geplant en terwijl Dan backgammon speelde met Gregory hield ik hem onwillekeurig scherp in de gaten om te zien of hij niet vaker dan normaal naar Lisa keek, of daar iets aan de hand was wat mij was ontgaan.

Het enige wat ik kon denken was: heeft Linda iets gemerkt wat ik niet in de gaten heb gehad? Ik heb altijd gedacht dat ik het onmiddellijk zou merken als mijn man ontrouw was. Soms zie je van die tv-programma's waarin de echtgenoot opbelt en zegt: 'Sorry, schatje, mijn vergadering loopt uit', of de mannen gaan op zakenreis zonder het nummer van het hotel achter te laten. Dan kijk je naar hun arme, argeloze vrouwen en zou je wel willen roepen: Hij heeft een verhouding, dom wijf! Herken je de tekens soms niet?

We vinden onszelf natuurlijk erg knap omdat wij het wel zien, maar misschien zijn we niet zo scherpzinnig als het voor onze neus gebeurt. Misschien beschermt ons instinct voor zelfbehoud ons tegen dingen die we liever niet willen weten.

Ik heb altijd gedacht, en beweerd, dat ik onmiddellijk weg zou gaan als mijn man me ontrouw zou zijn. Geen twijfel mogelijk. Maar Fran heeft een keer gezegd dat ik wel van gedachten zou veranderen naarmate ik ouder word.

Vóór Marcus was Tim de grote liefde van haar leven, zo had ze verteld. Tim was haar vriendje op de universiteit.

Tim en zij zijn vijf jaar bij elkaar geweest en vanaf het eerste moment dat ze hem zag, had ze geweten dat Tim de man was met wie ze zou trouwen.

Vanaf het begin hadden ze daar al over gepraat. Hoeveel kinderen ze zouden nemen, waar ze gingen wonen, hoe ze hun kinderen zouden noemen. ('Om even aan te geven dat ik heel consequent ben: een van mijn namen was Sadie, dus al vóór de actrice Sadie Frost de naam populair maakte,' verklaarde ze. 'Dat je dat maar even weet,' had ze lachend gezegd.)

Samen hadden ze urenlang hun gezamenlijke toekomst uitgestippeld op de romantische, idealistische manier waarop je dat hoort te doen als je twintig bent en voor de eerste keer verliefd. Als de liefde je plotseling overvalt en je je niet kunt voorstellen dat je een moment, laat staan een heel leven, zonder de man zult zijn die ontegenzeggelijk je wederhelft is, de helft waar je je hele leven al naar op zoek bent geweest.

'Jezus,' had ik lachend gezegd. 'Wie had kunnen denken dat jij zo romantisch was aangelegd?'

'Niet meer.' Fran had haar ogen ten hemel geslagen toen Sadie naar haar toe kwam en met haar vingertjes vol chocolade haar vest beetpakte. 'Ik was jong en heel, heel erg dom.'

Na hun afstuderen waren Fran en Tim naar Londen verhuisd. Fran had als pr-assistente gewerkt en Tim was vertegenwoordiger geweest, waarvoor hij het hele land door moest reizen.

Ze had niets vermoed.

'Niks?' vroeg ik verbaasd toen ze vertelde dat ze hem soms dagen niet kon bereiken, dat er vrouwen belden die zeiden het verkeerde

nummer te hebben gedraaid voor ze weer ophingen, dat hij plotseling de behoefte voelde om zijn mobieltje op nemen in de besloten-
heid van hun slaapkamer met de deur dicht. En uiteindelijk vertelde ze me dat ze papiertjes in zijn zakken vond, liefdesbriefjes.

Ik weet nog dat ik zei: 'God, je moet echt heel naïef zijn geweest.'

'Ik geloof niet dat ik zozeer naïef was, het was meer dat ik het niet
wilde weten. Diep vanbinnen wist ik het natuurlijk wel, maar ik wilde het niet geloven, dus deed ik net alsof ik het niet zag.'

Telkens als ze hem erop aansprak, had hij een verklaring die heel
plausibel was voor iemand die het wilde geloven: de telefoontjes
waren zakelijk, de transacties waren supergeheim, dus vandaar die
gesloten deuren, en de liefdesbriefjes kwamen van Angela, zijn ongelooflijk irritante secretaresse van middelbare leeftijd die verliefd
op hem was.

'Hoe ziet ze eruit?' Volgens Fran had ze dat zenuwachtig gevraagd.

'Vreselijk,' had Tim lachend gezegd. 'Een oude vrijster met
slechte adem en vettig haar die mij helemaal fantastisch vindt.'

Fran had met hem meegelachen tot Tim steeds vaker in Manchester was in plaats van in Londen, en uiteindelijk opbiechtte dat
hij een verhouding had. Van alle dingen die hij over Angela had gezegd, bleek alleen het feit dat ze verliefd op hem was waar te zijn.
Hij was níét eerlijk geweest over het feit dat ze een lekker negen-
tienjarig blondje was.

'Ik hoop dat je hem eruit hebt geschopt,' zei ik.

'Eigenlijk niet. Dat is het gekke. Net als jij had ik altijd gezegd
dat ik meteen zou vertrekken als iemand me bedroog. Ik weet nog
dat ik dat steeds tegen Tim had gezegd, dat hij me kwijt zou raken
als hij een verhouding zou hebben, alsof dat het ergste was wat kon
gebeuren. Maar toen het gebeurde, barstte ik in tranen uit, viel als
een zielig hoopje op de grond en smeekte hem te blijven.'

Ik keek haar aan en wist niet wat ik moest zeggen. Ik kon me niet
voorstellen dat de ultracoole, supersuccesvolle, supertrendy Fran
ooit iemand ergens om zou smeken. En al helemaal niet als een zielig hoopje op de grond. Dat beeld maakte me sprakeloos.

Maar daar ging het nou net om, verklaarde Fran. Je wist nooit
hoe je ergens op zou reageren tot het je overkwam. Tot dat moment
had ze echt gedacht dat ze weg zou gaan, dat ze genoeg waardigheid
bezat om met opgeheven hoofd te vertrekken en iemand te zoeken
die haar wel waardeerde.

In haar hysterie zou ze echter alles hebben gedaan om hem te houden, zei ze. Ze zei almaar dat ze hem zou vergeven, dat ze door konden gaan alsof er niks was gebeurd, dat het wel wat tijd zou kosten voor ze over zijn verraad heen was, maar dat ze daar wel in zou slagen. Zij geloofde nog steeds in hen als paar, en hoe kon hij zomaar alle jaren weggooien die ze samen waren geweest?

'Godzijdank koos hij ervoor ze weg te gooien,' zei ze, en ze nam nog een slokje wijn. 'Nu ik...' Ze zweeg even. 'Nu ik in de dertig ben, kinderen heb en getrouwd ben met Marcus, weet ik wel dat ik heel anders zou reageren.'

'Niet dat Marcus ooit een verhouding zou hebben,' zei ik snel. 'Maar als hij die wel had, hoe zou jij dan reageren?'

'Het zou geen probleem worden,' zei ze met een glimlach. 'Want ik zou hem vierendelen.'

Ik was pas getrouwd toen we dit gesprek hadden en ik weet nog dat ik schrok toen ze bloedserieus zei dat ze Marcus misschien niet zou verlaten als hij een verhouding had. Al hoopte ze van harte dat ze het nooit zou hoeven meemaken, ze vermoedde dat ze wel een manier zou vinden om ermee te leren leven.

'Ik hou van mijn leven,' zei ze oprecht. 'Ik hou van mijn dochters, van mijn huis en van Marcus, die overigens een geweldige vent is. Het zou natuurlijk afhangen van de verhouding – was het een avontuurtje voor één nacht, een paar keer neuken of een echte liefdesaffaire? – maar toch zou ik me afvragen of het erg genoeg was om alles te veranderen, om de meiden uit hun vertrouwde omgeving te halen, om onze levens overhoop te gooien, voor iets wat misschien maar iets kleins was. Dat begrijp je nu niet, maar wacht maar tot je zelf kinderen hebt,' had ze met een glimlach gezegd.

Ik begreep haar niet, maar vanavond probeer ik te letten op tekens dat ik iets heb gemist, dat Dan meer belangstelling heeft voor Lisa dan ik dacht.

Ik zie geen tekens, maar misschien weet ik niet waar ik op moet letten. Blikken die net wat te lang duren, een hand op een schouder in een te intiem gebaar tussen je echtgenoot en een vriendin? Ik weet het niet, dus kijk ik alleen maar, maar ik zie niks wat verkeerd kan worden uitgelegd. Alsof het iets meer is.

Misschien zijn ze te slim en weten ze dat ik ze in de gaten hou, want waar rook is, is vuur; en Linda zou nooit iets hebben gezegd zonder dat ze echt iets had gezien wat haar zorgen baarde. Iets wat hen had verraden aan Linda, een vrouw die veel ouder en wijzer is dan ik.

167

Ik zie de tekens niet, maar vervolgens vraag ik me af wat ik zou doen als ik ze wel zou zien.

Is mij iets ontgaan wat Linda wel had gezien? Had zij zich misschien gebukt om een servet op te rapen en gezien dat hun handen elkaar aanraakten, of zelfs dat hun vingers onder de tafel waren verstrengeld? Ook als ze dat niet had gedaan, ook als het alleen een veronderstelling was, wat zou ik doen als Dan wél een verhouding had? Als hij nu een verhouding had? Wat zou ik dan doen?

Ik had niet het gevoel dat mijn leven voorbij zou zijn zonder Dan. De eerste maanden na Toms geboorte wenste ik zelfs dat hij zou oprotten. Wil dat zeggen dat hij niet de liefde van mijn leven is? Hoor ik het gevoel te hebben dat mijn leven voorbij is als Dan weg zou gaan?

Dat heb ik wel eens gevoeld bij mannen, maar nooit bij de mannen met wie ik gezonde relaties had. Zo heb ik me alleen gevoeld als ik helemaal hoteldebotel was van een man en naar hem smachtte, dus eigenlijk als de hele relatie me het gevoel gaf dat ik op het randje van een diepe afgrond balanceerde. Mijn huwelijk zou er anders uitzien. Ik had geen zin in die ups en downs, het gevoel dat je de zaken nooit onder controle hebt, dat je je met huid en haar aan de ander overlevert.

Maar toch, het idee van Dan met een andere vrouw, vooral met Lisa, maakt me misselijk. Het verraad. Mijn echtgenoot en mijn beste vriendin. Hoe moet je dat verraad ooit verwerken? Hoe kun je daarna nog iemand vertrouwen?

Daarom staan Dan en ik nu in onze slaapkamer en vraag ik hem hoopvol of zijn moeder belachelijk doet. Ik wacht tot hij me vertelt dat dat zo is, tot hij begint te lachen om haar vermoedens, tot hij tegen me zegt dat ik zijn grote liefde ben.

'Dat is volslagen belachelijk,' zegt Dan lachend. Hij slaat zijn armen om me heen en ik ontspan me. 'Hoe kan mijn moeder nou denken dat ik Lisa leuk vind?' Hij lacht weer en duwt me op het bed. Dan neemt hij mijn gezicht in zijn handen en kijkt me heel doordringend aan. Hij houdt op met lachen. 'Ellie, ik hou van jou. Ik hou van Tom. Ik vind het heerlijk om getrouwd te zijn met jou en een gezin met je te hebben, en ik zou nooit een verhouding beginnen. Bovendien heb ik me nooit tot Lisa aangetrokken gevoeld, ook al zie ik best dat ze heel knap is.'

'En als je single was?' dring ik aan. 'Zou je haar dan mee uit hebben gevraagd?'

Dan zucht en schudt zijn hoofd. 'Weet je, als ik Lisa mee uit had gevraagd, zou ik blij zijn dat de avond er weer op zat. Ze is knap en grappig, maar zo oppervlakkig dat ik er gek van word. Ik zou niet met zo iemand om willen gaan.'

'Nou, dank je wel, Dan. Ze is een van mijn beste vriendinnen.'

'Hou op,' zegt hij. 'Jij stelde een vraag en daar heb ik antwoord op gegeven.'

'Wat is je moeder toch een trut,' zeg ik een paar minuten later als we ons uitkleden. 'Echt een stom wijf.'

'Ellie!' snauwt Dan. 'Praat niet zo over mijn moeder.'

'Goed, goed, het spijt me. Maar waarom heeft ze al die dingen gezegd? Ik begrijp al sowieso niet waarom ze het denkt, laat staan dat ze het tegen mij zegt. Echt, ze wil me gewoon van streek maken.'

'Ten eerste weet je dat dat belachelijk is. Je klaagt altijd dat mijn moeder je beste vriendin wil zijn; het laatste wat ze wil, is jou van streek maken. En ten tweede wilde ze je waarschijnlijk niet van streek maken, maar voelt ze zich bedreigd door Lisa en reageerde ze dat op jou af.'

'Nou, leuk. Waarom per se op mij?'

'Ik bedoelde niet dat ze jou moest hebben. Hoor eens even,' verzucht hij. 'Ik weet het niet. Ik weet niet wat haar vanavond mankeerde of waarom ze jou wilde overtuigen van het idiote idee dat ik op Lisa val. Dat doe ik niet. Ik val op jóú, en je weet dat ik niet klem wil komen te zitten tussen jou en mijn moeder. Als je zo van streek bent, moet je morgen maar met haar gaan praten.'

Ik kijk Dan stomverbaasd aan. Hoe kan hij me zo kwaad maken terwijl we een paar minuten geleden nog zo warm en liefdevol praatten?

'Jij bent echt ongelooflijk.' Ik spuug de woorden zowat uit. 'Jij neemt het ook nooit voor me op! Het enige wat je ooit zegt, is dat je er niet bij betrokken wilt raken. Nou, misschien moet je dat wél een keer doen. Het wordt tijd dat je beseft wat belangrijker voor je is. Ik ben godverdomme je vrouw. Ik ben nu je gezin. Niet zij. Zij is niet langer de belangrijkste vrouw in je leven; dat ben ik, en als jij niet zo'n stomme lafaard was en het een keer voor mij zou opnemen, zou zij misschien ophouden met haar achterlijke spelletjes!'

Dan schudt alleen zwijgend zijn hoofd en ik weet dat ik moet ophouden, ik weet dat dit dezelfde ruzie is die we altijd hebben en dat die net zo zal eindigen als anders – dat we niet meer met elkaar praten, soms dagenlang niet – maar ik kan er niks aan doen. Zijn zwijgen verergert mijn woede en als hij me zijn rug toekeert en in bed stapt, moet ik de neiging bedwingen hem te slaan.

'Waag het niet me je rug toe te keren,' bijt ik hem toe, en ik loop naar zijn kant van het bed. Met mijn handen in mijn zij blijf ik daar staan. 'Waag het niet me je rug toe te keren. Wie denk je eigenlijk dat je bent?' In gedachten hoor ik flarden van mijn moeder, mijn moeder in een vlaag van dronken razernij, maar het kan me niet schelen, want ik ben verblind door woede omdat mijn echtgenoot zwijgt; vanwege zijn weigering me te verdedigen tegen de aanvallen van zijn moeder, net zoals mijn vader me jaren geleden weigerde te verdedigen tegen mijn moeders verbale aanvallen.

Er is niets nieuws onder de zon.

En het eindigt zoals altijd: we liggen naast elkaar in bed zonder iets te zeggen. We verroeren ons nauwelijks en doen net alsof we slapen, hoewel ik aan zijn ademhaling hoor dat hij niet slaapt, en ik weet uit ervaring dat ik waarschijnlijk tot in de kleine uurtjes wakker zal blijven, mijn hart bonkend van woede. Het liefst wil ik dat alles weer normaal wordt, maar ik krijg het woord 'sorry' niet over mijn lippen.

Ik weet precies wat ik moet zeggen om alles weer goed te maken, alleen ben ik er niet toe in staat om dat te doen.

18

Ze zeggen wel eens dat je niet moet gaan slapen als je nog ruzie hebt. Was het maar zo makkelijk. Als wij ruzie hebben, gaan we altijd slapen zonder dat het is uitgepraat, en als we wakker worden, zijn er nog altijd dezelfde stiltes, dezelfde wrok, dezelfde verwijten.

Vanochtend doe ik net alsof ik slaap. Ik heb geen zin om naar Dan te kijken, met hem te praten, in zijn buurt te zijn, en ik blijf in bed liggen en luister hoe hij opstaat en de kamer uit gaat. Ik wil zijn voorbeeld volgen en Tom zijn ontbijt geven, maar voor ik het weet word ik weer wakker en pak ik versuft mijn horloge, dat op het nachtkastje ligt. Ik zie dat het zestien over elf is.

Zestien over elf? Ik staar naar de cijfers terwijl mijn hersens in beweging proberen te komen. Dat komt er nou van als je om vijf uur 's ochtends nog niet slaapt. Zestien over elf! Ik spring uit bed en ren de kamer uit op zoek naar de anderen, maar ik maak me vooral zorgen om Tom. Hoe dom het ook klinkt: zou hij nog in zijn bedje liggen wachten tot ik hem kom halen?

Op Toms gezichtje verschijnt een stralende glimlach en hij steekt zijn mollige armpjes naar me uit als ik de hoek om kom bij het zwembad. Daar zit iedereen te praten en te lachen en ze beginnen te juichen als ik slaperig naar Tom loop, die op een handdoek zit.

'Liet mijn echtgenoot mij maar eens uitslapen.' Trish werpt een veelzeggende blik op Gregory als ik bij haar ligstoel ben en met Tom op schoot op het randje ga zitten.

Ik kijk naar Dan, maar zodra onze blikken elkaar ontmoeten, wendt hij zijn hoofd af. Hij is nog steeds boos vanwege de ruzie van gisteravond, maar dat ben ik ook, en hoewel ik het lief vind dat hij me heeft laten slapen, maakt dat niet automatisch alles goed. Ik weet niet hoe ik dat voor elkaar moet krijgen.

'Dank je,' zeg ik ijzig tegen Dan. Het klinkt onwillig en hij knikt alleen en duikt het zwembad in zonder me aan te kijken.

Lisa glimlacht naar me. Ze heeft haar handen achter haar hoofd geslagen en haar boek ligt op haar buik, terwijl Amy tussen haar benen met een paar gekleurde pluchen blokken speelt. 'Herinner je je die vrouw nog die we in het vliegtuig tegenkwamen – Kate?'

Ik knik.

'Ze heeft net gebeld om te vragen of we vanavond iets bij hen willen drinken en dan ergens een hapje gaan eten. We wilden weten hoe jou dat lijkt.'

'Leuk,' zeg ik. 'Maar de kinderen dan? Tom gaat om precies zeven uur naar bed.'

'Maak je geen zorgen,' roept Linda. 'Michael en ik hebben al gezegd dat wij wel willen oppassen.'

'Hè? Op alle drie? Maar weet je, volgens mij gaat Tom niet slapen zonder dat wij er zijn. Ik weet niet of het wel zo'n goed idee is.'

'Doe niet zo mal.' Dan snuift minachtend. 'Wat kan er nou helemaal gebeuren? Er overkomt Tom heus niks. Er overkomt hun geen van drieën iets.'

Hij heeft gelijk. Als het andere mensen waren dan mijn schoonouders, zou ik Tom zonder enige moeite achterlaten. Ik weet dat ik kinderachtig doe, dus ik haal mijn schouders op en knik instemmend.

'Als we ze maar niet allemaal in bad hoeven te doen,' zegt Michael vlug. 'Ik geloof niet dat Linda en ik dat aankunnen.' Hij begint te lachen. 'Het is lang geleden sinds we op drie kinderen moesten letten, en we zijn de jongsten niet meer.'

Lisa slaat haar ogen ten hemel alsof hij uit zijn nek kletst, zo'n toffe kerel als mijn schoonvader. 'Het was onze bedoeling om de kinderen op bed te leggen voor we gaan,' zegt ze. 'Op die manier merken Tom en Amy niet eens dat we weg zijn.'

'En Oscar dan?' vraag ik aarzelend.

Ik weet dat Trish veel makkelijker is met Oscar dan Lisa en ik zijn met onze kinderen. Lisa en ik hebben *The Contented Little Baby Book* praktisch uit ons hoofd geleerd en we hebben urenlang gepraat over onze theorieën dat baby's regelmaat nodig hebben. Trish daarentegen gelooft in voeding als het kind daarom vraagt en ze vindt dat de baby bij zijn ouders in bed mag slapen. Kortom, bij hen bepaalt Oscar wat er gebeurt.

Het enige wat hij niet doet, is de rekeningen betalen.

Dat is het enige aspect van onze vriendschap waar ik moeite mee heb. Ik weet zo zeker dat ik gelijk heb… dat mijn manier van opvoeden de juiste is – dat wij, Dan en ik, de ouders zijn, de volwassenen, degenen die bepalen wat en wanneer de kinderen doen wat ze doen – dat het me kwaad maakt dat Trish het licht niet ziet, om het maar zo te zeggen.

Vanaf het begin heb ik met Tom een vast patroon gevolgd. Ik maak hem om zeven uur wakker, hij krijgt zijn ontbijt en dan moet hij om negen uur een kort dutje doen. Om halftwaalf krijgt hij zijn lunch en dan wordt hij, nooit later dan twaalf uur, op bed gelegd voor een middagslaapje op de kinderkamer met de gordijnen dicht. Om twee uur is hij weer op en om halfdrie krijgt hij een flesje. 's Middags gaan we wandelen en dan krijgt hij om precies vijf uur zijn avondeten; om zes uur gaat hij in bad en vlak voor hij om zeven uur naar bed gaat, krijgt hij zijn laatste flesje.

Daarentegen doet Oscar min of meer waar hij zin in heeft. Trish geeft hem nog altijd de borst, hoewel ze dat nu combineert met flesvoeding. Ze heeft toegegeven dat ze het vreselijk vindt dat Oscar de fles lekkerder begint te vinden dan de borst.

Echt, als het aan haar lag, zou ze Oscar de borst geven tot hij gaat studeren. Niet dat ik een probleem heb met borstvoeding, maar ik vind het nogal vreemd om kinderen die al kunnen lopen en praten nog aan hun moeders borst te zien.

Trish heeft toegegeven dat ze 's ochtends niet op haar best is en gelukkig heeft Oscar nooit honger als hij wakker wordt, dus blijven ze samen minstens een uur in bed liggen en kijken ze naar ontbijtprogramma's op tv. Overdag krijgt hij telkens een flesje als hij chagrijnig wordt en hij doet pas een dutje als hij in zijn buggy in slaap valt.

Als gevolg daarvan is Oscar om vijf uur onmogelijk. Geloof me: ik heb het met eigen ogen gezien. Het enige wat hem dan tevredenstelt is vastgehouden worden, dus loopt Trish met hem rond vanaf vijf uur tot hij naar bed gaat, en hij bepaalt zelf hoe laat dat is. Als Gregory om halfacht thuiskomt, wil hij graag nog even met Oscar spelen, dus in het gunstigste geval slaapt Oscar pas om negen uur.

De hemel verhoede dat hij 's nachts gaat huilen, want wanneer dat gebeurt, wordt hij onmiddellijk getroost met Trish' borst, voor hij weer in slaap wordt gewiegd in bed bij Gregory en Trish. En dan vraagt ze zich nóg af waarom ze voortdurend moe is.

Mijn huisarts, met wie ik vaak over Trish heb gepraat, houdt vol dat een baby van acht maanden 's nachts niet meer gevoed hoeft te worden, en die informatie heb ik doorgespeeld aan Trish, maar zij haalde alleen lachend haar schouders op. Ze beweerde dat ze elke

173

avond als ze naar bed gaat hoopt dat hij wakker zal worden, omdat ze zijn lekkere warme lijfje zo graag knuffelt.

En haar leven is al zo moeilijk. Ze heeft ik weet niet hoe vaak iets afgebeld omdat Oscar te lastig is of omdat hij in slaap is gevallen terwijl we hadden afgesproken in het park, of omdat hij niet moe is en niet wil gaan slapen.

Ik weet dat ik haar manier van opvoeden hoor te steunen, dat ik moet accepteren dat iedereen het anders doet, dat er geen foute of goede manier is om een kind groot te brengen; maar als je naar onze kinderen kijkt en ziet hoe vrolijk en makkelijk Tom en Amy zijn omdat Lisa en ik allebei een vaste routine hebben, en als je dat vergelijkt met Oscar, die meestal sikkeneurig is, wat volgens mij komt doordat hij niet genoeg slaap krijgt, dan moet je je toch afvragen of Trish het wel goed doet.

Ik vind het heerlijk om moeder te zijn en nu ik zelf heb ervaren hoe fijn het is om vriendinnen te hebben, vind ik het ook heerlijk om vrouw te zijn. Het is geweldig dat je alles kunt delen met je vriendinnen, dat ze je niet veroordelen maar je accepteren zoals je bent.

Ik prijs mezelf gelukkig dat ik op dit moment in mijn leven zulke vriendinnen heb gevonden. Maar toch, ondanks alle steun die we elkaar geven, heb ik tot mijn schrik ontdekt dat er één gebied is waarop vrouwen elkaar absoluut niet steunen, tenzij je verwante geesten vindt die helemaal achter jouw filosofie staan, wat die filosofie ook mag zijn.

Trish en ik mogen dan een band hebben omdat wij geen waardering hebben voor de manier waarop Lisa de geneugten des levens waardeert, maar Lisa en ik hebben een band gekregen omdat we onze kinderen op dezelfde manier grootbrengen. Ik heb Lisa vaak gevraagd hoe het komt dat Trish niet inziet dat onze manier de juiste is.

We hebben geprobeerd er met haar over te praten, maar heel voorzichtig en subtiel, want moeders mogen niet bekritiseerd worden over de manier waarop ze hun kinderen opvoeden, zelfs niet door hun beste vriendinnen. Omdat ik niet het risico wil lopen haar kwijt te raken, heb ik geleerd mijn mond te houden en mijn frustraties te uiten tegen Lisa als we met zijn tweeën zijn.

Dus als ik aan Trish vraag: 'En Oscar dan?' doe ik dat omdat ik zeker weet dat Oscar een driftaanval zal krijgen als we weggaan en hem bij Linda en Michael achterlaten. Niet dat ik dat zo erg vind.

174

Waarschijnlijk zal het best grappig zijn. Maar het zou ertoe kunnen leiden dat ze niet nog een keer willen oppassen.

'Daar zeg je wat.' Trish fronst haar wenkbrauwen. 'Ik vind het wel een beetje eng om Oscar alleen te laten.' Tegen Linda en Michael zegt ze: 'Niet dat jullie het niet kunnen. Jezus, het spijt me, dat klonk wel heel ongelukkig, maar Oscar is zo gevoelig…' Lisa en ik kijken elkaar aan en ik zie dat ze haar ogen vrijwel onzichtbaar ten hemel slaat. '… en misschien raakt hij in paniek als we er niet zijn.' Ze wendt zich tot Gregory voor advies, maar die haalt enkel zijn schouders op; bij hen is Trish degene die over de opvoeding gaat. Zij bepaalt de regels, zelfs al ontbreken die volkomen.

'Vinden jullie het erg als we hem meenemen?' Trish kijkt ons aan. 'Hij is vast niet lastig, dat beloof ik. De laatste tijd nemen we hem wel vaker mee, en meestal valt hij zonder problemen in slaap in zijn buggy. Ik ben gewoon bang dat hij heel ongelukkig zal zijn zonder ons.'

Niemand zegt iets, maar de opgeluchte uitdrukking op Linda's gezicht spreekt boekdelen. Zij doet als eerste haar mond open. 'Wat een goed idee, Trish. Als de baby van streek raakt als zijn mammie er niet is, kun je hem beter bij je houden.'

Geweldig.

Die dag zeggen Dan en ik haast niks tegen elkaar. In gezelschap doen we net alsof alles goed is, maar ik wacht tot hij als eerste zijn excuses aanbiedt, en het is duidelijk dat hij wacht tot ik dat doe.

Nou, dan kan hij lang wachten.

We spelen met Tom, en als je niet weet dat we de avond ervoor een knallende ruzie hebben gehad, zou je het nergens aan kunnen merken. We slagen erin met elkaar te praten en elkaar dingen te vragen, maar daaronder gaat een kilheid schuil, al weet ik zeker dat het verder niemand opvalt.

'Is alles goed?' vraagt Linda als ik in de keuken een cola light inschenk.

'Ja, hoor,' zeg ik opgewekt. 'Waarom vraag je dat?'

'Hebben Dan en jij geen ruzie gemaakt?'

Ongelovig kijk ik haar aan. 'Nee. Hoezo?'

'Niks. Niks. Het zijn mijn zaken niet. Alleen ken ik Dan heel goed en ik weet precies wanneer hij ergens boos over is. Dan krijgt hij hier van die kleine rimpeltjes.' Ze wijst op het plekje tussen haar wenkbrauwen. 'Die krijgt Tom ook. Dat kan ik nu al zien.'

'Dat is niet gezegd.' Ik doe mijn best om niet te snauwen. 'Iedereen zegt dat hij precies op mij lijkt toen ik een baby was.' Dat is een leugen. Er is helemaal niemand om dat te zeggen, aangezien mijn vader Tom al in geen maanden heeft gezien en er verder niemand is die dat kan weten.

'Echt waar?' Haar ogen worden groot. 'Wat raar. Hij lijkt precies op Dan als baby. Zie je dat echt niet?'

'Nee.' Ik doe ijs in het glas en loop de keuken uit. 'Dat zie ik echt niet.'

Na gisteravond kan ik niet over haar gaan zeuren tegen Dan, maar ik moet mijn frustraties over Linda wel even kwijt. Ik moet met iemand praten. Als ik bij het zwembad kom, zie ik dat Lisa is verdwenen; ze is een wandeling in de olijfgaard gaan maken, dus ik trek mijn sandalen aan en ga naar haar toe.

'Wat doe je?' Ze zit op de grond en steekt met een schuldig gezicht haar hand achter haar rug, maar er drijft een sliert rook over haar hoofd.

'Rook je?' vraag ik geschokt. 'Jezus! Je zit te roken!'

'Ssst. Ssst,' zegt ze schuldbewust, en ze haalt haar hand achter haar rug vandaan en laat de sigaret zien. 'Ik wil niet dat de anderen het te weten komen.'

'Maar je rookt helemaal niet. Tenminste, ik wist niet dat je rookte.' Ik ben nog steeds geschokt. 'Hoe kun je een van mijn beste vriendinnen zijn en me niet vertellen dat je rookt?'

'Ten eerste beschouw ik mezelf niet als een roker.' Lisa neemt een diepe trek van de sigaret en ademt uit, terwijl ik de rook wegwuif. 'En ten tweede is het niet echt iets waar je over praat. Hoe gaat het met jou? Hoe gaat het met de kinderen? Met ons is alles goed, en trouwens: wist je al dat ik rookte?'

Met een frons zeg ik: 'Dat is waar, maar toch.'

'Ik rook niet echt,' zegt Lisa.

'Ik zie het.' Onwillekeurig moet ik grijnzen.

'Nee, echt. Ik heb het jarenlang niet gedaan en nu rook ik er alleen nog af en toe eentje. Als ik 's avonds uit ben, rook ik er een, en soms als ik op vakantie ben.'

'Zeg alsjeblieft dat je niet rookt waar Amy bij is,' zeg ik streng.

'O, god, nee! Wat denk je wel niet? Dat ik een ontaarde moeder ben, of zo?'

Ik schud mijn hoofd. 'Nee, je bent een geweldige moeder. Sorry, dat had ik niet moeten zeggen.'

'Geeft niet. Je moest het wel vragen.' Ze drukt de sigaret uit en begraaft de peuk onder een paar twijgjes. 'Zeg, wat is er aan de hand met jou en Dan?'

'Hoe bedoel je? Niks, hoor.'

'Ja, ja. En ik rookte net helemaal niet; dat beeldde je je maar in.'

Ik barst in lachen uit, ik kan er echt niks aan doen. 'Goed,' zeg ik. 'We hebben gisteravond knallende ruzie gehad en we willen geen van beiden toegeven dat we fout zaten, dus heeft niemand zijn excuses aangeboden, en op het ogenblik heb ik een bloedhekel aan hem.'

'Ging het over datgene waar het altijd over gaat?'

Ik zucht. 'Ja. Het is toch niet te geloven? Je zou toch verwachten dat we wat creatiever zijn met onze ruzies, in plaats van de hele tijd over zijn moeder te bekvechten, maar ik vind het vreselijk dat hij het nooit voor mij opneemt.'

En ik gooi alles eruit. Uiteraard vertel ik haar niet waar het precies over ging, maar ik heb het over de algemene dingen in verband met Linda, zeg dat ze altijd alles naar haar hand probeert te zetten en dat Dan het nooit voor mij opneemt. 'Wat denk jij ervan?' vraag ik als ik ben uitgeraasd. 'Vertel eens hoe jij over háár denkt.'

'Ik weet niet wat ik moet zeggen,' zegt ze. 'Ik bedoel, ik begrijp best hoe je je voelt, en misschien zou ik me ook zo voelen als ik nog getrouwd was, maar dit heb ik nooit meegemaakt, want de ouders van de Deserteur woonden in Amerika en ik kende ze nauwelijks.' Ze kijkt me aan en ziet hoe ik naar haar kijk. 'Goed, ik vind dat Dan je wel wat meer kan steunen, maar, Ellie, zo erg zijn ze nou ook weer niet.'

'Nee, zíj niet,' zeg ik. 'Maar Linda wel.'

'Ja, goed dan. Linda. Ik vind haar gewoon niet zo vreselijk. Jezus, het zou veel erger kunnen zijn. Ze wil alleen een goede schoonmoeder en oma zijn. Alleen heb je zo'n hekel aan haar gekregen dat je kwaad wordt om alles wat ze zegt, hoe onschuldig het ook is.'

'Bedankt voor je steun,' mopper ik. Ik hoor zelf hoe kinderachtig ik klink.

'Ellie, je weet dat ik achter je sta, maar je moet de zaken wel in het juiste perspectief zien. Heb je er wel eens aan gedacht dat ze zich zo gedraagt omdat ze ongelukkig is?'

'Ongelukkig? Waarom zou zij nou ongelukkig zijn?'

Lisa haalt haar schouders op. 'Nou, zo goed ken ik hen niet. Maar voor hetzelfde geld is ze doodongelukkig. Weet ik het? Misschien is ze wel eenzaam. Misschien heeft ze al die jaren voor haar kinderen geleefd en weet ze niet wat ze moet doen nu ze volwassen zijn en hun eigen leven leiden.

Wie weet bemoeit ze zich daarom zo veel met je: uit eenzaamheid. In plaats van haar te haten, moet je waarschijnlijk medelijden met haar hebben.'

Met een frons denk ik aan Linda. Zou ze echt ongelukkig kunnen zijn? Eenzaam? Kwetsbaar? Ik zie haar altijd als een sterke vrouw. In mijn gedachten is ze een soort über-schoonmoeder, een reusachtige vrouw die tot heel slechte dingen in staat is. Maar op dat ogenblik slaagt Lisa erin haar weer tot menselijke proporties terug te brengen.

Plotseling zie ik Linda niet meer als monster, als iemand die overal waar ze gaat ellende en verwoesting aanricht. Nee, ineens vind ik haar nogal zielig. Arme vrouw. Ze heeft haar eigen leven opgegeven voor haar kinderen, maar daar willen haar kinderen nu niks meer van weten. Emma ergert zich voortdurend aan haar, Richard belt alleen als hij iets nodig heeft, en Dan? Die heeft mij nu. En Tom. Een eigen gezinnetje.

'Ongelooflijk,' zeg ik zacht. 'Ik denk dat je gelijk hebt. Ze is natuurlijk ongelukkig. Ik moet wat beter mijn best doen en haar wat meer bij ons leven betrekken.'

'Ik zeg alleen dat ze niet zo slecht is als jij beweert. En hij is geweldig.'

'Wie?' Verward kijk ik haar aan.

'Je schoonvader, Michael.'

'Michael? Geweldig?' zeg ik langzaam. Kennelijk begrijp ik iets verkeerd.

'Ja. Vanochtend vertelde hij ons anekdotes uit zijn studietijd en we lagen allemaal dubbel.'

'Michael?' Mijn frons wil maar niet verdwijnen, evenmin als het onbegrip. 'Mijn schoonvader? Weet je het zeker?'

'Doe niet zo stom.' Ze snuift minachtend. 'We lagen allemaal in een deuk. We kunnen beter teruggaan, voor Trish ons gaat zoeken en ze aan mijn adem ruikt dat ik heb gerookt.'

Ik begin te lachen. 'Ben je echt bang voor Trish?'

'Laat ik het zo zeggen,' zegt ze. 'Met Kerst heb ik van Andy een bontstola gekregen.'

'Maar je zei toch dat hij je een armband had gegeven?'

'Nee. Die armband heb ik zelf gekocht, want ik durf niet tegen Trish te zeggen dat ik iets van echt bont heb. De stola ligt verborgen op zolder. Elke keer als ik die wil dragen, ben ik ervan overtuigd dat ik Trish zal tegenkomen en dat ze tegen me tekeer zal gaan.'

'Lafaard,' zeg ik lachend.

'Durf jíj bont te dragen bij Trish in de buurt?'

'Eh… nee. Maar daar kan ik niet mee zitten,' zeg ik. Zelfs al konden we het ons permitteren, ik weet dat Dan nooit een bontstola voor me zou kopen.

'Ik ben dol op haar, maar we zijn wel heel verschillend.'

'Dat weet ik. En je hebt gelijk: ze zou het je heel moeilijk maken als ze wist dat je rookt' – veelbetekenend kijk ik haar aan – 'zelfs al is het alleen op vakantie.' Ik sta op en klop het gras van me af. 'Maar toch, het is onvoorstelbaar dat ik dat niet van je wist.'

Lisa staat ook op en verbergt het doosje lucifers in de knoop van haar sarong. Met een mysterieuze glimlach zegt ze: 'Je weet wel meer niet van me.'

19

Ik heb vandaag in de zon gelegen, en hoewel ik me niet echt geweldig voel – ruzies met Dan maken me altijd van streek en geven me het gevoel dat er iets mis is, al doe ik mijn best de buitenwereld te laten geloven dat er niks aan de hand is – moet ik toegeven dat ik er best goed uitzie.

Lisa mag dan alle designerwinkels in WestEnd hebben leeggekocht, ik ben ook goed geslaagd met mijn goedkopere alternatieven. Vanavond draag ik een luchtig jurkje van chiffon dat mijn licht gebruinde huid mooi laat uitkomen en mooi rond mijn knieën valt.

'Leuk zeg,' zegt Lisa als ik de woonkamer in kom. 'Waar heb je dat gekocht?'

Kon ik maar liegen. Kon ik maar zeggen dat het een Diana von Furstenberg of zo was, maar Lisa, die er opvallend chic uitziet in haar Allegra Hicks-jurk met gouden oorringen, zou ongetwijfeld weten dat ik lieg.

'Hij is tweedehands,' zeg ik met een grijns. 'Is hij niet mooi?'

Met een glimlach loopt ze naar me toe om aan de stof te voelen en ze zegt dat de jurk inderdaad mooi is. 'Schatje, je moet niet zeggen dat hij tweedehands is. Dat zegt niemand meer. Zeg dat hij klassiek is.'

'Klassiek,' mompel ik, en ze heeft gelijk: dat klinkt veel beter.

'Maar hij is prachtig,' zegt ze. 'Je ziet er geweldig uit.' Ik glimlach, blij met het compliment. Op het ogenblik ben ik blij met elk compliment, aangezien Dan en ik nog steeds niet met elkaar praten.

Nou, jammer voor hem. Ik heb me vast voorgenomen er een leuke avond van te maken. Ik mag die mensen dan niet kennen, maar ik ben met vakantie en ik kan zijn wie ik maar wil. En vanavond, dames en heren, ben ik niet Ellie Cooper, vrouw, moeder, binnenkort kleinburgerlijk – nee, vanavond ben ik Ellie Black, single vrouw die in is voor avontuur, grappig en levendig. Ik ben van plan om champagne te drinken (laat er alsjeblieft champagne zijn; als die mensen

Jonathan en Caro heten, ga ik ervan uit dat ze champagne hebben), en misschien gaan we zelfs dansen. Daar ben ik wel aan toe, en na de dag, en nacht, die ik achter de rug heb, kan ik zeker wel wat sterkedrank gebruiken.

Hoe komt het dat ik me na twee jaar huwelijk al een volslagen ander mens voel? Komt dat door het huwelijk zelf, of verander je zo erg door het moederschap?

Of misschien ligt het aan mijn huwelijk. In de nachten dat ik wakker lig en Dan haat en van hem af wil, ben ik ervan overtuigd dat ik een verkeerde keus heb gemaakt. Meestal zijn die gevoelens verdwenen als ik 's ochtends wakker word, achtergelaten in het donker, en dan denk ik er niet meer aan en noem ik ze mijn nachtelijke angsten. Maar misschien zijn ze dat niet. Misschien hoor ik me niet zo anders te voelen en betekent het wel degelijk dat ik een foute keus heb gemaakt. Dat ik met de verkeerde man ben getrouwd.

Maar dan denk ik aan Lisa. En Trish. En Fran. Ik denk eraan dat we allemaal hetzelfde lijken mee te maken, dezelfde gevoelens hebben voor onze kinderen; dat we allemaal klagen over het gebrek aan een sociaal leven (goed, misschien geldt dat laatste niet voor Lisa), over het gebrek aan energie en voortdurende vermoeidheid. Waarschijnlijk is dit dus heel normaal en komt het niet doordat ik de verkeerde man heb gekozen, maar doordat mijn leven zo ontzettend is veranderd dat het langer dan twee jaar zal duren voor ik me heb aangepast.

Maar vanavond heb ik geen zin om me aan te passen of concessies te doen. Vanavond wil ik vergeten dat ik getrouwd ben en verantwoordelijkheden heb. Vanavond neem ik een vakantie van mijn leven. Ik moet en ik zal het naar mijn zin hebben, hoe moeilijk dat ook is.

'Kom binnen! Kom binnen! Lisa, leuk je te zien!' Jonathan is een grote, brede, uitbundige man en zodra hij de deur opendoet, zie ik meteen dat ik hem aardig zal vinden en dat ik geen champagne nodig heb om me te ontspannen.

Al ga ik die toch drinken.

Jonathans vrouw, Caro, staat vlak achter hem, en ik steek mijn hand uit om haar te begroeten, maar ze lacht alleen en omhelst me. 'Jij bent Ellie, toch? Leuk je te zien. Kom maar gauw binnen, dan geven we je iets te drinken.'

Iedereen in ons groepje krijgt een klap op de rug van Jonathan en een omhelzing van Caro, en we lopen naar de woonkamer om met de anderen kennis te maken. Ik moet toegeven dat ik een beetje nerveus word.

Dit zijn de rijke en beroemde mensen over wie ik lees. De mensen die vaak logeren in het Calden, die geloven dat ze vanwege hun uiterlijk en hun charme alles kunnen krijgen waar ze hun zinnen op zetten.

'Receptionist, beste man, wil je alsjeblieft het Ivy bellen en om acht uur een tafeltje voor zes personen reserveren?'

'Kun je me een plezier doen en British Airways bellen? Vraag of er ook een betere plaats is. Zeg maar dat het voor mij is.'

'Schat, bel Hermès en vraag of ze nog wat Birkins hebben. Noem mijn naam maar.'

Die mensen kwam ik vroeger elke dag tegen in het Calden. Ik heb me altijd verbaasd over hun zelfverzekerdheid, hun gave zich met hun charme een weg door het leven te banen. Altijd kregen ze wat ze wilden, hoe onredelijk het verzoek ook was. Hun wensen werden ingewilligd, maar dat leek ze nooit te verbazen. Zodra ze iets hadden gevraagd, gingen ze ervan uit dat ze het zouden krijgen.

Ik bekeek ze van een afstandje, maar ik had hen nooit echt gekend en zelfs nooit overwogen vriendschappelijk met hen om te gaan. Ze hadden me veel te veel ontzag ingeboezemd om er zelfs maar aan te denken om een avond met hen door te brengen, tot ik Lisa leerde kennen.

Maar Lisa in haar eentje is gewoon Lisa. Pas toen ik Lisa in het vliegtuig Kate zag omhelzen drong het tot me door dat Lisa bij die mensen hoort. Bij deze mensen die me het gevoel geven dat ik onhandig en saai ben.

'Wij kennen elkaar al.'

Ik hoor de woorden als ik de man een hand geef en ik realiseer me dat zijn gezicht me bekend voorkomt – maar ja, alle aanwezigen komen me bekend voor, omdat hun foto's regelmatig in de bladen verschijnen.

Ik knijp mijn ogen een beetje samen en probeer hem te plaatsen. Ik weet zeker dat hij meer is dan een foto in een tijdschrift. En zijn stem klinkt me ook bekend in de oren.

'Ja,' zeg ik. 'Je komt me heel bekend voor, maar ik ben mijn geheugen kwijt sinds ik een kind heb gekregen. Sorry.' Ik haal verontschuldigend mijn schouders op en hij lacht. 'Help me even op weg. Wie ben je ook alweer?'

'We hebben elkaar bij Fran en Marcus ontmoet,' zegt hij. 'Jij bent toch een collega van Sally? Ellie, nietwaar? Ik ben Charlie. Charlie Dutton.'

'O, ja, natuurlijk! Charlie Dutton!' Charlie en Sally, de Charlie die Sally maandenlang heeft gestalkt voor ze besefte dat hij absoluut niet aan een vaste relatie toe was en ze zich beter op andere mannen kon richten, wat ze dan ook heel snel heeft gedaan.

'Goh, dat je je mij nog herinnert,' zeg ik blij. Meestal ben ik op feestjes de vrouw die de mensen niet helemaal kunnen plaatsen, de vrouw die de mensen er steeds aan moet herinneren waar ze haar van kennen. Dan moet ik dingen zeggen als: 'Ik ben een vriendin van Fran', of: 'Ik ben Dans vrouw', of, 'Ik ben iets van iemand.'

Ik vermoed dat ik gewoon zo'n gezicht heb.

'Ja, hoor, je bent gewoontjes,' had Trish op een dag lachend gezegd toen ik dat tegen haar zei. Maar dat is echt zo. Ik denk dat ik een hoop mensen aan iemand anders doe denken, en daardoor heeft iedereen er moeite mee om me te kunnen plaatsen, of herinneren ze zich mij helemaal niet meer.

'Jij bent toch filmproducent?'

Hij knikt. 'En jij bent hoofd Marketing bij Calden.'

'Jeetje, dat je dat ook nog weet!'

Hij haalt zijn schouders op. 'Ik heb een goed geheugen.'

'Maar ik ben geen hoofd Marketing meer,' zeg ik. 'Tegenwoordig ben ik freelance consultant. Het moet tijden geleden zijn dat we elkaar hebben ontmoet. Ik weet niet eens zeker of ik toen al getrouwd was.'

'Volgens mij was je verloofd en stond je op het punt te gaan trouwen. Zei je niet dat je een kind hebt? Gefeliciteerd. Dat was snel.'

'We doen net alsof hij op onze huwelijksreis is verwekt, maar eigenlijk was ik al zwanger voor we trouwden, dus ja: het was inderdaad snel.'

'Het was dus een moetje?' vraagt hij.

Ik moet lachen. 'Nee. We waren al bezig het huwelijk te regelen voor ik ontdekte dat ik zwanger was.'

'En wie is je echtgenoot?'

'Dan.' Ik keer me om en zie dat Dan geanimeerd met Kate staat te praten. Goed, denk ik, dat spelletje kan ik ook spelen. Als jij zo graag met een andere vrouw praat, kan ik mezelf aangenaam bezighouden door met een andere man te flirten.

Sorry. Ik bedoel met een andere man te praten.

'Alsjeblieft.' Caro komt naar ons toe en overhandigt me een glas… Hoera! Champagne! 'Neem een glas champagne. Kennen jullie elkaar?'

'Ellie was vroeger hoofd Marketing bij Calden,' zegt Charlie. 'We hebben elkaar tijdens een lunch ontmoet. Je kent Fran en Marcus toch?'

'Natuurlijk.' Caro knikt. 'Ik ben dol op Fran, en iedere vriendin van Fran is een vriendin van mij.'

'Dank je,' zeg ik met een glimlach. In mijn klassieke jurk en met mijn hooggehakte sandaaltjes, met een glas champagne in mijn hand en een connectie met zowel Charlie Dutton als Fran, voel ik me precies zoals mijn bedoeling was voor vanavond: levenslustig en sexy.

Het is heerlijk om deze jurk te dragen. En deze hoge hakken. Anders draag ik nooit schoenen met hakken die hoger zijn dan drie centimeter. En een jurk? Echt niet. Tenslotte zit een broek veel gemakkelijker en bovendien is die veel praktischer.

Ik was vergeten hoe geweldig je je kunt voelen in een jurk. Vooral als die jurk zo dromerig en vrouwelijk is als deze, waardoor je je zelf ook dromerig en vrouwelijk voelt.

Wat grappig: ik hoor bij de incrowd. Het is jammer dat ik niet voor mijn huwelijk beter mijn best heb gedaan om met deze mensen om te gaan, of om me zo te kleden.

Ik loop achter Charlie aan naar de bank en we gaan zitten. Ik hou mijn glas omhoog, zodat Jonathan me bij kan schenken als hij door de kamer loopt. Mijn lieve echtgenoot praat nog steeds met Kate. Hij kan de boom in, denk ik. Ik zal hem deze avond niet laten verpesten.

Ik kijk naar Charlie Dutton en probeer iets interessants te bedenken om te zeggen, iets grappigs of slims om hem te vragen. Met schrik besef ik dat ik probeer te flirten. Niet omdat ik Charlie Dutton aantrekkelijk vind – hoewel hij bepaald niet lelijk is, geloof me – maar omdat ik er nu zeker van ben dat Dan flirt, en hij is niet de enige die dat kan.

Alleen kan ik het niet. Ik ben er nooit erg goed in geweest. Het overviel me altijd als mannen met mij begonnen te flirten. Ik kan best interessante, grappige of slimme dingen bedenken om te zeggen, maar pas als het moment al voorbij is en meestal pas als ik in bed lig. Alleen.

'En hoe bevalt het om moeder te zijn?' Gelukkig stelt Charlie Dutton me die vraag voor ik iets kan bedenken.

'Enig. Vermoeiend, maar leuk,' zeg ik.

'Gek hè, hoe erg het je leven verandert,' zegt hij met een glimlach. 'Ik weet nog hoe het was toen Finn net was geboren. Mijn ex en ik hadden van tevoren gezegd dat hij prima in ons leven zou passen, als een soort schattig hebbedingetje, dat we hem overal mee naartoe zouden nemen en dat hij maar moest leren om zich aan te passen. Tjonge, wat stond ons een schok te wachten.'

Ik was helemaal vergeten dat hij een zoon had. 'Dat zeiden wij ook,' zeg ik lachend. 'We hadden geen flauw benul dat het ons hele leven op zijn kop zou zetten.'

'Maar het lukt jullie.' Charlie Dutton neemt een slokje van zijn drankje. 'Ons niet, maar ja, we waren ook nooit bij elkaar gebleven als ze niet zwanger was geworden.'

Ineens wil ik meer vragen. Hoe heeft hij zijn ex ontmoet, waarom hebben ze besloten de baby te houden, hoe erg is zijn leven er eigenlijk door op zijn kop gezet?

Hij is heel aantrekkelijk.

Die gedachte bezorgt me een schok en ik kijk schuldbewust naar Dan, alsof ik mezelf gerust probeer te stellen door steun te zoeken bij de echtgenoot tegen wie ik niet praat. Het is niet zo raar dat dat niet goed lukt.

En ik merk dat ik bloos, waar geen enkele reden voor is. Behalve dan dat ik me aangetrokken voel tot Charlie Dutton. Ik heb me in geen tijden tot iemand aangetrokken gevoeld. Ik ben een getrouwde vrouw, dit hoor ik helemaal niet te voelen.

Natuurlijk heb ik wel eens nagedacht over aantrekkingskracht. Urenlang heb ik theorieën bedacht over ontrouw en verhoudingen en waarom we overspel plegen, of waarom niet.

Zelfbewust heb ik verkondigd dat je natuurlijk niet ophoudt mensen aantrekkelijk te vinden als je getrouwd bent, maar dat je een keus hebt: je kunt wat je hebt afwegen tegen wat je kunt verliezen, en dan besef je dat niets het waard is om je huwelijk voor op het spel te zetten. Dat je verliefdheid – want meer is het niet – weer voorbij zal gaan.

Maar dat is het probleem met theorieën: je kunt het nog zo leuk bedenken, als het je echt overkomt, als de ingebeelde situatie zich ineens voordoet, verdwijnen al je theorieën als sneeuw voor de zon.

Zoals Fran destijds had gezegd dat ze niet had geweten hoe ze op ontrouw zou reageren tot het haar daadwerkelijk overkwam, en dat ze toen volkomen anders reageerde dan ze altijd had gedacht, zo ben ik nu geschokt omdat ik me aangetrokken voel tot Charlie Dutton. Ineens merk ik dat ik naar zijn armen staar.

Sterke armen. Licht, in tegenstelling tot Dans donkere, behaarde armen. De armen van Charlie Dutton zijn gebruind en bedekt met blonde haartjes. Mooie armen. O, shit. Ben ik nou helemaal gek geworden?

Met een schuldbewust gezicht kijk ik naar Dan, die helemaal niet naar mij kijkt. En Charlie Dutton vraagt iets aan me, maar ik durf hem niet aan te kijken omdat ik bang ben dat ik vuurrood zal worden.

Jezus, Ellie! Je bent een volwassen vrouw! Doe normaal! Je bent een getrouwde vrouw, een moeder en VOLWASSEN! Gedraag je niet als een klein kind.

'Neem me niet kwalijk,' zeg ik tegen Charlie Dutton. 'Wat zei je?'

'Ik vroeg waar de baby is. Ik zie dat je vrienden hun zoontje hebben meegenomen.' Hij wijst naar Oscar, die lief naast Trish in zijn buggy zit. Hij negeert al het gepraat om zich heen en lijkt er tevreden mee dicht bij zijn moeder te zijn.

'Sorry.' Ik schud mijn hoofd om de ongewenste gedachten kwijt te raken. 'Tom is thuis. Mijn schoonouders hebben een huis gehuurd voor de zomer. Eigenlijk zouden ze een reis gaan maken op een jacht, maar dat heeft averij opgelopen, dus zijn ze nog hier. Het enige voordeel is dat ze nu kunnen babysitten.'

Ha. Het is me gelukt. Ik heb een complete zin gezegd zonder te blozen. Hoe dan ook, ik stel me aan. Fran heeft immers een keer gezegd dat hij een ongelooflijk begeerde vrijgezel is? Waarom zou zo iemand interesse hebben in iemand als ik? En bovendien ben ik getrouwd.

Ik hervind mijn evenwicht en begin wat makkelijker adem te halen. Natuurlijk wil ik ook helemaal niet dat hij een oogje op me heeft. Al zou ik nooit meer doen dan een beetje flirten, en zelfs dat zal niet gebeuren. Hij is een echt stuk. Hij heeft echt geen belangstelling voor me. En zo hoort het ook.

Ik ontspan me.

'Kennelijk heb je ook nog tijd gehad om te zonnen,' zegt Charlie. 'Je ziet er...' Hij laat een stilte vallen en ik kijk op en slaag erin hem recht aan te kijken. '... heerlijk uit,' zegt hij langzaam, zonder een spoor van een glimlach, en mijn hart begint te bonken.

En dan word ik knalrood, van mijn tenen tot mijn kruin. O, shit.

'O, Charlie,' zegt Caro van de andere kant van de kamer. 'Wat heb je tegen die arme Ellie gezegd? Hou alsjeblieft op, ze ziet zo rood als een kreeft. Heeft hij je in verlegenheid gebracht, Ellie? Hij is een echte plaaggeest en je kunt hem maar het best negeren.'

'Nee, nee, niks aan de hand,' mompel ik als Dan me onderzoekend aankijkt.

'Flirt hij met je?' Jonathan grijnst en ik bloos nog erger. Als dat tenminste mogelijk is.

'Ach, Charlie, wat ben je toch een rotzak,' zegt hij.

'Wat onaardig van je,' zegt Charlie Dutton beledigd, en ik kan wel door de grond zakken.

'Ik bedoelde er niks mee,' zegt Jonathan. 'Die arme Ellie probeert gewoon beleefd te zijn en jij brengt haar in verlegenheid. Laat haar met rust.'

'Goed, goed.' Charlie Dutton steekt zijn handen omhoog en grijnst, waarna hij mij aankijkt en een kleine buiging maakt.

'Het spijt me als ik je in verlegenheid heb gebracht,' zegt hij luid. 'Excuseer me alsjeblieft, ik moet even mijn neus gaan poederen.'

'Ik heb toch gezegd dat je geen cocaïne mee mocht nemen?' zegt Caro vermanend.

'Niet op die manier,' zegt Charlie grijnzend. 'Ik moet naar het toilet, oké? Klinkt dat beter?'

Hij gaat weg en ik blijf blozend zitten. Ik schaam me dood omdat ik net in het middelpunt van de belangstelling stond en omdat ik denk dat ik mezelf volkomen voor paal heb gezet. Gelukkig heb ik niet teruggeflirt. Ik loop ons gesprek in gedachten nog een keer na en slaak een zucht van verlichting: ik heb helemaal niks gezegd wat als flirten kan worden opgevat, niks wat verraadde hoe aantrekkelijk ik hem vond.

Mijn blos neemt af en de anderen hervatten hun eigen gesprekken. Ik ontspan me. En dan hoor ik een stem bij mijn oor.

'Even voor de goede orde,' zegt Charlie Dutton heel zachtjes. 'Ik meende wél wat ik zei.'

Ik blijf doodstil zitten en doe net alsof ik hem niet heb gehoord, al kan ik niet voorkomen dat er een glimlachje op mijn gezicht verschijnt.

Later, vlak voor we naar het restaurant gaan, ga ik naar de wc om mijn lippen opnieuw te stiften en om ervoor te zorgen dat mijn gezicht niet glimt.

Ik doe de deur open en bots bijna tegen Lisa op.

'Amuseer je je?'

Ik knik enthousiast. Het afgelopen halfuur heb ik staan praten met Jonathan en Caro, en heb ik mijn best gedaan om Charlie Dutton te negeren. Het was doodvermoeiend om in één ruimte te zijn met twee mannen die ik moet negeren – al is het om verschillende redenen – maar aan de andere kant is dit geflirt ook heel opwindend. Er is iemand die me sexy vindt. Iemand anders dan mijn echtgenoot vindt me... heerlijk!

'Iedereen is erg aardig,' zeg ik. 'Hartelijk en vriendelijk. En Jonathan en Caro zijn echt fantastisch.'

'Inderdaad,' zegt ze. 'En hoe zit het met die... Charlie Dutton?'

187

'Charlie Dutton?' herhaal ik nonchalant, en ik dwing mezelf om niet te blozen, om niks te verraden. 'Wat is er met hem?'

Lisa kijkt me onderzoekend aan. 'Wat vind je van hem?'

'Ik vind hem ook heel aardig,' zeg ik.

Er valt een stilte. 'Wees voorzichtig,' zegt ze. 'Ik ken hem niet, maar ik heb wel over hem gehoord. Hij is heel aantrekkelijk, maar hij heeft een nare reputatie. Hoe moet ik het zeggen… Ja, hij trekt zich er niks van aan als mensen getrouwd zijn. Sterker nog: dat lijkt hem juist meer op te winden.'

'Godsamme,' zeg ik. Eigenlijk wil ik meer vragen; ik wil alles weten over hem en over de vrouwen die hij heeft gekend, wat hij aantrekkelijk vindt, welke reputatie hij precies heeft. Maar die vragen stel ik natuurlijk niet, omdat niemand mag weten, ook Lisa niet, hoe ik me voel. 'Hij mag dan een beetje met me hebben geflirt, maar ik ben getrouwd, Lisa. Ik ben niet van plan om mijn echtgenoot ontrouw te zijn.

Ik voelde me gevleid,' ga ik verder. 'Maar dat is alles. Jezus, het is hartstikke fijn om een complimentje te krijgen van een man als je je nog steeds dik en slonzig voelt na je bevalling; als mannen je niet meer zien staan, niet meer met je flirten of je complimenteren omdat je in hun ogen een moeder bent, en nog een onaantrekkelijke ook.'

Ik kijk naar Lisa en zie dat ze het niet begrijpt. Natuurlijk begrijpt ze het niet. Hoe zou ze dat ook kunnen? 'Jij begrijpt dat niet,' zeg ik, wat vriendelijker. 'Jij bent hartstikke knap, maar wij gewone stervelingen moeten pakken wat we pakken kunnen.'

Lisa lacht. 'Goed, goed. Neem me niet kwalijk. Maar beloof me dat je geen verhouding met hem begint, want ik heb gehoord dat hij een echte hartenbreker is, en bovendien is Dan een goeie kerel. Echt, ik weet waar ik het over heb.'

'Ik beloof je met de hand op mijn hart dat ik geen verhouding met hem zal beginnen. Je weet hoe ik daarover denk. Ik heb echt geen zin om alles wat ik met Dan heb op het spel te zetten.'

Ze slaat haar armen even om me heen en we gaan terug naar de woonkamer, waar Dan met de telefoon in zijn hand staat. Hij ziet lijkbleek en verder zegt er niemand iets.

Iedereen kijkt naar mij.

En ik weet het. Ik weet direct dat er iets vreselijks is gebeurd en de wereld lijkt stil te staan.

'Het is Tom,' fluistert Dan. 'Er is een ongeluk gebeurd.'

20

Wat er daarna gebeurt, weet ik niet meer precies.

Ik besef vaag dat mensen me omhelzen en bezorgd kijken, dat er gemompeld wordt over wie er mee moet naar het ziekenhuis, wie er moet blijven, als Dan mijn arm pakt en met me naar buiten loopt, naar de auto.

Ik weet wat er gebeurt, maar het lijkt allemaal heel ver weg. Het is net alsof ik onder water zit: ik kan zien en horen, maar alles lijkt wazig, en ik ben heel kalm, kalmer dan ik ooit in mijn leven ben geweest. Mijn hart bonkt niet van paniek – de reactie die ik zou hebben verwacht, aangezien het ergste wat ik me voor kon stellen net ook echt is gebeurd – nee, mijn hart klopt zo langzaam dat het lijkt alsof het stil is blijven staan.

Vaag zie ik dat Dan nog steeds doodsbleek is en hoor ik dat Trish erop staat te rijden. Dan en ik zitten op de achterbank en kijken elk uit een raampje.

Ver weg hoor ik Trish aan Dan vragen wat er is gebeurd, en Dan zegt iets over iemand die Tom naar beneden droeg, maar dan kan hij niet verder praten omdat hij begint te huilen.

Ik besef dat ik helemaal verdoofd ben. Dat ik nergens aan kan denken. Ik zeg niks en voel niks tot we de auto parkeren voor het Hôpital des Broussailles in Cannes en ons naar de eerste hulp haasten.

'Tom Cooper,' zegt Dan dwingend tegen de verpleegster achter de balie. '*Mon fils. Nous cherchons notre fils.*'

Opeens zegt iemand: 'Dan?' Als we ons omdraaien zien we Linda en Michael de hoek om rennen. Er stromen tranen over Linda's wangen.

'We hebben de buren gevraagd om op Amy te passen,' zegt Linda door haar tranen heen. 'We zijn direct hierheen gekomen.'

'Waar is Tom?' vraagt Dan. 'Waar is hij? Wat is er aan de hand?'

'Het spijt me,' zegt ze telkens, en mijn hart verandert in een steenklomp. Het enige wat ik denk is: alstublieft, God, nee. Alstublieft, God. Nee. Nee. Nee.

'O, mijn hemel.' Dan hapt naar adem. 'Hij is toch niet…' Hij kan het niet over zijn lippen krijgen. Het woord komt zijn mond niet uit.

'Nee!' zegt Michael, die de nu hysterische Linda zachtjes aan de kant duwt. 'Hij wordt nog onderzocht door de arts.'

En eindelijk komen mijn gevoelens tot uitbarsting. Ze exploderen in een oerschreeuw en vormen een schril contrast met deze witte wereld waarin iedereen fluistert.

'Ik wil mijn zoon zien! Waar is hij? Ik wil mijn zoon zien. Nu!'

Gelukkig spreekt de dokter Engels.

'Hij heeft een gebroken been en een verbrijzelde pols, maar we maken ons meer zorgen om eventuele verwondingen aan zijn hoofd.' Hij zwijgt even. 'Het is nog maar een klein kind en zijn botten zijn nog zacht, en de orthopedisch chirurg is onderweg om…'

'Hoe bedoelt u, u maakt zich meer zorgen om verwondingen aan zijn hoofd?' vraagt Dan. Ik kan geen woord uitbrengen door de angst die zijn woorden in mij hebben wakker geroepen. Het kost me al de grootst mogelijke moeite om gewoon te blijven ademen.

De dokter zucht. 'We hebben röntgenfoto's gemaakt van zijn lichaam en we weten wat er met zijn botten aan de hand is, maar met de hersens ligt het ingewikkelder. De verwondingen aan zijn hoofd, waardoor hij nog bewusteloos is, zijn veroorzaakt door een hersenschudding.'

Niet-begrijpend kijk ik hem aan.

'We moeten een CAT-scan maken om te kijken of er bloed in zijn hersens zit.'

'Wanneer?' vraagt Dan zacht. 'Wanneer gaan jullie dat doen?'

'We treffen nu de voorbereidingen,' zegt hij.

'Maar wat betekent dat?' fluister ik. 'Hoe bedoelt u, bloed in zijn hersens? Kan dat nog goed komen? Wat betekent dat?' Mijn stem schiet omhoog en ik ben praktisch hysterisch. Het gevoel van kalmte, het gevoel van onwerkelijkheid verdwijnt onmiddellijk en er lijkt zich een ijskoude hand van angst om mijn hart te sluiten. 'Heeft hij hersenletsel?'

De arts wendt zijn blik af. 'Het lijkt me te vroeg om daarover te speculeren. Er is een aantal mogelijkheden en de CAT-scan zal ons meer vertellen. In het beste geval zal het bloed op natuurlijke wijze door het lichaam worden afgevoerd.'

'En dan komt alles goed met hem?' Dan is weer spierwit geworden.

De dokter knikt. 'Dan komt alles weer goed met hem.'

'En in het ergste geval?' Eigenlijk wil ik dat niet weten. Maar toch moet ik het vragen.

'Als het bloed voor een zwelling in de schedel zorgt, of druk in de hersens veroorzaakt, dan moeten we direct met de behandeling beginnen om de druk te verlichten.' De arts legt geruststellend een hand op mijn arm. 'Na de CAT-scan weten we meer,' zegt hij. 'Laat de moed niet zakken.'

Ik kijk naar Toms kleine lichaampje. Zijn ogen zijn dicht en overal lopen draden die hem verbinden met allerlei apparaten, en ik begin te huilen. Tranen met tuiten en grote snikken die ik niet langer kan bedwingen. Ik voel dat Dan zijn armen om me heen slaat en ik kan niet meer stoppen met huilen. Ik leun tegen hem aan en huil, en huil en huil.

Dit kan mij niet overkomen, denk ik steeds. Hoe kan dit gebeuren? Ik heb mijn moeder al verloren toen ik klein was. Is dat niet genoeg verdriet in een mensenleven? Wat heb ik gedaan dat zo verschrikkelijk is dat me dit opnieuw overkomt? Waarom ik? Waarom wij? Waarom dit kleine, hulpeloze jongetje?

Die avond gaan we niet naar huis. De volgende avond ook niet. Evenmin als de week die daarop volgt. De artsen en verpleegsters zijn vriendelijk en voorkomend op een manier die ze, naar ik vrees, reserveren voor de ouders van heel zieke kinderen, kinderen die het misschien niet zullen redden.

Er worden regelmatig CAT-scans gemaakt van Tom en tot nu toe is het nieuws positief. Er was wel wat bloed, maar geen zwelling, en zoals we al hadden gehoopt, lijkt het bloed weer te worden opgenomen door het lichaam.

O, god. Het lichaam. Niet 'het lichaam'. Mijn kindje heet Tom. Waarom overkomt ons dit?

Dan en ik slapen – en dat bedoel ik ironisch, omdat we natuurlijk nauwelijks een oog dichtdoen – op geïmproviseerde veldbedden naast Tom. Om de beurt zitten we bij hem, zingen we voor hem en houden we zijn handje vast. Ik ga de kamer alleen uit om naar de wc te gaan of om midden in de nacht meer koffie te halen.

Ik weet dat er mensen naar het ziekenhuis komen. Ik weet dat Linda en Michael vaak in de wachtkamer zitten. Ik weet dat Trish en Gregory zijn geweest, evenals Lisa, maar ik wil hen niet zien. Ik wil niemand zien. Er is niks om over te praten, er valt niks te vertellen en ik heb al mijn energie nodig om mijn zoontje te steunen en om God te smeken dat alles weer goed met hem zal komen.

In zijn been zit een pen en hij ligt in een soort frame; hij is aangesloten op talloze apparaten en verschillende infusen. Soms dank ik de hemel dat hij niet bij bewustzijn is en niets merkt, hoop ik, van alle pijn die hij moet lijden, van de metalen pennen in zijn botten en de naalden die in zijn huid worden gestoken.

Linda heeft een keer geprobeerd met me te praten. Ik kwam net uit Toms kamer omdat ik dringend wat frisse lucht nodig had, en zij liep op me af en begon te praten, maar ik kon het niet aan. Ik kon niet eens naar haar kijken, dus draaide ik me om en liep weg, zodat zij midden in een zin alleen bleef staan.

Het kan me niet schelen.

Dit gaat niet om haar. Dit gaat niet om wat zij al dan niet heeft gedaan of juist heeft nagelaten. Ik wil niet horen hoe erg ze het vindt dat ze mijn zoon heeft laten vallen. Het kan me niet schelen waarom ze überhaupt met mijn zoon rondliep, terwijl hij hoorde te slapen. Het kan me niet schelen dat ze me om vergeving wil vragen.

Ik ben alleen geïnteresseerd in Tom. Op dit moment bestaat Linda niet eens voor me, en ik weet niet of ze ooit nog voor me zal bestaan.

We blijven zeventien dagen in het ziekenhuis. Elke dag krijgen we wat meer informatie. Toms botten genezen goed. De hersenscan heeft niets ongewoons aan het licht gebracht, maar we zullen pas meer weten als hij weer bijkomt.

Op dag twaalf lig ik op mijn veldbed als ik in mijn droom een baby hoor huilen. Ik heb een vergadering in Calden, mijn voormalige werkgever, en het enige wat we horen is een huilende baby. Verdomme, denk ik in mijn droom. Ik mag helemaal geen baby meenemen naar kantoor, en nu weet iedereen het. In mijn droom is de baby in mijn kantoor en ik haast me erheen om de baby te kalmeren, die trouwens (en ik weet niet hoe ik dit moet interpreteren) niet Tom is. Maar ik kan de baby niet vinden, ik hoor alleen het gejammer, dat maar niet ophoudt.

Met moeite word ik wakker en laat de droom achter me. Toch hoor ik het gehuil nog steeds en ineens besef ik dat het Tom is en ik spring uit bed. Tom schreeuwt het uit, met zijn mond wijdopen en zijn ogen stijf dichtgeknepen. Ik probeer hem te troosten, zijn kleine lijfje te knuffelen door de draden en de frames heen, en ik begin te huilen en te lachen van opluchting.

Hij is wakker.

Hij leeft nog.

Met een beker dampende koffie in zijn hand stormt Dan binnen. Hij zet de beker direct op tafel en komt naast me staan, terwijl hij ongelovig zijn hoofd schudt en in tranen uitbarst.

'Ik dacht dat hij nooit meer bij zou komen.' Hij snikt het uit in het beddengoed en klampt zich vast aan Toms hand. 'Ik dacht dat dit nooit zou gebeuren.'

De verpleegster komt binnen, samen met de arts, en wij moeten opzij gaan zodat zij hem kunnen onderzoeken.

'Wat zeggen ze?' vraag ik telkens aan Dan, maar het Frans waar hij eindexamen in heeft gedaan, is niet goed genoeg om medische gesprekken in ziekenhuizen te kunnen begrijpen.

'Ssst. Ssst,' zegt hij steeds. Hij probeert het te begrijpen, hier en daar een woord op te vangen, of een zin, waardoor de situatie iets duidelijker zal worden. Maar iedereen praat zo snel en gebruikt zulke onbekende woorden dat hij er niks van begrijpt.

'Nou, we weten één ding,' zegt de arts ten slotte. Hij loopt naar de hoek van de kamer waar wij staan. 'Zijn longen werken nog prima.' Hij glimlacht, en voor het eerst sinds het ongeluk voel ik opluchting. Opluchting dat er ineens licht aan het eind van de tunnel lijkt te zijn; opluchting dat de arts, die tot nu toe zo ernstig, zo voorzichtig tegen ons is geweest, plotseling een grapje maakt. Dan moet hij wel vertrouwen hebben in de goede afloop, of op zijn minst optimistisch zijn.

'Dit is toch goed?' vraag ik. 'Betekent dit dat alles goed komt met hem?'

'Dit is heel goed nieuws,' zegt hij. 'Maar we moeten nog een paar onderzoekjes doen.'

Op de dag dat we vertrekken, de dag nadat Tom gezond is verklaard, zit Linda alleen in de wachtkamer. Dan is nog binnen en tekent de ontslagpapieren en regelt de verzekering. Ik wil net met Tom in mijn armen naar beneden gaan, waar we met de huurauto direct naar het vliegveld zullen rijden om naar huis te vliegen.

Ik zie Linda niet meteen. Ze komt naar ons toe en steekt haar armen uit naar Tom, maar ik draai me om en scherm hem voor haar af. Ze mag hem niet meer van me aanraken.

Want nu weet ik wat er is gebeurd.

Tom lag in zijn bedje te brabbelen en Linda besloot om hem mee naar beneden te nemen omdat hij duidelijk nog niet moe was. Nou brabbelt Tom wel vaker in bed, maar zeven uur is zijn bedtijd, dus ik laat hem altijd liggen en dan brabbelt hij zichzelf in slaap.

Linda besloot mijn instructies te negeren – want voor we weggingen, had ik heel duidelijk gezegd dat hij zou gaan praten en dat ze daar geen acht op moest slaan – en ze haalde Tom uit zijn bedje. Toen ze de trap af liep, struikelde ze en (ze kan het zelf nog altijd niet geloven en ze zal het zichzelf nooit vergeven) instinctief stak ze haar armen uit om zichzelf op te vangen.

Dat lukte, maar daarbij liet ze wel mijn zoon vallen.

Als je me vóór deze gebeurtenissen had gevraagd wat ik zou doen, hoe ik me zou voelen, als Linda mijn kind ooit schade zou berokkenen, dan had ik gezegd dat ik tegen haar zou schreeuwen om lucht te geven aan mijn woede, mijn verdriet en mijn razernij.

Ik stelde me voor hoe ik haar allerlei verwensingen naar het hoofd zou slingeren om uiting te geven aan mijn haat, hoe ik zou genieten van haar geschokte blik, van het feit dat ze er niet in slaagt me antwoord te geven.

Maar nu ik hier sta, voel ik dat allemaal niet. Ik ben alleen moe. En opgelucht. Maar vooral moe.

'Laat me hem alsjeblieft zien,' zegt Linda zacht. Er stromen tranen over haar gezicht. 'Laat me ten minste naar hem kijken.'

Ik blijf stilstaan en kijk haar voor het eerst recht in de ogen. 'Nee,' zeg ik heel zacht, maar mijn stem heeft nog nooit zo vastberaden geklonken. 'Je mag niet naar hem kijken en je mag hem niet vasthouden. Je moet goed begrijpen dat ik je nooit zal vergeven wat je hebt gedaan. Ik. Zal. Je. Nooit. Vergeven.'

Met Tom in mijn armen draai ik me om en loop weg.

Ik zou graag zeggen dat mijn leven weer zijn gewone gangetje gaat als we terug zijn in Londen, maar ik weet niet meer precies wat het gewone gangetje is en ik betwijfel of ik me ooit wel weer normaal zal voelen.

Tom heeft zes weken in een frame gelegen tot zijn botten waren genezen en nu is hij weer helemaal de oude. Er is ons verzekerd dat hij gewoon kan voetballen en rugbyen met de andere kinderen.

Een hersenbeschadiging, of andere permanente schade, is uitgesloten. Zoals onze huisarts hier in Londen zei: 'Tom is even goed als voor het ongeluk. Misschien zelfs wel een beetje beter vanwege de metalen pennen in zijn been.'

Hetzelfde kan echter niet worden gezegd over Dan en mij. Elke keer als ik naar hem kijk, moet ik aan die avond denken en hoor ik weer wat hij zei voor we de deur uit gingen: 'Wat kan er nou helemaal gebeuren? Er overkomt Tom heus niks. Er overkomt ze geen van drieën iets.'

Had ik soms een voorgevoel? Had ik het kunnen voorkomen? Misschien niet, maar hoe irrationeel het ook klinkt, als ik naar Dan kijk, hoor ik dat gesprek weer. Als ik naar Dan kijk, zie ik Linda

Ik hoef natuurlijk niet te zeggen dat ik het Linda meer dan wie ook kwalijk neem.

Al neem ik het Dan ook kwalijk.

21

Met Kerstmis is Tom weer de oude. Meer dan de oude, zelfs. Heerlijk, schattig, vertederend. We brengen eerste kerstdag niet door met Linda en Michael. Bizar genoeg (maar het was wel leuk) gaan we naar mijn vader.

Mijn vader en Mary hadden opgebeld en een boodschap ingesproken om te vragen of we met Kerst bij elkaar konden komen. In plaats van terug te bellen en te zeggen dat we al plannen hadden, heb ik ze gebeld om te zeggen dat het ons leuk leek om eerste kerstdag naar hen in Potters Barn te gaan.

Dan was woedend. Maar zo hoefden wij niet naar Linda en Michael en kreeg mijn vader de kans om Tom te zien. Hij mag dan niet de beste vader ter wereld zijn geweest, maar met Tom is hij geweldig, en vanaf het eerste moment konden ze het goed met elkaar vinden.

Het grootste deel van de dag bleef Dan nukkig, maar vreemd genoeg vond ik het ontspannend; het was veel relaxter om bij hen te zijn dan bij de Coopers.

Dus met Tom is alles goed, maar met Dan en mij niet. Het is heel ironisch dat de vakantie in Frankrijk, de vakantie die we zo hard nodig hadden, in korte tijd zo'n beproeving werd en nog altijd een grote invloed op ieders leven heeft.

Dan zegt, steeds opnieuw, dat het niet zijn schuld is. Rationeel weet ik dat dat waar is. Hij zegt dat het allemaal voorbij is, dat Tom de oude is en dat dat het enige is wat ertoe doet. Dat we verder kunnen met ons leven als ik mijn woede loslaat.

Het probleem is dat ik die niet los kan laten; ik weet niet hoe dat moet en op dit moment kan ik me niet voorstellen dat ik die woede ooit los zal laten.

Ik weet nog hoe verbaasd ik was over mijn kalmte toen Tom in het ziekenhuis lag, mijn gebrek aan emotie, het feit dat ik niemand de schuld gaf. Toen had ik de energie niet om iemand iets kwalijk te nemen, maar nu Tom weer de oude is, nu we weer thuis zijn en iedereen verwacht dat ons leven weer normaal is, alsof er niks is gebeurd, voel ik een razernij die ik nog nooit eerder heb ervaren.

Hoe durft Linda – zelfs haar naam laat mijn bloed tegenwoordig al koken – Tom uit zijn bedje te halen? Hoe durft ze mijn wensen met opzet te negeren? Als dat stomme mens hem gewoon met rust had gelaten, zou er niks met hem zijn gebeurd.

Ik weet dat alles nu weer goed met hem is. Ik weet dat dat het enige is wat ertoe doet, maar ik blijf maar denken aan Linda die mijn lieve jongen van de trap laat vallen, haar handen uitsteekt om zichzelf te beschermen. Linda die zichzelf belangrijker vindt dan mijn zoon.

Ik weet dat ze het zichzelf nooit zal vergeven. In haar brieven heeft ze me gesmeekt of ik haar wil vergeven, heeft ze geschreven dat ze zichzelf nooit zal vergeven en dat dat toch zeker straf genoeg is. Dat ik haar niet nog erger moet straffen door haar Tom niet meer te laten zien.

Eerst las ik elke brief. Nu maak ik ze niet eens meer open, maar gooi ze direct in de prullenbak. Eerst las ik ze onbewogen en snoof alleen minachtend als ze vroeg of ze Tom mocht zien. Alsof ik haar ooit nog in de buurt van mijn zoon zou laten!

Ze probeert Dan ook te beïnvloeden. Ik weet op welke dagen hij naar haar toe is gegaan, of met haar heeft gebeld. Op die dagen komt hij thuis en stelt hij al snel voor dat we hen een keertje uitnodigen. Hij vertelt me hoe erg ze Tom mist, dat ze dit vreselijk vindt.

'We zijn er dan toch alle twee bij,' zegt hij dan. 'Er gebeurt heus niks. Doe toch niet zo overdreven en idioot. Hou op met haar te straffen voor iets wat een vreselijk ongeluk was, gelukkig zonder vreselijke afloop, de hemel zij dank.'

En ten slotte: 'Doe toch normaal, stom wijf.'

'Hoe durf je?' schreeuw ik tegen hem, letterlijk uit volle borst. Het verbaast me dat ik in staat ben al die woede te ventileren, dat ik tegen een ander kan spreken zoals ik nu tegen Dan spreek. 'Hoe durf je me zo te noemen? Hoe kun je zelfs maar voor te stellen dat zij hem mogen zien na wat er is gebeurd? Hoe durf je me een stom wijf te noemen? Donder op! Donder gewoon op!'

Ik kan nog net voorkomen dat ik 'Ik haat je' schreeuw, maar elke keer als die woorden me dreigen te ontsnappen, zorgt iets ervoor dat ik ze weer inslik. Ik mag die woorden dan elke dag denken, als ik ze hardop zeg, is er echt geen weg meer terug.

Ik weet niet wat er met ons is gebeurd. Ik begrijp deze woede, deze haat, dit voortdurende gevoel van onrecht niet. Maar ik weet wel dat Tom en ik gelukkig zijn als we met zijn tweeën zijn. Dat we gelukkiger zijn als we met zijn tweeën zijn.

Tegenwoordig is Dan al weg als ik opsta. Ik ben altijd wakker, maar ik doe net alsof ik slaap, mijn lichaam stijf van de spanning, mijn ademhaling kort en krampachtig. Zo tel ik de minuten tot de voordeur dichtgaat en ik me eindelijk kan ontspannen.

Dan haal ik Tom uit bed en ontbijten we samen. Het grootste deel van het eten belandt op de grond of smeert Tom over zijn gezicht.

'Mama,' zegt hij nu. En: 'A-ie', wat Harry betekent, de naam van zijn speelgoedkat. Amy lijkt al veel meer te zeggen en nu Tom zestien maanden is, begin ik me zorgen te maken. Toms woordenschat hoort veel groter te zijn, maar ik weet ook dat elk kind zich in zijn eigen tempo ontwikkelt en Oscar zegt nog niet veel meer dan Tom.

We gaan naar de speelklas en muziekles, en Trish, Lisa en ik komen bij elkaar zodat de kinderen met elkaar kunnen spelen. Tenzij het pijpenstelen regent gaan we elke middag naar de speeltuin en ik geniet van elke minuut van elke dag, tot aan het vrolijke gebadder 's avonds en het knuffelen van een tegenstribbelende Tom als ik hem een verhaaltje voorlees en hem in bed leg.

Mijn dag wordt pas onaangenaam als de voordeur opengaat en Dan thuiskomt, die alle spanning en stress weer met zich meebrengt.

We praten nauwelijks meer met elkaar. Als we het wel doen, gaat het over Tom: plichtmatige gesprekjes over wat Tom die dag heeft gedaan, dat is alles. We zijn zo'n stel geworden als ik vroeger nooit wilde worden: een stel dat de hele avond in een restaurant zit zonder een woord tegen elkaar te zeggen.

Want natuurlijk gaan we nog steeds uit. Ik heb geen fut en geen zin om te koken, en voor de buitenwereld moeten we de schijn ophouden.

Minstens één keer per week gaan we met Trish en Gregory eten, meestal bij een restaurant in de buurt, zoals Lemonia of Manna. Ik mag graag denken dat niemand kan zien dat er iets mis is tussen ons, dat we er prima in slagen te doen alsof alles goed is als er anderen bij zijn, dat we hetzelfde zijn als elk ander jong stel.

Lisa en Andy zijn kort na Frankrijk uit elkaar gegaan. Overdag zie ik haar nog vaak, maar 's avonds hangt ze de vrije meid uit die graag gaat stappen en ze kan bijna nooit met ons gaan eten.

Eigenlijk heb ik met niemand gepraat over wat er is gebeurd. Ik maak grapjes over de ruzies die Dan en ik hebben, maar ik heb tegen niemand gezegd hoe ongelukkig we zijn, omdat ik niet hardop durf te zeggen wat ik vanbinnen al weet, omdat ik te bang ben de hele zaak aan het rollen te brengen.

Want ik leef met een soort besluiteloosheid. Ik weet dat er iets moet veranderen. Ik weet dat ik zo niet verder kan leven, of überhaupt kan leven, maar ik weet niet welke stappen ik moet nemen, hoe ik het moet veranderen.

Een deel van me blijft wachten tot het voorbijgaat, blijft denken dat ik op een zekere ochtend wakker word en dat de woede dan weg zal zijn. Dat ik weer liefde zal voelen als ik naar Dan kijk. Maar dan kijk ik naar hem en zijn de gevoelens die ik vroeger voor hem had alleen nog een vage herinnering. Ik kan me nog net herinneren hoe ik me toen voelde, maar dat voel ik nu niet meer. Ik voel niks meer. Geen greintje.

Het enige wat ik voel is woede en de behoefte om Dan nog verder weg te duwen.

Lemonia zit tjokvol en Dan en ik banen ons een weg langs de tafeltjes tot we Trish en Gregory in een hoek zien zitten. Ik tover een stralende glimlach op mijn gezicht, net als Dan, en we zwaaien als we naar hen toe lopen.

'Hoe bevalt de nieuwe oppas?'

'Ze is geweldig!' zegt Trish terwijl ze me een kus geeft. 'Oscar is in de zevende hemel. Hij was zo druk met Emily aan het spelen dat hij me niet eens aankeek toen ik gedag zei.'

'Godzijdank heb je eindelijk iemand gevonden.' Ik ga naast Trish zitten. Dan neemt plaats naast Gregory en ze beginnen meteen over werk te praten. 'Ik weet niet wat ik zonder Rachel zou moeten beginnen.'

Rachel is mijn reddende engel en op Tom na is zij degene die ik op dit moment het liefst zie. Ze is een sterke, grappige Australische, die barst van het zelfvertrouwen. Ze is hier nu acht maanden, woont in een huis in Acton met nog honderdvierentwintig andere Australiërs, voorzover ik uit haar verhalen begrijp, en de afgelopen vier maanden is zij ons parttime kindermeisje geweest.

Ik dacht dat ik Tom nooit aan een ander zou durven toevertrouwen, niet na wat er is gebeurd, maar toen gaf Calden me een grote opdracht en moest ik ineens weer naar vergaderingen en moest ik mezelf zowaar afsluiten voor Tom om me te kunnen concentreren op telefonische vergaderingen en om marketingplannen te lezen.

Daarom besloot ik dat ik twee dagen en drie avonden per week een kindermeisje nodig had. De rest van de tijd werkt Rachel voor een vriendin van Fran en op die manier heb ik haar ook gevonden. Zodra ik met Frans vriendin had gepraat en had gehoord hoe geweldig Rachel is, had ik er vertrouwen in.

En toen ze op sollicitatiegesprek kwam, tilde ze Tom direct op om hem te kietelen met haar wimpers, waar hij om moest lachen. Het was duidelijk dat ze dol is op kinderen en dat ze zich helemaal op haar gemak voelt bij hen, en ik nam haar meteen aan.

De eerste drie weken waren wel moeilijk. Ik dacht steeds maar aan Linda die Tom liet vallen, dus ik zorgde ervoor dat ik altijd thuis was en ik hield hen scherp in het oog.

Ze redden zich prima.

Toen stelde Trish voor dat zij, Oscar, Tom en Rachel samen naar de speeltuin zouden gaan, waar zij ze in de gaten kon houden. Na afloop vertelde ze dat Rachel geweldig was en dat zelfs Oscar dol op haar was. Daarna vond ik het prima als Rachel ergens heen wilde met Tom.

'Rachel is geweldig,' zei Trish. 'Maar ja, je kunt Tom bijna bij iedereen achterlaten zonder dat hij het erg vindt. Oscar is veel gevoeliger. Hij houdt van Rachel, maar ze heeft geen avonden over om bij ons op te passen, en Emily is de eerste die we hebben gevonden met wie hij tevreden is. Jezus!' Ze rolt met haar ogen voor ze liefdevol verdergaat: 'Oscar kan zo lastig zijn. Waarom moest ik nou net de gevoelige krijgen?'

Gevoelig. Wat een goed synoniem voor 'hopeloos'. Ik voel me schuldig als ik dat denk, maar Oscar begint een soort verschrikking te worden. Echt, ik ben dol op Trish, ze is mijn beste vriendin, maar ik zou best zonder Oscar kunnen.

Omdat er bij Oscar thuis geen regels zijn, denkt hij natuurlijk dat die er bij ons ook niet zijn. Dan pakt hij een krijtje en begint op de muur te tekenen. Trish doet wel een halfslachtige poging om hem te laten ophouden, maar tegelijk vertelt ze me opgetogen hoe artistiek hij is. Hij klimt op de bank met zijn laarzen aan, waar een dikke laag modder onder zit, en Trish zegt zacht tegen hem dat hij eraf moet gaan. Maar ze haalt alleen haar schouders op als hij haar negeert en babbelt gewoon door, terwijl ik zowat een hartverzakking krijg. Die banken hebben toevallig wel een fortuin gekost.

Hij wijst op eten en zet het op een schreeuwen als hij het niet krijgt, en uiteindelijk geeft Trish hem altijd zijn zin om hem stil te krijgen. 'Ik weet dat ik het niet zou moeten doen,' zegt ze dan, 'maar ik kan dat geschreeuw niet verdragen.'

En die arme Trish is door een ware oppashel gegaan. Oscar vond het vreselijk als zijn moeder hem bij een ander achterliet, maar gelukkig heeft ze eindelijk iemand gevonden die zijn goedkeuring kan wegdragen.

'Ik hoop dat je haar goed betaalt,' zeg ik.

'Als Oscar haar aardig vindt, zal ik haar betalen wat ze wil,' zegt Trish lachend. 'Ik heb er alles voor over om die ondeugd tevreden te houden.'

Ik lach ook. O, als ze toch eens wist.

Het wordt een leuke avond. Leuk omdat het zo normaal lijkt. Omdat het rumoerig is en het nauwelijks opvalt dat Dan en ik niet echt met elkaar praten.

Soms kijk ik naar Trish en Gregory, en zie dat hij haar liefdevol een kneepje in haar arm geeft, of dat hij zich vooroverbuigt en haar een kus geeft. Ik hoor hoe Trish hem vaak bij haar gesprek betrekt – 'Ja toch, Gregory?' 'Dat vinden we toch, Gregory?' 'Wat denk jij ervan, Gregory?' – en ik vraag me af of het ze opvalt hoe kil wij tegen elkaar doen.

Elk stel is anders, denk ik. Ze zien alleen dat we ons anders gedragen dan vroeger, voor we Tom hadden. Toen waren we heel liefdevol tegen elkaar. Toen praatten we vriendelijk tegen elkaar, kusten we elkaar zomaar, legden we ons hoofd op elkaars schouder of aaiden we elkaar over de wang.

Dat lijkt nu een mensenleven geleden. Een andere Dan. Een andere Ellie. Wat zou er gebeuren als ik dat nu deed? Als ik een zoen op Dans wang drukte? Ik kijk naar Dans gezicht en stel me voor hoe hij zou reageren. Hij voelt dat ik naar hem kijk en hij onderbreekt zijn gesprek met Gregory en kijkt me aan.

Heel even, als onze blikken elkaar kruisen, herinner ik me hoe liefdevol hij vroeger naar me keek. Ik herinner me hoe warm en levendig zijn blik was als hij me aankeek, en dat ik me dan veilig, warm en geborgen voelde.

Vanavond is er, zoals elke avond, alleen kilte. En misschien een vleugje ergernis.

'Wat?' vraagt Dan.

'Niks,' zeg ik luchtig en hij praat verder met Gregory alsof ik niet besta.

We betalen de rekening en staan op. We pakken onze jassen, die over de stoelen hangen, en trekken ze aan. Gregory rekt zich uit en legt zijn handen op Trish' schouders.

Hij kijkt op zijn horloge. 'O, mooi. Een avondje vroeg naar bed.' Hij geeft Trish een knipoog en zij glimlacht en slaat haar ogen ten hemel.

'O, god,' kreunt ze. 'Moet dat echt? Gisteren gingen we ook al "vroeg naar bed".'

'Wat mij betreft kun je niet vaak genoeg vroeg naar bed gaan,' zegt Gregory. 'Wat jij, Dan?'

Dan haalt zijn schouders op. 'Eerlijk gezegd zou ik het niet weten. We zijn al een halfjaar niet meer met elkaar naar bed geweest.'

Er volgt een doodse stilte, en Gregory kijkt eerst naar Dan en vervolgens naar mij terwijl hij wacht tot een van ons zegt dat het een grapje is.

'Dan, hou je mond,' zeg ik zacht. Ik ben ontzet dat hij dat heeft gezegd tegen onze beste vrienden. Ontzet dat het eindelijk hardop is gezegd.

'Waarom? Mag je beste vriendin niet weten dat je weigert seks met me te hebben? Waarom niet? Omdat je bang bent dat ze je dan abnormaal vindt?'

Mijn gezicht is vuurrood. Ik kan mijn oren niet geloven. Ik kan echt niet geloven dat Dan dat zegt. 'Dan, hou op,' zeg ik waarschuwend. 'Ik wil hier nu niet over praten.'

Dan kijkt me vol walging aan en schudt zijn hoofd. 'Ik zie je thuis wel.' Hij loopt het restaurant door.

'Eh… eh…' Die arme Gregory. Hij weet niet wat hij zeggen moet. 'Ellie, het spijt me dat ik iets heb gezegd. Ik wist niet dat het tot ruzie zou….'

'Mijn echtgenoot kan een ontzettende sukkel zijn.' Trish stoot hem aan. 'Ga naar buiten en praat met Dan.'

Vlak voor we de deur uit lopen houdt Trish me tegen en als Gregory weg is, zegt ze: 'Ik weet dat ik je steeds vraag of alles goed is en dat jij telkens zegt dat er niks aan de hand is, en als je er echt niet over wilt praten, dan begrijp ik dat natuurlijk, maar ik wil even zeggen dat je met mij overal over kunt praten, dat ik je niet zal veroordelen en dat ik mijn best zal doen om het te begrijpen.'

Ik knik en ben bang dat ik zal gaan huilen. Ik wil wel iets zeggen, maar in mijn keel wacht een snik tot hij naar buiten kan komen en het enige wat ik kan doen is proberen die snik weg te slikken terwijl de tranen me in de ogen springen.

Als ik thuiskom is Rachel al betaald en zit Dan op bank en staart in de verte. Ik loop naar binnen, doe mijn jas uit en ga tegenover hem op de bank zitten. Zo kan ik niet meer verder. Zo kunnen wíj niet meer verder. Er moet iets veranderen, en voor ik over die woorden kan nadenken, komen ze al naar buiten, onheilspellend zacht, haast als een fluistering in de duisternis.

'Ik kan dit niet meer.'

Dan zegt niks, hij kijkt niet eens op. Het enige wat hij doet, is naar zijn handen staren, die tussen zijn benen liggen, en naar zijn ellebogen, die op zijn knieën rusten.

'Dan, we moeten praten.' Ik haal diep adem. 'We lijken elkaar tegenwoordig alleen maar ongelukkig te maken. Er moet iets veranderen, zo kunnen we niet verder.'

Nog steeds niks.

'Dan, wil je me alsjeblieft aankijken?' Langzaam tilt Dan zijn hoofd op, tot zijn ogen de mijne ontmoeten, en ik schrik als ik zie hoeveel verdriet er in zijn blik ligt.

Hij wendt zijn ogen weer af en vraagt dan: 'Wat wil je dan doen?'

'Ik weet het niet.' En ik dacht echt dat ik het niet wist, maar bijna onbewust zeg ik ineens: 'Volgens mij moeten we een poosje uit elkaar.' En ik haal diep adem. Geschrokken. Dan kijkt me aan en ik zie dat hij ook is geschrokken.

Het voelt onecht. Als een cliché. Als onzin. Waarom heb ik niet iets originelers gezegd? Alles is beter dan dit, deze woorden die zo uit een slechte tv-film kunnen komen. Maar er is geen andere manier om het te zeggen.

'Dan? Ga je nog iets zeggen?'

'Wat wil je dat ik zeg?' Zijn stem klinkt vlak. Emotieloos.

'Vertel me hoe je je voelt. Wat je wilt. Wat vind jij ervan?'

Hij haalt zijn schouders op. 'Volgens mij heb jij je besluit al genomen.'

Ik dring aan. Dit mag dan het eind van ons huwelijk zijn, maar zo gemakkelijk geef ik het niet op. Ik wil niet dat ons huwelijk eindigt met deze stilte, dit gebrek aan communicatie. Ineens wil ik alles weten, alle dingen die ik hem het afgelopen halfjaar niet heb gevraagd.

'Maar ben je het ermee eens? Is dit ook wat jij wilt?'

'Wat maakt het uit wat ik wil?'

'Jij bent ook niet gelukkig.'

'Nee. Maar ik vind het nog te vroeg om de handdoek in de ring te gooien.'

'Hoor eens even,' zeg ik met een zucht. 'Het is niet definitief.

Misschien hebben we alleen wat ruimte nodig om over dingen na te denken. Ik geloof niet dat we het al over een... scheiding moeten hebben, of zo.' O, god. Een scheiding. Bij dat woord loopt er een rilling over mijn rug. 'Hopelijk is het tijdelijk.'

Hij zegt niets instemmends. Maar hij protesteert ook niet. Hij zegt helemaal niks, tot hij opkijkt en zacht vraagt: 'En hoe moet het met Tom?'

O, hemel. Wat is er met Tom?

'Hoe bedoel je?'

'Nou, hoe moet het met Tom? Jij wilt waarschijnlijk in het appartement blijven wonen met Tom.'

Daar had ik nog niet over nagedacht, maar nu hij erover is begonnen: ja, natuurlijk wil ik in het appartement blijven wonen met Tom. Ik mag dan maar parttime werken en niet veel verdienen, maar we hadden ons appartement niet kunnen kopen zonder de opbrengst van mijn oude flat. Bovendien is dit Toms thuis, en hoe minder zijn leven op zijn kop wordt gezet, hoe beter.

'Eh... ja,' zeg ik. 'Jij mag hem natuurlijk zien wanneer je wilt. Langskomen wanneer je wilt. Of in het weekend. Of... Ik weet het niet. We regelen wel iets.' Op dat moment dringt de schok eindelijk tot me door, al kan ik niet geloven hoe snel dit gesprek werkelijkheid is geworden. Maandenlang hebben we tegen elkaar geschreeuwd, met onze ruggen naar elkaar toe geslapen en nauwelijks een woord met elkaar gewisseld, en nu we eindelijk een kalm gesprek voeren, is ons huwelijk voorbij.

Zomaar. Binnen een paar minuten is alles weg. Bam. Nog een brok in mijn keel en nog een. Ik slik ze weg. Ik weet niet wat ik had verwacht. Misschien meer ruzies, meer woordenwisselingen. Of misschien dacht ik dat we er alleen over zouden praten en dan zouden gaan slapen en dat alles nog bij het oude was als we weer wakker werden.

Maar ineens is alles veranderd. Plotseling is mijn huwelijk voorbij. Ik mag dan hebben gezegd dat we alleen uit elkaar gaan, dat het maar tijdelijk is, maar wie probeer ik voor de gek te houden? Mijn huwelijk is een mislukking en vanaf nu sta ik er alleen voor.

'Vind je dat we hier morgenochtend nog eens over moeten praten?' vraag ik in een poging tijd te rekken. Ik kan niet geloven hoe vlug dit definitief is geworden.

'Nee,' zegt Dan. Hij staat op en kamt met zijn vingers door zijn haar. Even kom ik in de verleiding naar hem toe te rennen en me aan hem vast te klampen. 'Nee!' wil ik roepen. 'Zorg ervoor dat dit weer goed komt. Blijf hier en vecht voor ons huwelijk.' Maar dat zeg ik natuurlijk niet. Ik bijt alleen op mijn lip en staar naar de grond.

'Ik zal een paar dingen inpakken,' zegt Dan. 'Ik ga bij mijn ouders logeren tot we de zaken verder hebben geregeld.'

Hij gaat weg en ik hoor hem de slaapkamer in gaan. Er worden laden en kasten geopend en ik hoor dat er kleren in een weekendtas worden gepropt.

Het duurt een tijdje voor ik me weer kan bewegen. Ik zit op de bank en kan niet bevatten dat dit echt gebeurt, dat mijn echtgenoot me verlaat. Dat het echt voorbij is.

Ik sta op en loop naar de deur van de slaapkamer om naar hem te kijken. Ik wil nog iets zeggen, ik wil dat we verder praten, dat een van ons vecht voor dit huwelijk, dat alles weer normaal wordt, zelfs al houdt normaal in dat er lange stiltes vallen zoals het afgelopen halfjaar, dat we niet met elkaar praten en elkaar niet aanraken. Alles liever dan dit.

Dan kijkt me niet aan. Hij pakt alleen zijn spullen in. Als hij in de badkamer verdwijnt, draai ik me om en loop terug naar de woonkamer. Mijn hart bonkt in mijn oren.

Na een poosje klinken er voetstappen in de gang en gaat Toms deur open. Eindelijk hoor ik dat Dan heel zachtjes begint te huilen.

En dan begin ik ook te huilen.

22

Nadat Dan is vertrokken blijf ik nog een hele poos zitten huilen. Ik kan niet geloven dat dit echt is gebeurd en dat hij nu echt weg is. Een deel van me dacht dat we op dezelfde voet verder konden gaan, dat samen ongelukkig zijn beter was dan verandering.

Je hebt gekregen wat je wilde, blijft een stemmetje in mijn hoofd zeggen, maar nu dit is gebeurd, nu de stilte, de afwezigheid van Dan in het appartement lijkt te echoën, weet ik dat niet meer zo zeker.

Maar jawel. Natuurlijk is dit beter. En zoals ik al tegen Dan zei: het hoeft niet definitief te zijn. Hopelijk gaan we slechts tijdelijk uit elkaar, een afwezigheid die ons in staat zal stellen de weg naar elkaar terug te vinden.

Mijn oog valt op onze trouwfoto, die me bespot met zijn ereplaats op de schoorsteenmantel. God. Moet je zien hoe gelukkig we waren. Ik dacht dat ik met de ideale man trouwde, en de ideale schoonfamilie kreeg. Wat ironisch dat ik verwachtte dat Linda, zonder wie dit allemaal niet zou zijn gebeurd, de rol van moeder op zich zou nemen. Dat ze de moeder zou worden van wie ik altijd heb gedroomd.

Met een treurig gevoel pak ik de foto en leg hem voorzichtig in een la. Ik wil er niet aan herinnerd worden hoe het eens was en hoe het waarschijnlijk nooit meer zal worden, omdat ik eerlijk gezegd niet geloof dat Dan en ik dat geluk ooit nog zullen vinden. De pijn is te groot en we zijn te ver uit elkaar gegroeid.

In de kleine uurtjes ga ik naar Toms kamer en kijk naar hem terwijl hij slaapt. Tegenwoordig ligt hij op zijn buik, iets waar ik me in het begin zorgen om maakte – vanwege wiegendood en zo – maar ze zeggen dat het niet meer uitmaakt als ze zichzelf kunnen omdraaien. En dat kan hij al een paar maanden. Hij kruip altijd naar de rechterhoek van zijn bedje en rolt zich op tot een balletje, met zijn kontje hoog in de lucht.

De liefde die ik voor hem voel is zo vaak, net als nu, overweldigend. Ik wil hem optillen en stevig tegen me aan drukken, een manier vinden om zijn lichaam weer met het mijne te laten versmelten, maar ik laat hem liggen. Het enige wat ik doe is hem teder over zijn rug strelen, waarbij ik ervoor zorg dat ik hem niet wakker maak. Na een hele poos ga ik zijn kamer uit en laat me uitgeput op mijn eigen bed vallen.

Ik val in slaap. Ik lig met mijn gezicht naar Dans kant, iets wat ik in geen maanden heb gedaan, omdat ik hem niet wilde zien, niet in zijn buurt wilde zijn. Ik maak mijn hoofd helemaal leeg tot ik eindelijk, eindelijk in een diepe, droomloze slaap val.

De volgende ochtend belt Trish me wakker. Door het geluid van de telefoon word ik met een schok wakker en een paar seconden weet ik niet wie ik ben of waar ik ben, terwijl ik onhandig naar de telefoon graai.

'Hallo?' mompel ik. Ik knijp mijn ogen tot spleetjes en staar naar de wekker. O, hemel. 8:11. Tom moet vergaan van de honger. Ongelooflijk dat ik me zo erg heb verslapen.

'Hoi. Met mij. Heb ik je wakker gebeld?' Ze klinkt verbaasd.

'Ja. Ik heb me verslapen.'

'Het spijt me. Ik wilde alleen even vragen of alles goed is. Je leek gisteravond nogal… gespannen. Ik maakte me zorgen om je.'

'Met mij is alles goed,' zeg ik. 'Maar…' Hoe moet je dit aan de mensen vertellen? Hoe beken je dat je echtgenoot weg is, dat je huwelijk is mislukt? Dat je leven binnen twaalf uur volslagen is veranderd? 'Dan is weggegaan.'

Er is geen andere manier om het te zeggen.

Trish hapt naar adem. 'Hoe bedoel je, weggegaan? Waarom? Ik begrijp het niet.'

Ik haal diep adem. 'O, Trish. We zijn al zo lang ongelukkig en gisteravond barstte de bom. Toen we thuiskwamen, hebben we eindelijk toegegeven dat het niet meer gaat, dat we niet op deze manier door kunnen gaan.'

'En Tom dan?' Haar stem klinkt geschokt.

'Hij zal Tom natuurlijk blijven zien. Ik weet nog niet precies hoe we het gaan aanpakken, maar ik zou nooit iets doen wat de relatie met zijn zoon schaadt.'

'O god, Ellie.' Trish klinkt alsof ze elk moment in tranen kan uitbarsten. 'Ik weet niet wat ik zeggen moet. Het is echt ongelooflijk. Ik… Ik wist wel dat je niet tevreden was, maar is dit niet iets van voorbijgaande aard? Ik dacht dat het na een poosje wel weer goed zou komen.'

'Ik weet het.' Triest haal ik mijn schouders op. 'Eigenlijk dacht ik dat ook. Maar ja, wie weet? Misschien is het niet definitief en hebben we alleen wat ruimte nodig.'

'Ik kan het niet geloven,' herhaalt Trish. 'Het is vreselijk. Ik kan het echt niet geloven.' Ze krijgt zichzelf weer in de hand. 'Wat ga je nu doen?'

'Nu? Ik zit nog in bed, maar ik moet die arme Tom eten geven. Hij is vast uitgehongerd.'

'Nee. Daarna. Later vanochtend.'

'Ik weet het niet. Wennen aan mijn nieuwe positie van alleenstaande moeder, denk ik.'

'Ik zal langskomen. Dan neem ik Oscar mee en kunnen we overal eens goed over praten.'

'Ik red me best, Trish. Dat hoeft echt niet.'

'Natuurlijk moet dat,' zegt ze. 'Daar zijn vrienden voor.'

Trish en Lisa zitten ineengedoken met een treurig gezicht naast elkaar op de bank.

Om negen uur belde Lisa om te vragen wat we vandaag gingen doen en hoe kon ik het haar niet vertellen? Hoe kon ik zoiets belangrijks voor haar verzwijgen? Dus vertelde ik het en haar reactie leek veel op die van Trish, al hield zij zich wat meer in.

Ik dacht even terug aan het gesprek dat ik had gehad met mijn schoonmoeder toen we nog met elkaar praatten: dat Linda me had gewaarschuwd voor Lisa en had gesuggereerd dat Lisa het soort vrouw was dat een verhouding zou beginnen met Dan. Nou had Dan best een verhouding kunnen hebben – hij ging vroeg genoeg van huis en kwam er laat genoeg voor terug, in elk geval sinds het ongeluk – maar wat Linda ook zei, dat zou Lisa me nooit aandoen. En bovendien was dat niet wat er tussen ons speelde.

'Godsamme,' zeg ik. 'Het is niet het eind van de wereld. Waarschijnlijk is het zelfs goed. Echt, Dan en ik hebben al maanden niet normaal met elkaar gesproken, alleen tegen elkaar geschreeuwd. Ik heb er genoeg van om te moeten doen alsof er niks aan de hand is en het moest wel een keer tot een uitbarsting komen. Geloof me, dit is helemaal zo slecht nog niet.'

'Ik voel me zo triest,' zegt Trish. 'En Gregory vindt het vast vreselijk. Tenslotte gingen we heel veel met jullie om.'

'Jij en ik blijven dat ook doen. En Gregory houdt heus wel contact met Dan,' zeg ik, maar ik weet wat ze bedoelt: het zal nooit meer hetzelfde zijn. Niet dat ik ze vraag om tussen ons te kiezen, dat zou ik nooit doen, maar de hele situatie zal voortaan anders zijn, minder vanzelfsprekend. Als we nu uit eten gaan ben ik het vijfde wiel aan de wagen en ik zal net doen alsof Gregory geen contact meer heeft met Dan, of dat onze vriendschap nog precies hetzelfde is.

Daar had ik nog niet aan gedacht: hoe vriendschappen veranderen als een paar uit elkaar gaat. Uiteraard had ik er wel over gehoord. Ik had verschillende – volgens mij bittere – gescheiden vrouwen horen zeggen dat ze pas echt ontdekten wie hun vrienden waren na hun scheiding. Dat ze nergens meer uitgenodigd werden, dat al hun 'gelukkig' getrouwde vriendinnen hen ineens als een bedreiging zagen en dachten dat een pas gescheiden vrouw automatisch haar zinnen had gezet op hun saaie, onaantrekkelijke echtgenoot van middelbare leeftijd.

Die sinds kort alleenstaande vrouwen zeiden dat ze helemaal opnieuw moesten beginnen. Zelfs als hun vriendinnen hen steunden, voelden die zich altijd prettiger als er een andere man bij was, zodat er een gezellig kwartet ontstond in plaats van een lastig trio.

Ik had nooit gedacht dat ik nog eens in die positie zou komen, maar nu het zover is vraag ik me af of het mijn vriendschappen zal veranderen. Trish, Gregory, Dan en ik konden het zo goed met elkaar vinden dat het waarschijnlijk naïef is om te denken dat het zonder Dan allemaal hetzelfde zal blijven. Niet dat ik verwacht dat mijn vriendschap met Trish erg zal veranderen. Overdag blijven we vast met elkaar omgaan, en ik weet dat ze me nooit als een bedreiging zal zien en nooit bang zal zijn dat ik ga flirten met Gregory. Toch besef ik met pijn in het hart dat het nooit meer hetzelfde zal zijn nu ik alleen ben en dat we niet meer zo vaak samen uit eten zullen gaan.

En hoe zit het met Lisa? Zij is alleen en houdt er een druk sociaal leven op na. Toen we elkaar net kenden, leek het er even op dat we alle drie gelijkwaardig waren, maar de laatste tijd heeft ze het heel druk en zijn Trish en ik dichter naar elkaar toe gegroeid, terwijl Lisa steeds verder weg lijkt.

Zullen Lisa en ik nu samen aan de boemel gaan? Zal Lisa Trish' plaats innemen als mijn beste vriendin? Zal ik voortaan 's avonds met Lisa uitgaan in plaats van met Dan?

Ik slaak een diepe zucht en schud mijn hoofd. 'Ik weet dat dit het beste is,' zeg ik, 'maar ik kan het zelf ook nog niet helemaal geloven. Een deel van me verwacht dat Dan vanavond gewoon thuiskomt alsof er niks is gebeurd.'

'Hoe zou je het vinden als hij dat deed?' vraagt Trish.

'Hetzelfde. De verandering op zich is eng, net als het feit dat ik voortaan op mezelf ben aangewezen, maar als Dan vanavond hier komt, zou er niks aan de situatie veranderen. We hebben de afgelopen maanden echt een hekel aan elkaar gekregen.' Lisa en Trish kijken me geschokt aan. 'Ja, ik weet dat het erg is. Het spijt me, maar het is waar. We deden alleen maar onaardig tegen elkaar en er moest echt iets gebeuren. Op die manier ging het niet meer.'

'Logeert hij bij Linda en Michael?' vraagt Lisa, en ik knik. 'Heb je al met hen gesproken?'

Ik snuif. 'Echt niet! Ik heb hun niks te zeggen. Laat Dan het maar vertellen. Trouwens, ze hebben toch een hekel aan me. Ik weet zeker dat Linda dolblij is dat ik er niet meer bij hoor.'

'Daar geloof ik niks van.' Lisa schudt haar hoofd. 'Volgens mij hebben ze helemaal geen hekel aan je. Ik denk dat ze gewoon niet wisten hoe ze schoonouders moeten zijn en na het ongeluk voelden ze zich natuurlijk ongelooflijk schuldig en toen liet jij ze niet meer in de buurt komen.'

'Jezus.' Ik kijk Lisa geschokt aan. 'Aan wiens kant sta jij eigenlijk?' Ik zie dat Trish haar waarschuwend aankijkt met een blik die zegt: Hou je kop, dit is niet het juiste moment.

'Neem me niet kwalijk, Ellie.' Lisa kijkt berouwvol. 'Ik wilde je niet van streek maken. Ik wilde alleen maar helpen.'

'Dat geeft niet. Ik begrijp het best,' zeg ik. 'Maar hoe dan ook, de laatste mensen die ik nodig heb zijn mijn schoonouders. Of mijn ex-schoonouders.'

'Vies-ouders, bedoel je,' zegt Trish, en ik moet glimlachen.

'Vies-ouders, dan. Maar Tom is nu het belangrijkste voor me. Hij moet zich veilig, warm en bemind blijven voelen.'

'Denk je dat hij zal begrijpen dat er iets is gebeurd?' Trish kijkt me bezorgd aan.

Ik knik treurig. 'Vast wel, maar ach, Dan was er de laatste tijd toch bijna nooit. Het is niet zo dat hij opeens een geweldige vader kwijt is die de hele tijd met hem speelde. Eigenlijk zag hij Tom alleen in het weekend, en zoals ik al zei: dat zal vast wel zo blijven.'

'Ik moet je wel vertellen dat het niet makkelijk is om een alleenstaande moeder te zijn,' zegt Lisa. 'Soms is het vrijwel ondoenlijk. Er zijn tijden dat je volkomen uitgeput bent, dat je het wel kunt uitschreeuwen van frustratie en eenzaamheid omdat je zelf overal verantwoordelijk voor bent, maar die momenten gaan altijd weer voorbij. Uiteindelijk zijn die kleine apen' – ze zwijgt even en buigt zich voorover om Amy een zoen te geven – 'het meer dan waard. Je hebt helemaal gelijk: ze moeten zich veilig en bemind voelen, en het lijkt me beter dat ze een gelukkige ouder hebben die daarvoor zorgt dan dat ze opgroeien in een gezin waarvan de ouders beter uit elkaar hadden kunnen gaan omdat ze toch altijd ruziën.'

Ze heeft gelijk. Verbaasd kijk ik haar aan en ineens begrijp ik dat het onprettige gevoel dat ik niet van me af heb kunnen schudden sinds Dan de avond ervoor is vertrokken, schuldgevoel is. Ik voel me schuldig vanwege Tom. Waar haal ik het recht vandaan om Tom de mogelijkheid te ontzeggen op te groeien met twee ouders? Waar haal ik het recht vandaan om Tom van een gelukkig gezinnetje te beroven?

Dankzij Lisa zie ik de zaken nu veel helderder, want we waren natuurlijk helemaal geen gelukkig gezinnetje. Tom zou nooit opgroeien in het gezin dat ik mijn kind altijd heb willen geven. Niet als er bij ons altijd ruzie werd gemaakt, beschuldigingen werden geuit en er nare stiltes vielen.

Het is veel beter dat we voortaan met zijn tweeën zijn, zodat we ons huis kunnen vullen met vrienden, liefde en vrolijkheid.

Voor de eerste keer sinds gisteravond begin ik te geloven dat er misschien toch licht is aan het eind van de tunnel. Dit mag dan verschrikkelijk zijn en, zoals ik heb gemerkt toen ik dertien was, het mag voelen alsof de wereld vergaat, maar alles gaat voorbij en alles wordt beter.

'Dank je, Lisa.' Ik sta op en omhels haar spontaan. 'Fijn dat je dat zei. Ik voel me meteen een stuk beter.'

'Graag gedaan.' Ze drukt me dicht tegen zich aan en zegt met een glimlach: 'Waar heb je anders vrienden voor?'

Op vrijdagochtend belt Dan. Ik schrik ervan zijn stem te horen. Hij klinkt zo bekend, maar tegelijk zo afstandelijk. Mijn hart begint te bonken zodra ik hoor dat hij het is. Zenuwen. Angst. Verlies. En hoop.

Want al weet ik dat het voorbij is en ben ik blij dat er eindelijk een eind is gekomen aan alle ruzies, de haat, de vreselijke sfeer in huis, nu ik zijn stem hoor, moet ik denken aan de begindagen, toen we gelukkig waren, toen ik zo veel van hem hield, en even hoop ik dat hij belt voor een verzoening.

Jezus, Ellie, kun je nog wispelturiger zijn?

Ik zeg niks en wacht op wat hij gaat zeggen. Ik weet dat hij zal willen praten en verwacht dat hij elk moment kan instorten, maar als hij iets zegt, klinkt er geen enkele emotie door in zijn stem.

211

Wat hij zegt is kort en bondig, en hij komt direct ter zake.

'Hoe gaat het met Tom?'

'Prima. Echt heel goed.'

'Mooi. Ik mis hem.'

'Ja, dat kan ik begrijpen.'

'Ellie, we moeten praten.' Zo, hij heeft het gezegd. Ik wist het wel: hij wil een oplossing voor deze situatie bedenken. Ik wapen mezelf om te zeggen dat het te vroeg is. Ik ben er nog niet klaar voor om het opnieuw te proberen, ik heb nog wat ruimte nodig, maar voor ik iets kan zeggen, vervolgt hij: 'Er zijn nog een hoop dingen in het appartement die ik nodig heb en we moeten het over Tom hebben. Ik weet dat we hebben afgesproken dat ik hem op zaterdag en zondag mag zien, maar ik overweeg om door de week een middag vrij te nemen, zodat ik hem niet alleen in het weekend zie.'

'O.' Mijn stem klinkt vlak. Dit had ik niet verwacht.

'Ik wilde graag vanmiddag langskomen voor mijn spullen en dan kunnen we ook praten.'

'Oké,' zeg ik, en ik kijk op mijn horloge. 'Rond vier uur?'

'Prima,' zegt hij. Zijn stem klinkt nog altijd koel en afstandelijk. 'Tot dan. Dag.'

Tot mijn verbazing beef ik een beetje als ik weer ophang.

Het wordt niet makkelijker. Ik ben vandaag even zenuwachtig als voor ons eerste afspraakje. Nee, dat lieg ik. Voor ons eerste afspraakje was ik helemaal niet zenuwachtig. Ik ben juist verliefd geworden op Dan omdat ik niet zenuwachtig was, omdat ik me nog nooit zo op mijn gemak had gevoeld bij een ander, omdat het meer als een uitje met mijn beste vriend voelde dan als een afspraakje met een eventueel vriendje. Ik ben verliefd op hem geworden omdat ik het gevoel had dat ik bij hem was thuisgekomen.

Vandaag maak ik mijn gebrek aan zenuwen tijdens ons eerste afspraakje meer dan goed. Ik ga een wandeling maken met Tom en blijf staan voor een van de hipste en duurste kledingwinkels in Primrose Hill. In de etalage hangt een prachtig gebreid vest met kralen. Het is zacht en van kasjmier, en het mooiste – en waarschijnlijkste duurste – kledingstuk dat ik ooit heb gezien.

Waar ben ik mee bezig?

Op de automatische piloot ga ik naar binnen, wijs naar het vest en een paar minuten later lijk ik niet eens meer op mezelf. Met een glimlach kijk ik naar mijn spiegelbeeld en de verkoopster glimlacht terug. 'Het staat je prachtig,' zegt ze.

'Ik lijk alleen niet op mezelf,' zeg ik. Ik draai rond om mezelf ook van opzij en van achteren te bewonderen. 'Het is zó mooi. Ik ben maar gewoon een moeder.' Ik wijs naar Tom, die tevreden kirrend in zijn wagentje zit. 'Ik kan dit soort kleding niet dragen want binnen vijf minuten zit de mouw onder het kwijl.'

'Je kunt het 's avonds dragen,' zegt ze met een glimlach. 'Als je kind op bed ligt. En trouwens, als je een kleintje hebt, is dat een extra reden om jezelf eens lekker te verwennen.'

Ik draai rond, sla verrukte kreetjes en hap naar adem als ik het prijskaartje zie.

'Toe, verwen jezelf,' zegt ze. 'Het staat heel sexy. Eigenlijk zou je man langs moeten komen om me te bedanken.'

Ik zeg niks. Maar een paar minuten later sta ik buiten met het mooie vest in een grote tas.

Een paar winkels verderop vind ik een paar mooie, hooggehakte muiltjes met enkelbandjes. Ze zijn ontzettend onpraktisch, ik kan ze nooit dragen – sterker nog: ik kan er nauwelijks op lopen – en toch heb ik ze korte tijd later toegevoegd aan mijn collectie.

Waar ben ik mee bezig?

Wat nieuwe make-up, een stel oorbellen en dan zijn Tom en ik weer thuis. Om kwart over drie kijk ik op de klok. Nog drie kwartier om mezelf mooier te maken dan ik er ooit heb uitgezien.

Om vijf voor vier ben ik klaar. Mijn nieuwe kristallen oorbellen glinsteren in het lamplicht, mijn vest voelt zacht als boter tegen mijn huid en geeft me een taille die ik al in geen maanden heb gezien en een decolleté dat ronduit spectaculair is, al zeg ik het zelf. Dankzij mijn hoge hakken ben ik langer en voel ik me elegant. Zo heb ik me sinds mijn trouwdag niet meer gevoeld. Met een glimlach kijk ik naar deze nieuwe, verbeterde versie van mezelf, die glimlachend terugkijkt.

Waar ben ik in godsnaam mee bezig?

Haastig trek ik alles uit, doe mijn oude grijze sweater weer aan en ren de badkamer in om mijn make-up af te vegen. Ik gedraag me belachelijk. Dat vindt hij natuurlijk ook. Bovendien is het niet mijn bedoeling hem terug te winnen of hem tot andere gedachten te brengen. Ik wil alleen dat hij weet wat hij mist. Ik wil dat hij er een beetje spijt van krijgt, want de Dan die ik eerder die middag aan de telefoon had, klonk veel te beheerst naar mijn zin.

Ik mag hem dan niet willen, maar ik wil wel dat hij mij wil.

Dat is oneerlijk, denk ik als ik het laatste restje lippenstift afveeg. Kinderachtig, dom en egoïstisch.

213

Ik lijk weer op mezelf, en dat is maar goed ook. Het is beter als ik niks probeer te bewijzen en geen spelletjes speel, en nu het tijd is, nu mijn horloge op vier uur staat, begin ik vreselijk nerveus te worden.

Het is Dan maar. Het is mijn echtgenoot maar. Hoe kan mijn echtgenoot, de man die me beter kent dan wie ook, me zo nerveus maken?

De deurbel gaat en ik word een beetje misselijk. Hij heeft een sleutel. Hij heeft altijd een sleutel gehad. En ik weet dat hij die nog steeds heeft en dat hij me hiermee vertelt dat dit echt is. Dit is geen spelletje. Dit wordt over een paar uur niet beter, of over een paar dagen. Hij heeft een sleutel, maar die gebruikt hij niet omdat dit niet langer óns huis is.

Hij heeft een sleutel, maar gebruikt die niet omdat we niet langer een paar zijn.

Hij heeft een sleutel, maar gebruikt die niet omdat hij niet langer rechten heeft.

O, god.

Als een mokerslag slaat het in en eindelijk wordt het echt. Mijn huwelijk is voorbij. Ik ben een alleenstaande moeder, een echte mislukkeling.

214

23

'Eh... Hoi.'

'Hoi.' Shit. Had ik me nou maar niet omgekleed of mijn make-up afgewassen, want dan had ik er tenminste beter uitgezien dan nu.

'Het leek me beter om je dit te geven.' Hij haalt een envelop uit zijn zak. 'De sleutel van de voordeur.'

'O,' zeg ik. Ik steek mijn hand uit en maak een klein sprongetje als onze vingers elkaar raken. 'Ja. Dank je. Je had hem best mogen gebruiken, hoor.'

Dan haalt zijn schouders op. 'Dat voelde niet goed.'

Ik knik. 'Ja. Daar kan ik in komen.' Ik leg de envelop op de tafel, en als ik Dan weer aankijk, bedenk ik hoe bizar dit is. Hoe kunnen we een paar nachten geleden nog in hetzelfde bed hebben geslapen en nu met elkaar praten alsof we vreemden zijn?

'Waar is Tom?' Hunkerend kijkt Dan de kamer rond.

'Hij doet een dutje. Hij heeft vannacht slecht geslapen en vandaag wilde hij pas om twee uur naar bed. Misschien is hij al wakker. Ik zal even gaan kijken.'

'Vind je het erg als ik hem uit bed haal?'

'Nee, natuurlijk niet. Ga je gang.' Ik ga op de bank zitten en bestudeer mijn vingernagels. Jezus. Sinds wanneer doen we zo beleefd tegen elkaar? Nog even en ik bied hem thee aan.

Na een poosje loop ik zachtjes naar Toms slaapkamer. De deur staat op een kier en Tom staat rechtop in zijn ledikantje en giechelt. Hij houdt Dans gezicht tussen zijn mollige handjes geklemd.

'Papa mist je verschrikkelijk,' hoor ik Dan fluisteren als hij zijn hoofd buigt om Toms vingertjes te kussen. 'Papa denkt elke minuut aan je.'

'Pa-pa,' zegt Tom opgetogen. Hij trekt aan Dans haar en Dan gilt het zogenaamd uit van pijn. Hij tilt Tom uit het ledikantje, zwaait hem hoog door de lucht en drukt hem daarna stevig tegen zich aan. 'Ik hou van je, Mr. T., weet je dat wel?' Hij begraaft zijn gezicht in

Toms haar. 'Wat er ook gebeurt, ik hou meer van jou dan van wie ook.'

Ik draai me om en ga terug naar de woonkamer. Ze hebben me niet gezien, en dat is maar goed ook. Ik mag geen inbreuk maken op hun privé-moment. Ik voel me net een vreemde in mijn eigen huis, niet op mijn gemak en met een verhoogd bewustzijn van elk geluidje.

Ontspan je, Ellie. Ontspan je. Haal diep adem. Rustig. Ik doe mijn best om een paar keer diep adem te halen en pak een tijdschrift dat op tafel ligt. *Homes and Gardens*. Ik blader erdoorheen en stop af en toe alsof het me echt interesseert, al zie ik nauwelijks wat er staat. Met één oog hou ik de klok in de gaten terwijl ik wacht tot Dan de kamer weer in komt. Ik wacht tot we hier op zijn minst nog wat over zullen praten, zullen proberen dit op te lossen, want we zijn toch zeker al te makkelijk uit elkaar gegaan? Er horen toch zeker meer tranen te vloeien, er hoort toch meer gepraat te volgen? Misschien moeten we wat beter ons best doen.

Er gaan vijf minuten voorbij. Een kwartier. Twintig minuten. Ik loop terug naar de kinderkamer en zie dat Dan op de grond ligt en Tom hoog boven zijn hoofd laat vliegen. Na vijfendertig minuten zit Dan in de schommelstoel en leest hij Tom *Raad eens hoeveel ik van je hou* voor.

'Wil je een kop thee? Of iets anders?' Ik kan niet geloven dat ik vraag of mijn echtgenoot thee wil. Vooral niet omdat ik nog nooit thee voor hem heb gezet en omdat hij het ook nooit drinkt.

'Nee, dank je,' zegt hij. 'Ik hoef niks.'

'Oké.'

Ik doe de deur dicht en ga een poosje op het bed in onze kamer zitten. Ik voel me helemaal leeg. Maar dan besef ik dat ik niet wil dat hij me ziet terwijl ik in de verte staar, dus ik sta op en doe net alsof ik druk bezig ben in de keuken door koffie voor mezelf te zetten.

De telefoon gaat. Het is Trish.

'Ik bel even om te vragen hoe het met je gaat,' zegt ze.

'Prima. Dan is hier.'

'Echt waar? Hoe gaat het met hem?'

'Ook goed.' Ik demp mijn stem tot een fluistering. 'Het is raar. Net of hij een vreemde is.'

'Wat heeft hij gezegd?'

'Niks. We hebben niet met elkaar gepraat. Hij is al een uur in Toms kamer.'

'O. En wat doe jij dan?'

'Ik doe net alsof ik een eigen leven heb.'

'Zal ik je later terugbellen?'
'Ja. Hopelijk valt er dan meer te vertellen.'

Om tien voor halfzes komt Dan de keuken in met Tom.
'Heb je al plannen voor vanavond?' vraagt hij.
'Nee,' zeg ik gretig. Een beetje té gretig. Ik wil meer praten. Moet meer praten. Ik kan niet geloven dat een huwelijk zo pijnloos ontbonden kan worden. Ik heb tranen nodig. Hartzeer. Verdriet Het kan gewoon niet gebeuren zoals het nu lijkt te gaan en dat het langzaam verdwijnt tot er niks over is.
'Ik hoopte dat we ergens een hapje konden gaan eten.'
'Tuurlijk.' Ik glimlach met oprechte blijdschap. 'Dat klinkt leuk.'
'Ik zal zorgen dat hij om halfzeven terug is,' zegt Dan.
Verward kijk ik hem aan.
'Voor zijn bad,' zegt Dan. 'Ik wilde bij een van die tentjes in Belsize Park gaan eten. Als je dat goedvindt, tenminste. Anders geeft het ook niet.'
'O, nee, nee.' Ik probeer te glimlachen, maar ik voel me beschaamd. Vernederd. Godzijdank heb ik niet iets opvallends gedaan, zoals mijn jas gepakt. 'Dat is prima.'
'Ik kom er wat sneller mee dan mijn bedoeling was, maar mag ik hem in de weekends? Laten we zeggen van vrijdagavond tot zondagavond? Is dat goed? En daarnaast misschien nog een middag per week?'
'Eh... tuurlijk.' Ik probeer nog over de vernedering heen te komen en hoop dat hij niet denkt dat ik met hem uit eten wilde. Ik wil niet dat hij die macht over me heeft en ik wil niet dat hij weet dat ik graag met hem was meegegaan. 'De weekends is geen probleem. Ik zal in mijn agenda kijken en je laten weten welke doordeweekse dag het best uitkomt.'
'Dank je, Ellie.' Het is ineens vreemd om mijn naam uit zijn mond te horen. 'Tot straks. Zeg mammie maar gedag,' zegt hij tegen Tom, en ik geef Tom een dikke zoen en weersta de neiging om hem zo dicht mogelijk tegen me aan te drukken.
'Ik hou van je,' zeg ik tegen Tom en mijn ogen ontmoeten die van Dan boven zijn hoofdje. Dat is al te vreemd. Te pijnlijk. Te vertrouwd. Allebei wenden we snel onze blik af en Dan is ineens verwoed bezig Tom zijn jasje aan te trekken en ik doe net alsof ik het druk heb met het afwassen van de paar dingen die in de gootsteen staan.
Gaat het nou de rest van ons leven zo?

Dan brengt Tom terug en ik besluit met hem te praten, het proces van de vorige avond voort te zetten, want dit is toch zeker een proces dat we beiden moeten doorlopen, eerst samen en dan alleen? Ik mag dan ongelukkig zijn geweest en ons huwelijk mag een vergissing zijn geweest, maar het lijkt abnormaal dat dit zo gemakkelijk verloopt.

'Kan ik iets voor je inschenken?' vraag ik als Dan Tom in bad heeft gedaan en in bed heeft gelegd. 'Koffie? Een glas wijn?'

'Dat lijkt me lekker,' zegt hij. 'Maar ik heb al andere plannen.'

'O.' Ik voel me belachelijk. Voor de tweede keer deze avond.

'Het spijt me, Ellie.' Hij legt een hand op mijn arm.

'Geeft niks,' zeg ik. 'Ik dacht alleen dat er meer dingen te bespreken vielen.'

'Goed.' Hij knikt. 'Welke dingen zoal?'

Ik schud mijn hoofd. Er zijn er te veel, het is te complex. 'Maakt niet uit,' zeg ik. 'Het komt een andere keer wel. Jeetje' – ik kijk op mijn horloge – 'het is al kwart over zeven. Rachel komt zo en ik moet me nog omkleden.' Een leugen, maar niet geheel onwaarschijnlijk. Als Dan plannen heeft, dan heb ik die verdomme ook.

'O. Ga je iets leuks doen?'

Ik haal mijn schouders op. 'Gewoon iets drinken.'

'Met iemand die ik ken?'

De bal ligt weer bij mij. Eindelijk. De hemel zij dank. 'Gewoon met Lisa en een stel vriendinnen van haar,' lieg ik. 'Ik moet opschieten. Fijn dat je bent gekomen.' Zo snel mogelijk werk ik hem de deur uit.

Ik zak slap tegen de deurpost aan als ik hem de trap op zie lopen. 'Ga niet!' wil ik roepen. 'Kom terug. Blijf!' Maar dat doe ik niet. Bij de bovenste tree aarzelt hij even en mijn hart slaat een slag over. Hij komt terug, denk ik. Hij zal zich omdraaien en terugkomen. Om de zaken te bespreken. Om ze op te lossen?

En hij draait zich om. Hij draait zich om en kijkt me treurig aan, waarna hij een glimlach op zijn gezicht probeert te toveren. 'Dag, Ellie,' zegt hij, en dan zit hij in zijn auto en is hij verdwenen en hebben we er geen van beiden iets over gezegd dat we over twee dagen twee jaar getrouwd zijn.

Ik ga weer naar binnen en zit de rest van de avond alleen op de bank. Ik staar uitdrukkingsloos in de verte terwijl ik probeer te bedenken waar het in godsnaam allemaal is misgegaan.

Het is acht weken geleden sinds Dan is vertrokken en het is niet te geloven hoezeer mijn leven op zijn kop staat. Kregen we evenveel papierwerk toen we nog samen waren of weet de overheid op de een of andere manier dat ik niet in staat ben om met deze officiële, opdringerige brieven om te gaan?

Is dit soms een soort kosmische grap?

Gemeentebelasting, het verlengen van de parkeervergunning voor bewoners, gas- en elektriciteitsrekeningen, brieven van de belastingdienst. Acht weken na Dans vertrek gaat mijn keuken schuil onder stapels papier en ik weet bij god niet wat ik ermee aan moet.

Vroeger was ik altijd heel geordend. Ik deed alles zelf en had absoluut geen man nodig om mijn leven te regelen – stel je voor zeg! Maar op de een of andere manier heeft Dan al die verantwoordelijkheden sinds Toms geboorte op zich genomen. En nu lijkt er elke dag een stortvloed van die enveloppen te komen, die vreselijke enveloppen waar mijn naam op gedrukt staat, en moet ik alles zelf regelen ook al begrijp ik nauwelijks wat er in die brieven staat en voel ik me totaal overrompeld.

Dit is mijn nieuwe strategie: alles openen wat met de hand is geadresseerd of wat eventueel een uitnodiging is, of een kaart, een brief of iets leuks wat ik graag wil lezen.

Open alles wat er officieel uitziet, werp er een blik op en leg het op de toch al wankele stapel op het aanrecht 'voor later', tenzij het een laatste aanmaning is (die lijk ik de laatste tijd nogal veel te krijgen) die snel en makkelijk betaald kan worden door een telefoontje te plegen of een cheque uit te schrijven en in een gratis envelop te stoppen.

Als de stapel te hoog wordt en vaker dan drie keer in twee dagen omvalt, moet hij voorzichtig in een kastje onder het bureau worden gelegd. Opnieuw 'voor later'.

Daarna moet die stapel onmiddellijk worden vergeten tot er een van de volgende drie dingen gebeurt: ik ga verhuizen en ontdek een gigantische stapel onbetaalde rekeningen, waardoor het ineens duidelijk wordt waarom de deurwaarders bij me op de stoep hebben gestaan; of ik huur een uiterst precieze secretaresse in die alles zal regelen waar ik niet aan toe kom, of, als dat laatste niet gebeurt: Dan komt thuis.

Geen van de bovenstaande mogelijkheden lijkt op dit moment erg waarschijnlijk en de stapels worden almaar groter, dus ik doe wat het meest logisch is, behalve alles netjes afhandelen, wat er natuurlijk niet in zit: ik bel Lisa.

'Hoe doe jij dat in godsnaam allemaal?'

'Wat?' vraagt ze verbaasd.

'Het leven. Alle onzin die mensen je sturen. Rekeningen. Belasting. Aanmaningen. Die vervloekte papierwinkel.'

'Ik weet er alles van. Is het niet vreselijk?' Ik hoor haar grijnzen door de telefoon. 'Welkom in de echte wereld.'

'Ik kan gewoon niet geloven dat ik alles zelf moet doen,' klaag ik. 'Ik wist niet dat Dan zo veel deed.'

'Het wordt vanzelf makkelijker,' zegt ze. 'Je moet er gewoon handigheid in krijgen. Ik hou elke maand een week vrij waarin ik alles doorneem en afhandel. En bekijk het van de zonnige kant: jij krijgt vast veel betere offertes van loodgieters en elektriciens dan je man. Met wat vrouwelijke charme kom je een heel eind, vooral als ze weten dat je een alleenstaande moeder bent.'

'O, god. Zeg dat alsjeblieft niet.'

'Wat, "alleenstaande moeder"?'

Ik huiver. 'Ik ben er nog niet aan toe om dat te horen.'

'Heb je al plannen voor vanavond? Tom is vandaag toch bij Dan?'

'Ja. Elke zaterdag.'

'Red je het wel, nu Tom bij die moordlustige schoonouders logeert?'

Ik zucht. Dat is een van de moeilijkste dingen nu we uit elkaar zijn: elk weekend logeert Tom bij Linda. Ik vind het vreselijk en zit elke seconde dat hij wèg is in angst, maar ik kan er niks tegen doen. Wel heb ik Dan laten beloven dat hij Tom niet met hen alleen zal laten, waarmee hij heeft ingestemd.

'Het is niet ideaal,' zeg ik, 'maar op dit moment heb ik geen andere keus. Maar goed, Dan heeft Tom gisteravond opgehaald. Hoezo?'

'Ik heb zin om hier in de buurt iets te gaan drinken en dan in een rustig restaurantje iets te gaan eten. Heb je zin om naar Queens te gaan?'

'Graag,' zeg ik enthousiast. Sinds mijn bruiloft heb ik bijna geen meidenavondjes meer gehad. 'Zullen we Trish meevragen?'

'Gregory en zij gaan met een stel vrienden uit eten,' zegt Lisa. 'Ik heb haar net gesproken.'

'O.' Ik hoor me niet gekrenkt te voelen. Het is kinderachtig om me gekrenkt te voelen. Alleen heb ik de afgelopen maanden steeds als eerste met Trish gesproken en ik was altijd de eerste die op de hoogte was van haar plannen. En vaker wel dan niet maakte ik deel van die plannen uit. Even vraag ik me af of mijn angst wordt bewaarheid, of onze vriendschap lijdt onder het feit dat ik niet langer deel uitmaak van een stel. Het is waar dat ik Trish en Gregory niet meer vaak samen zie. Ook al is Dan pas een paar maanden geleden weggegaan, de dynamiek tussen ons is al veranderd. De paar keer dat ze me mee uit hebben gevraagd, heb ik vooral met Trish gepraat, terwijl Gregory deed alsof hij belangstelling had, maar ik kon wel zien dat hij zich ongemakkelijk voelde zonder Dan.

En ik weet dat Gregory nog altijd met Dan praat. Veel. Trish heeft me verteld dat ze weigert erbij betrokken te raken. Dat Gregory en zij het niet over Dan en mij hebben. Dat mijn gesprekken met Trish privé zijn en dat ze daar niks over tegen Gregory zegt, en dat hetzelfde geldt voor Gregory's gesprekken met Dan.

Was ze maar wat loyaler ten opzichte van mij. Maar haar discretie is een van de redenen waarom ik onze vriendschap zo waardeer. En gelukkig is die vriendschap niet veel veranderd, althans niet tussen negen uur 's ochtends en zeven uur 's avonds. Goed, ik zie Lisa veel vaker dan vroeger, maar wij hebben nu veel gemeen omdat we alleenstaande moeders zijn. Hoeveel Trish ook van me houdt en hoe graag ze me ook wil helpen, ze kan onmogelijk begrijpen hoe anders, hoe moeilijk het is om een alleenstaande moeder te zijn.

Toch stoort het me een beetje dat ik niet wist dat Trish plannen had voor vanavond. Dat ze mij vanochtend niet als eerste heeft gebeld. Dat ik niet eens weet waar ze heen gaan en met wie.

Ineens komt het idee bij me op dat ze misschien met Dan hebben afgesproken. O, god. Misschien met Dan en een andere vrouw? Om eerlijk te zijn was het nog niet bij me opgekomen dat Dan een ander zou kunnen hebben, maar ineens slaat de paranoia toe en ik vraag me af of Trish daarom niks heeft gezegd.

Misschien is Dan verliefd geworden. Kan dat zijn gebeurd in zo'n korte tijd? Kan hij iemand anders hebben ontmoet? Iemand die zo bijzonder is dat hij haar aan zijn beste vrienden wil voorstellen?

Zou ze Linda al hebben ontmoet? Onmiddellijk zie ik die vrouw voor me: mooi, werelds. Het soort vrouw dat niet, zoals ik, naar bed gaat in een herenpyjama en met dikke wollen sokken aan, maar in zijden negligés, iemand die wakker wordt met een door de zon gebruinde huid en een perfect kapsel.

Ik stel me haar voor als een jongere versie van Linda en onderdruk een gesnuif want daar zou Freud wel een paar dingen over te zeggen hebben. Maar als de paranoia me meer en meer in haar greep krijgt, word ik een beetje misselijk. De scheiding kan ik wel aan; tenslotte ben ik degene die dat proces in gang heeft gezet. Maar de gedachte aan mijn man met een andere vrouw? Absoluut niet.

'Hij heeft een ander, hè?' De woorden zijn er al uit voor ik er erg in heb.

'Wat? Wie? Gregory?'

'Nee. Dan. Je verzwijgt iets voor me, hè? Trish en Gregory gaan vanavond zeker met Dan eten? En hij heeft een vriendin. Je kunt het me best vertellen. Ik kan het wel aan. Ik wil alleen de waarheid weten.'

In de lange pauze die volgt, begint mijn hart wild te bonken. 'Ben je nou helemaal gek geworden?' vraagt Lisa. 'Waar heb je het in godsnaam over?'

'Trish heeft niks over een etentje gezegd, en volgens mij heeft ze met Dan afgesproken.'

'Luister, stom mens. Trish vertelt me haast nooit iets over haar leven, dus ik weet niet met wie ze vanavond gaan eten, maar ik weet wel dat ze de laatste tijd met allerlei verschillende mensen omgaan en dat je belachelijke conclusies trekt.'

Ik kalmeer een beetje. Misschien stond ik wat te snel met mijn oordeel klaar.

'Bovendien betwijfel ik of Dan een vriendin heeft. Geloof me: als ik iets wist, zou ik het je vertellen, maar hij heeft het nu net zo moeilijk als jij, en laten we eerlijk zijn: jij bent op dit moment toch ook niet geïnteresseerd in andere mannen?'

'Nee,' geef ik met tegenzin toe.

'Waarom denk je dan dat Dan wel interesse heeft in andere vrouwen?'

Ik voel me al veel kalmer. 'Dus jij denkt dat ik me aanstel?'

'Sterker nog: ik vind dat je je bespottelijk gedraagt. Ik verzeker je dat Dan elke avond thuis tv zit te kijken en de dagen telt tot hij Tom weer ziet in het weekend. Het enige wat hem op dit moment interesseert, is hoe hij de dagen doorkomt, niet om rond te neuken. God, Ellie, het is maar goed dat ik belde, want je moet er echt vaker uit om wat lol te beleven. Ik zie je om halfacht, beneden in Queens. Goed?'

'Goed,' zeg ik lachend. 'Klinkt leuk.'

'O ja… eh… Ellie? Trek iets leuks aan, oké?'

Eigenlijk moet ik pissig zijn, maar dat ben ik niet. Ik bekijk mezelf in de spiegel en mijn haar, dat ik al bijna een week niet heb gewassen, zit in een staart om te verhullen hoe vet het is. Mijn huid is vlekkerig en ziet er vermoeid uit en ik draag een vormeloze trui. Lisa heeft gelijk.

Ik heb er genoeg van om me klote te voelen en om er klote uit te zien. Aan mijn gevoelens mag ik dan niet veel kunnen doen, maar wel aan mijn uiterlijk. Als ik dat verander, ga ik me misschien ook anders voelen.

Achter in het badkamerkastje vind ik een kleimasker van de Body Shop dat belooft alle onzuiverheden naar buiten te trekken. Ernaast staan een tube abrikozenscrub en een oude tube Darphin-crème die beweert te verfrissen en te revitaliseren.

Ik laat het bad vol heet water lopen – tenslotte zijn kindvrije weekends uitermate geschikt om jezelf een beetje te verwennen, denk ik – en ga in de bubbels liggen. Onderwijl geniet ik van het gevoel van het gezichtsmasker en van deze verwennerij waar ik sinds Toms geboorte geen gelegenheid meer voor heb gehad.

Een paar uur later ken ik mezelf nauwelijks terug. In mijn nieuwe kasjmieren vest, dat bedoeld was om Dan te laten zien wat hij miste, met glanzend, loshangend haar en zachte nieuwe make-up zie ik er behoorlijk goed uit. Nee, beter dan behoorlijk goed: ik zie er geweldig uit.

Het is wel gek dat ik geen enkele zin heb om iemand te versieren op de avond dat ik iedereen zou kunnen versieren. Hoewel ik blij ben dat ik deze moeite heb genomen, wil ik eigenlijk in mijn pyjama op bed tv-kijken. Toch trek ik de voordeur achter me dicht en doe hem voor alle zekerheid op het nachtslot.

223

24

'Wauw!' Lisa's ogen worden groot als ik naar het hoektafeltje in Queens loop waar ze zit. 'Is dat onze lieve, oude Ellie?'

'Vind je het mooi?' Met getuite lippen draai ik een zwierig rondje om mijn nieuwe vest te laten zien en gooi tegelijkertijd mijn haar over mijn schouder.

'Je ziet er geweldig uit.' Ze knikt goedkeurend. 'Wie had gedacht dat je er zo goed uit zou kunnen zien als je de moeite nam?'

'Nou, bedankt.' Ik trek een gezicht. 'Met vrienden als jij heeft een mens geen vijanden nodig.'

'Ga zitten.' Ze wijst op de lege stoel tegenover haar. 'Ik zal een drankje voor je halen.'

'Nee, dat doe ik wel even. Wat heb jij? Wodka met cranberrysap?' Ik wijs op haar felrode drankje.

'Wodka, tonic en cranberrysap. Graag.' Ze glimlacht naar me en ik draai me om en loop naar de bar.

Het is heel vreemd om op zaterdagavond in een café te zijn. Dat heb ik al in geen maanden gedaan. Ik had de fut niet om op zaterdagavond iets anders te doen dan een warm bad te nemen en naar bed te gaan. Maar die luxe kan ik me niet langer permitteren nu ik niet meer samen met mijn echtgenoot woon, nu de kans groot is dat mijn huwelijk voorbij is.

Ik mag er dan nog geen behoefte aan hebben een ander te leren kennen, maar ik weet wel dat ik meer moeite moet doen, vaker de deur uit moet. Ik moet net doen alsof ik een drukker sociaal leven wil dan ik nu heb.

Het grootste deel van de tijd komt het me nog onwerkelijk voor dat ik single ben. Ik kan niet geloven dat ik op een gegeven moment weer moet gaan daten, met iemand anders dan Dan.

Dat heb ik nooit leuk gevonden, of opwindend zoals mijn vriendinnen het vonden, en nog steeds vinden, als je Lisa mag geloven. Voor Lisa gaat er niets boven de opwinding die ze voelt als ze een nieuwe man heeft ontmoet, het wachten tot hij belt (bij Lisa is het altijd tot, nooit of) en het uitzoeken van de kleren voor het eerste afspraakje.

Ze neemt er graag een hele middag voor om zich klaar te maken. Dan regelt ze een oppas voor Amy en laat ze een kapster komen. Ze gaat uitgebreid in bad en is uren bezig zich mooi te maken.

Ze vindt het heerlijk om iemand te leren kennen, ze geniet van de sensatie van het flirten, het ontdekken of er ook een seksuele spanning tussen hen hangt, of dit iets is waar ze verder mee wil gaan.

Lisa beweert niet aan one-night stands te doen, niet sinds de geboorte van Amy, maar ze zegt ook dat er niets te vergelijken valt met een sterke aantrekkingskracht die eindigt met wat geflikflooi op de bank of een hartstochtelijke zoen voor de deur aan het eind van de avond.

Daar heb ik nooit iets van begrepen. Toen ik Dan ontmoette, was ik juist blij dat we ons zo op ons gemak voelden bij elkaar, dat hij vanaf het begin mijn beste vriend leek, dat ik me bij niemand ooit zo prettig had gevoeld, zo mezelf. De gedachte dat ik een ander moet zoeken is onverdraaglijk en de kans is groot dat ik me bij niemand ooit nog zo prettig zal voelen.

Ik ben hier nog niet aan toe, maar ik kan mezelf ook niet opsluiten in een kast en wachten tot het leven me daar vindt. Ik ben niet op zoek naar een man, maar ik moet wel op zoek gaan naar een leven, een leven naast Tom, naast gesprekken over speelkameraadjes, peuterklasjes en kindermeisjes.

Nou, daar ben ik dan. Ik zet een wodka met tonic en cranberrysap voor Lisa op tafel en probeer eruit te zien alsof ik niet liever naar een goede film zou kijken.

'Ik zie dat je hem nog steeds draagt,' zegt Lisa.

'Wat?'

'Je trouwring.'

We kijken allebei naar mijn vinger, naar de eenvoudige gouden ring die eens zo vreemd en verkeerd voelde, maar nu deel van me lijkt uit te maken.

'Ik ben nog steeds getrouwd,' zeg ik zacht. Met mijn duim strijk ik over de ring, die vertrouwd aanvoelt. Ik weet dat ik er nog lang niet aan toe ben hem af te doen.

'Uit elkaar,' brengt Lisa me in herinnering.

'Dat weet ik. Maar nog niet officieel gescheiden.'

'Heb je er al over gepraat? Hebben jullie al iets geregeld?' vraagt ze.

'Het is pas acht weken geleden, maar we lijken alleen over Tom te praten. Het is allemaal zo raar tussen ons.' Ik zucht diep. 'Ik weet hoe ongelukkig ik was en hoe hartgrondig en lang ik Dan heb gehaat, maar nu kan ik niet geloven hoe vlug en hoe makkelijk alles voorbij is. We hebben nog heel veel uit te praten, maar we zijn geen van beiden in staat daarover te beginnen, of om de juiste woorden te vinden.'

Er valt een stilte. 'Wil je dat het weer goed komt tussen jullie?'

En nog een stilte.

'Ik weet het niet. Ik weet alleen dat we elkaar diepongelukkig maakten en dat ik geloofde dat ik een vreselijke vergissing had begaan.'

'En nu? Geloof je dat nog steeds?'

'Min of meer. Maar er zijn ook momenten dat ik me al het goede van ons huwelijk herinner, dat ik weer weet waarom we zijn getrouwd, en dan kan ik niet geloven dat het voorbij is.'

'Denk je niet dat Dan en jij eens goed met elkaar moeten praten?'

'Dat heb ik geprobeerd, maar dat lukt niet. Misschien mettertijd wel, maar op dit ogenblik gaat het nog niet.'

'Ik vind het zo triest dat jullie trots een eventuele hereniging in de weg staat.'

'Dat is geen trots, maar… Ik weet het niet. Maar goed, laten we het daar niet over hebben. Ik dacht dat je me wilde opvrolijken, niet me nog somberder wilde maken. Waarom hebben we je de laatste tijd eigenlijk zo weinig gezien?'

'Ach, nergens door,' zegt Lisa blozend.

'Je bloost.' Ik ben geschokt. 'O, mijn god. Je hebt iemand ontmoet, hè? Je hebt een man leren kennen.'

'Nee, nee, dat is niet zo.' Maar haar steeds roder wordende wangen verraden haar.

'Ik geloof je niet.' Ik leun achterover in mijn stoel en sla mijn armen over elkaar. Met een grijns zie ik hoe onbehaaglijk ze zich voelt. 'Hoe kun je nou iemand hebben ontmoet zonder ons alle intieme details te vertellen? Geen wonder dat Trish en ik niet bij je thuis mochten komen. Jeetje, wat zijn wij dom geweest! Trish zei nota bene nog dat ze zeker wist dat je iemand had, maar ik zei dat dat onzin was, dat je het ons zeker zou vertellen als het wel zo was. Maar je hebt wel iemand en je hebt verdomme niks gezegd.'

'O, jezus,' kreunt Lisa terwijl haar blos wegtrekt. 'Het moet geheim blijven. Ik kan niet geloven dat ik het heb verraden.'

'Waarom al die geheimzinnigheid?' Ik ben direct benieuwd en

leun samenzweerderig voorover. 'Kom op, mij kun je het wel vertellen. Is hij beroemd? Ja, zeker? Daarom doe je natuurlijk zo geheimzinnig.' Zonder Lisa de kans te geven iets te zeggen, begin ik me af te vragen met wie van de beroemdheden die hier in de buurt wonen ze iets kan hebben. 'Is het Jude Law? Wedden dat het Jude Law is? Shit, dat is echt een stuk. Ik zou waanzinnig jaloers zijn als het Jude Law is, maar hij heeft toch iets met...'

'Nee.' Lisa schudt haar hoofd en kijkt heel ongemakkelijk. 'Niet Jude Law.'

'Nee? Een of andere suffe presentator? O, zeg alsjeblieft dat het niet Les Dennis is.'

Lisa begint te lachen. 'Nee, het is geen beroemdheid.'

'Nou, vertel op. Wie is het dan?'

'Je kent hem niet,' zegt ze nu een poosje. Een beetje onbeholpen. 'Bovendien is het niet serieus. Ik bedoel, hij is heel aardig, maar het is niet meer dan een losse flodder.'

'Ja, ja. Je bloost alsof je gezicht in brand staat, maar het is alleen een tussendoortje. Wat een onzin! Toe nou, Lisa, vertel me meer. Geef me op z'n minst een klein detail.'

'Goed, goed, maar zeg alsjeblieft niks tegen Trish.'

'Waarom niet?' Ik snak naar adem. 'Kent ze hem?'

'Nee, nee. Ik wil gewoon niet dat iemand het weet. Om eerlijk te zijn is het allemaal nog heel pril, en bovendien is het gecompliceerd.'

'Gecompliceerd.' Ik kijk haar aan en ze wendt haar blik af. 'Je bedoelt zeker dat hij getrouwd is?'

Ze haalt haar schouders op, maar ze durft me nog steeds niet aan te kijken, want ze weet maar al te goed hoe ik daarover denk. 'Hij is min of meer getrouwd,' zegt ze eindelijk met tegenzin.

'Godsamme, Lisa. Je weet toch wel beter?'

Ineens kijkt ze me wel aan. 'Hij wil gaan scheiden,' zegt ze ferm. 'Hij wacht gewoon op het juiste moment, maar zijn huwelijk is voorbij en ik zweer je dat ik hem geloof.'

Het bloed stolt me in de aderen. Mijn hart begint te bonken en ik voel me misselijk worden.

Mijn stem is niet meer dan een fluistering: 'Het is Dan.' Ik stik bijna in de woorden. 'Daarom wilde je niet dat iemand het wist. Het is Dan, hè?' Ik weet niet of ik moet gaan schreeuwen, weg moet lopen of haar hard in haar gezicht moet slaan.

Ik denk nog steeds dat ik moet overgeven.

Lisa's ogen worden groot. 'Jezus!' zegt ze. 'Nee, nee! Echt niet. Hoe kun je nou denken dat ik je dat aan zou doen?'

Mijn hart gaat weer in een normaal tempo kloppen. Ze liegt niet. Niemand zou zo overtuigend kunnen liegen. Zelfs niet over zoiets.

'O, Ellie.' Ze begint te lachen. 'Hoe kun je nou denken dat ik een verhouding met Dan heb? O, liefje. O, Ellie.'

'O, shit.' Ik ga weer lekker op mijn stoel zitten en leg mijn hand op mijn zwoegende borst. 'Ik dacht dat ik moest overgeven.'

'Ik dacht dat je me een klap wilde geven,' zegt Lisa.

'Daar heb ik wel aan gedacht.' Ik kijk haar ernstig aan. 'Ik geloof je, maar zweer je met je hand op je hart dat je geen verhouding hebt met Dan?'

'Ja.' Ze knikt. 'Ik zweer met mijn hand op mijn hart dat ik geen verhouding met hem heb.'

'Goed.' Ik lach en voel de opluchting door me heen stromen.

'Goed,' zegt ze, en zij begint ook te lachen. 'Zullen we nog een drankje nemen? Volgens mij kunnen we dat wel gebruiken.'

Een uur later, als ik erin ben geslaagd al mijn angsten aan de kant te zetten, buigt Lisa zich over het tafeltje heen en fluistert: 'In de hoek zit een man die de hele tijd naar je staart.'

'Ja, vast.' Ik lach. Mijn drie wodka's met tonic en cranberrysap hebben bijna de overhand gekregen. 'Als hij al naar iemand staart, is het naar jou.'

'Nee, echt niet,' zegt Lisa. 'Geloof me, ik ben expert op dit gebied. Hij staart naar jou.'

'Is hij knap?' vraag ik lachend. Niet dat het me veel kan schelen.

'Hij is best schattig,' zegt ze. 'En hij komt me vaag bekend voor. Ik vraag me af of ik hem ken. Maar hij staart zonder meer naar jou.'

'Lisa.' Ik trek een wenkbrauw op. 'Waarom zou hij naar mij kijken terwijl jij veel knapper bent en iedereén naar jou staart en hij alleen mijn rug kan zien?'

'Ik lieg niet.' Lisa leunt weer achterover. 'Waarom kijk je niet even om zodat je hem kunt zien en hij jou in al je glorie ziet?'

'Goed.' Ik draai me om, en probeer te ontdekken naar wie ze kijkt. En ik zie hem. Hij staart naar mij. Heel duidelijk.

Vlug wend ik me weer tot Lisa. 'Ik ken hem.'

'Echt waar? O.' Ze is teleurgesteld.

'En jij kent hem ook.'

'O, ja? Wie is het dan?'

'Charlie Dutton.'

'Charlie Dutton! De producent! Geen wonder dat hij me bekend voorkwam. Wacht eens even, was hij niet in Zuid-Frankrijk op de avond dat...'

'Ja,' onderbreek ik haar. Het kost me nog steeds veel moeite aan die avond te denken, laat staan erover te praten.

'Nou, hij heeft jou in elk geval herkend. Ga je hem geen gedag zeggen?'

'Ik ken hem niet echt. Ik heb hem een keer ontmoet bij mijn vriendin Fran, hij heeft een poosje iets gehad met een andere vriendin van me, en toen die avond in Frankrijk. Als hij er nog zit als wij weggaan, zeg ik wel hallo tegen hem.'

'Of eerder,' fluistert ze terwijl ze zich vooroverbuigt. 'Hij komt naar ons toe.'

'Ellie?' hoor ik een man achter me zeggen.

Zogenaamd verbaasd draai ik me om. 'Charlie?'

'Hoe gaat het met je? Ik wist niet of je het nou was of niet.'

'Dat is moeilijk te beoordelen van achteren, lijkt me.'

'Maar ik had gelijk,' zegt hij met een glimlach. 'Hoe gaat het met je?'

'Prima. Dank je. Ken je mijn vriendin Lisa nog?'

'Hoi, Lisa, leuk je te zien.' Hij begroet haar mechanisch en wendt zich dan weer tot mij.

'Ik heb gehoord dat alles weer goed is gekomen met je zoontje. Je weet niet half hoeveel zorgen iedereen zich die avond heeft gemaakt, hoe ik met je heb meegeleefd.'

'Dank je,' zeg ik. 'Dat is lief van je. Maar hij maakt het weer prima, en dat is het enige wat telt.'

'Mag ik erbij komen zitten?' vraagt Charlie, en voor een van ons nee kan zeggen, heeft hij al een stoel bijgetrokken. Lisa leunt met een grijns achterover als ik onhandig opschuif om plaats voor hem te maken.

'En je vrienden dan?'

'Die gaan zo weg,' zegt hij. 'Naar een feestje, maar daar heb ik geen zin in. Ik moet echt eens vroeg naar bed.'

Als we daar met zijn drieën zitten, vraag ik me af waarom hij bij ons is gekomen.

Ik lijk de kunst van het praten over koetjes en kalfjes verleerd te zijn. Ik had het net zo naar mijn zin met Lisa, en ergens vind ik het helemaal niet leuk dat hij erbij is komen zitten zodat ik nu mijn best moet doen om een gesprek op gang te krijgen.

'Hoe gaat het met je man?' vraagt Charlie. Hij neemt een grote slok bier en zet zijn glas dan op tafel. Vervolgens kijkt hij mij recht aan op een manier die me twee dingen vertelt: ten eerste dat hij het weet. Natuurlijk weet hij het. Als hij heeft gehoord dat alles goed is met Tom, heeft hij ook gehoord dat het tussen mij en Dan niet goed gaat.

En ten tweede: dat hij zich iets herinnert wat ik tot vanavond, tot dit moment, vergeten was: dat we die avond aan het flirten waren. Dat er een aantrekkingskracht tussen ons was die ik helemaal was vergeten, van me af had gezet of had genegeerd, gezien alles wat er daarna was gebeurd.

Met een schok besef ik dat de aantrekkingskracht er nog steeds is. O, shit. Dit had ik niet verwacht.

'Het spijt me.' Als ik mijn hoofd omdraai, zie ik dat Lisa met haar jas in de hand naast het tafeltje staat. 'Ik vind het vreselijk, maar ik moet echt vroeg naar bed. Ik bel je morgenochtend wel, oké?' Ze bukt zich om me een zoen te geven en probeert – maar slaagt er niet in – een grijns te onderdrukken. Dan neemt ze afscheid van Charlie.

'Jij moet ook gaan,' blijft een stemmetje in mijn hoofd telkens maar zeggen. 'Sta op, trek je jas aan en ga samen met haar weg. Ga. Hup. Sta op en vertrek.' Maar ik kan het niet. Ik kijk weer naar Charlie en ik zweer dat het net een scène uit *The Matrix* is, waarin de tijd heeft stilgestaan en Charlie en ik de enige twee mensen zijn die bewegen. Alleen wij tweeën.

O, hemel. Hier ben ik nog niet aan toe.

'Hij heet toch Dan?'

Nu is het mijn beurt om te blozen. 'Eh… het gaat goed met hem,' zeg ik. 'Volgens mij gaat het goed met hem.'

'Volgens jou?'

Ik kijk hem aan. 'Je hebt vast wel gehoord dat we uit elkaar zijn.'

Godzijdank heeft hij het fatsoen om beschaamd te kijken en hij knikt. 'Ja, dat heb ik gehoord, maar je weet hoe het gaat met roddels en ik geloof nooit iets tenzij ik het uit de eerste hand hoor.'

'Nou, deze roddel is waar.' Ik haal mijn schouders op en neem een grote slok van mijn drankje, zodat ik iets om handen heb. Ik geloof niet dat ik me de afgelopen jaren ooit zo onbehaaglijk heb gevoeld.

Alsof hij mijn gedachten kan lezen, kijkt Charlie naar mijn lege glas. 'Wil je er nog een?'

Ik kan nog weg, denk ik. Ik kan mijn hoofd schudden, glimlachen en zeggen: Nee, ik moet gaan vanwege de oppas en zo, maar het was leuk om je weer te zien. Wat een toeval, hè? We ontmoeten elkaar wel weer eens. Pas goed op jezelf. Dag.

Dat zou ik allemaal kunnen doen, denk ik. Die woorden zouden makkelijk over mijn lippen kunnen rollen, maar in plaats daarvan knik ik. 'Graag,' zeg ik.

Charlie stelt me heel veel vragen. Hij vraagt van alles over Tom. Hij wil weten hoe het met hem gaat, hoe ik het red, wat ik moeilijk vind en wat makkelijk.

Hij vertelt over Finn. Hoe het is om een alleenstaande vader te zijn. Hij vertelt dat hij als een goede vangst wordt beschouwd door de alleenstaande moeders van Finns school sinds zijn film twee Golden Globes heeft gewonnen. Ik moet lachen als hij het dagelijkse afzetten van Finn bij school beschrijft als een hindernisbaan waarbij hij de begerige handen van de alleenstaande moeders met sociale ambities moet ontwijken.

En Charlie vraagt naar mij. Hij vraagt naar mijn leven, wat ik doe, of ik me eenzaam voel, of ik weet wat de toekomst zal brengen.

Tot mijn eigen verbazing praat ik tegen hem. Ik wist niet dat het zo makkelijk zou zijn om met hem te praten, maar ik vermoed dat het vleiend is om iemand te hebben die veel over je wil weten, vooral als die persoon zo, nou ja… zo aantrekkelijk is.

Want dat is hij. Ik kijk naar zijn armen en herinner me hoe bruin die van de zomer waren, en ik kijk weer naar zijn gezicht en zie dat hij me aankijkt. Hij glimlacht en ik begin te blozen.

O, god. Ik ben hier echt nog niet aan toe.

En terwijl Charlie over zijn scheiding praat, over hoe hij zich heeft aangepast, hoe het voor hem was, dwalen mijn gedachten af en vraag ik me af of ik er echt nog niet klaar voor ben. Hoe zou het zijn om werkelijk iemand anders te zoenen, met iemand anders naar bed te gaan?

Ik stel me voor hoe Charlies gezicht dichter naar het mijne komt, hoe hij zijn ogen dichtdoet, hoe onze lippen elkaar raken. Ik zie voor me, voel praktisch, hoe hij mijn hals likt en ik kan bijna zijn schouderbladen onder mijn handen voelen. Ik huiver.

O, god. Ben ik hier echt nog niet aan toe?

'Is alles goed met je?'

'Hè?' Met een schok keer ik terug naar het heden. In mijn fantasie waren de knoopjes van mijn blouse al bijna allemaal open.

'Je leek heel ergens anders met je gedachten.'

'Sorry.' Verdomme. Waarom bloos ik nou alweer? 'Ik bedacht net dat ik maar eens naar huis moet. Oppas.' Door mijn schuldgevoel tuimelen de woorden mijn mond uit.

'Woon je hier in de buurt?'

Ik knik en vertel hem mijn adres.

'Ik woon op Gloucester Avenue,' zegt hij. 'Hier vlak om de hoek. Zal ik met je naar huis lopen?'

Ik knik. Wat kan ik anders doen?

Als we mijn straat in lopen, verstomt ons gesprek. Ik denk aan Lisa en haar verhalen over hartstochtelijke zoenen voor de deur. Ik denk aan geflikflooi op de bank. En ik denk aan Dan.

Ik ben hier echt nog niet aan toe.

Als ik mijn sleutel in het slot steek, kijk ik naar Charlie, klaar om beleefd afscheid te nemen. Ik weet dat ik dit niet kan, dat een fantasie één ding is, maar dat het iets heel anders is om een andere man te zoenen, iets waar ik nu nog niet eens aan wil denken.

'Het was leuk je te zien,' zegt Charlie, en hij geeft me een hand. 'Echt waar. Na die avond heb ik nog vaak aan je gedacht, en aan Tom, natuurlijk. Het was een hele opluchting te horen dat alles goed met hem gaat. Ik wilde je schrijven en het spijt me dat ik dat niet heb gedaan.'

'O, dat geeft niet.'

'Maar nu zijn we buren. Dus als je een keertje iets wilt gaan drinken, of naar de bioscoop wilt of zo, bel me dan gerust. Ik weet precies hoe het is als je net uit elkaar bent, en vrienden zijn dan heel belangrijk.'

'Goed,' zeg ik verward. Ik had me er net op voorbereid hem af te wimpelen. Hem weg te duwen en te zeggen dat – nee, hij niet mag binnenkomen voor een kop koffie, en nee, lief dat hij me mee uit eten vraagt, maar ik ben nog niet aan daten toe.

'Hier is mijn visitekaartje,' zegt hij, en hij drukt me een kaartje in de hand. 'Pas goed op jezelf, Ellie.' Na die woorden loopt hij het tuinpad af en is verdwenen.

Ik ga mijn huis in en sluit de deur, en dan leun ik een paar tellen tegen de muur in de donkere gang. Ik leg mijn hand op mijn hart om het tot bedaren te brengen, terwijl ik denk aan wat er net is gebeurd. Of liever aan wat er niet is gebeurd. Aan wat er had kunnen gebeuren.

Zo is het goed, denk ik. Godzijdank heeft hij geen avances gemaakt. Moet je je voorstellen hoe gênant dat zou zijn geweest, hoe beschamend.

Zo was het precies goed.

25

Ik kreun als ik mijn ogen open en me op de wekker concentreer. 7:38. Shit. Ik leg mijn hoofd weer op het kussen en luister of ik Tom hoor, maar ik hoor niks en dan besef ik me dat het zondag is en dat Tom bij Dan is.

Waarom heb ik gisteravond zo veel wodka gedronken? Ik had toch beter moeten weten. Negen maanden geheelonthouding tijdens mijn zwangerschap heeft ervoor gezorgd dat mijn tolerantie-niveau voor alcohol zo ongeveer nul is, en anderhalf jaar later is daar kennelijk nog geen verandering in gekomen.

Ik strompel naar de badkamer en kijk wazig naar mijn spiegel-beeld. Dan kreun ik opnieuw, want de aantrekkelijke vrouw van de vorige avond is verdwenen en haar plaats is ingenomen door een op-gezet monster met dikke ogen. Van het ene uiterste in het andere, denk ik. Ik slik twee aspirientjes en schuifel weg om koffie te zetten.

Om halfelf slaag ik er eindelijk in me aan te kleden en net als ik naar het Poolse eetcafé wil voor een cappuccino en een amandel-croissantje, waar ik hard aan toe ben, gaat de telefoon. Het is Lisa.

'Kom over een uur naar me toe bij de schommels,' zegt ze. Ik protesteer en zeg dat ik op een kindvrije dag niet eens in de buurt van een speelplaats wil komen.

'Goed dan,' zegt ze lachend. 'Dan zie ik je over een kwartiertje bij de Pool.' En ze hangt op voor ik een tegenwerping kan maken. Ik weet dat ze een verslag wil en even vraag ik me af of ik iets moet ver-zinnen: hete, hartstochtelijke seks op Primrose Hill? Niet voor mij bij deze temperaturen. Maar waarschijnlijk gelooft ze me toch niet. Ze mag Charlie dan niet kennen, ze weet wel met welke mensen hij optrekt en ze kent zijn type. Ik zal haar de waarheid moeten vertel-len.

'Je ziet er vreselijk uit!' Ze lacht terwijl ze Amy's wandelwagentje tussen de tafeltjes door duwt naar de plek waar ik zit. Ik heb al een koffie in mijn hand en heel langzaam begin ik me weer mens te voelen.

'Ik kan ook altijd van jou op aan, hè?' Ik sla mijn ogen ten hemel.

Met een grijns zegt ze: 'Sorry, maar ik heb je nog nooit met een kater gezien.'

'Is het zo duidelijk?'

'Moet ik eerlijk zijn?'

'O, laat maar.' Ik snuif. 'Trouwens, waarom zie jij er zo mooi uit? Als ik het me goed herinner…'

'Niet erg waarschijnlijk.'

'Zo onwaarschijnlijk is dat nou ook weer niet. Hebben we gisteravond niet evenveel gedronken?'

'We hebben er allebei drie gehad, maar ik neem aan dat jij bent blijven drinken met Charlie.'

'O, ja. Dat was ik even vergeten.'

'Nou, zorg er maar voor dat je het je snel weer herinnert, want ik wil alle sappige details horen.'

Ik glimlach en schud mijn hoofd. 'Die zijn er eigenlijk niet. Hij is met me meegelopen naar huis, we hebben elkaar een hand gegeven en dat was het dan.'

'Is dat alles?' Vol afgrijzen kijkt Lisa me aan.

'Dat is alles. Wat verwachtte je dan? Seks op Primrose Hill?'

'Ja, eigenlijk wel. Daar hoopte ik op.'

'Ik ben nog altijd getrouwd, hoor.' Nu klinkt mijn stem bloedserieus. 'Het laatste waar ik nu naar op zoek ben is een romance.'

'Ik weet ook wel dat je nog getrouwd bent, maar je kunt er niks aan doen als de romantiek je vindt, en laten we wel wezen: hij is een spetter en de aantrekkingskracht tussen jullie is onmiskenbaar.'

'O, ja?'

'Doe maar niet zo onschuldig! Dat weet je best. En doe maar niet alsof je geen interesse hebt. Ik weet dat je gescheiden bent van tafel en bed, en nog niet officieel, maar dat wil niet zeggen dat jij ook geen lol kunt beleven.'

Wat zei ze net?

Ik kijk Lisa aan. 'Wat zei je net?'

'Hè?'

'Hoe bedoel je: "dat jij ook geen lol kunt beleven"? Bedoel je dat Dan wel lol heeft? Hoe weet je dat? Wat voor lol? Hij heeft zeker een vriendin? Ik wist het wel: je verzwijgt iets voor me.'

'Toe, Ellie, draaf niet zo door. Zo bedoelde ik het niet, het kwam gewoon verkeerd mijn mond uit. Ik betwijfel ten zeerste of Dan een vriendin heeft en voor de tweede keer: nee, ik zie hem nooit. Ik bedoelde gewoon dat jij jezelf niet moet opsluiten en niet altijd in je eentje thuis moet zitten. Ik weet dat de scheiding van tafel en bed een onzekere periode is, maar dit zou best eens je laatste kans kunnen zijn, en je moet elke dag nemen zoals hij komt.'

'Doe jij dat ook?'

'Elke dag nemen zoals hij komt? Dat probeer ik wel. Oeps! Voorzichtig, Amy! Gaat het?' Amy is uit haar wagentje gekropen en waggelt door het café, terwijl ze tegen iedereen babbelt, al verstaat niemand er een woord van. Ze botst tegen een tafelpoot en valt, en Lisa haast zich naar haar toe om haar op te pakken.

Als Amy tot bedaren is gebracht met warme chocolademelk, verontschuldigt Lisa zich voor de onderbreking. Ik haal mijn schouders op, want tegenwoordig ben ik wel gewend aan onderbrekingen.

'Goed,' zeg ik als alles weer rustig is. 'Ja, ik vind Charlie aardig en ja, hij is knap, en ja, ik voel de aantrekkingskracht ook, maar ik geloof niet dat ik er iets mee ga doen. Trouwens, hij deed heel blasé toen hij wegging en ik geloof niet dat hij echt iets met mij wil.' Ik vertel haar wat hij zei toen hij mijn hand schudde.

'Volgens mij wil hij je niet bang maken,' zegt Lisa. 'Ga je hem nog bellen?'

Ik steek mijn hand in de zak van mijn jas, die achter me over de rugleuning van de stoel hangt, en voel het visitekaartje dat daar nog steeds in zit. 'Nee.' Ik schud mijn hoofd en buig me voorover om Amy's buikje te kietelen tot ze kronkelt en het uitgilt van pret. 'Ik denk het niet.'

Als ik op donderdagmiddag op het pad naar de deur van mijn appartement loop, zie ik een bekende op de stoep zitten. Bekend, maar toch vreemd, omdat ik Emma in geen maanden heb gezien. Ik wist namelijk niet hoe ik onze vriendschap voort moest zetten, of het überhaupt mogelijk is om onze vriendschap voort te zetten. Dus heb ik me teruggetrokken in plaats van erover te praten of de mogelijkheden te onderzoeken.

O, niet al te opvallend. Als ze belt, laat ik het antwoordapparaat aanslaan en dan bel ik haar terug als ik weet dat ze weg is. Ik spreek vrolijke, opgewekte boodschappen in op haar antwoordapparaat, en ik zeg hoe graag ik haar wil zien, ook al heb ik het erg druk. Ik hoop

dat zij dat weer tegen Dan zegt, dat Dan denkt dat ik me prima ver-
maak nu hij er niet meer is.

Soms voel ik me enorm kinderachtig. Trish zegt tegen me dat ik
me soms kinderachtig gedraag, maar ik wil absoluut niet dat Dan te
weten komt hoe eenzaam ik in werkelijkheid ben. Ik zou het niet
kunnen verdragen als hij weet dat ik vaak in bed lig te huilen, dat
Tom de enige reden is waarom ik 's ochtends opsta en dat alleen
Tom me de kracht geeft om de dag door te komen.

Ik wil per se voorkomen dat hij erachter komt dat ik doodsbang
ben om de rest van mijn leven zo te slijten. Dat alle vrolijkheid, al
het plezier en al het geluk zijn verdwenen, dat me voortaan alleen
meer van deze eentonige saaiheid te wachten staat.

Daar probeer ik niet al te vaak aan te denken, anders zou ik niet
in staat zijn om door te gaan.

En daar zit Emma voor mijn deur. Ze heeft haar armen om
haar knieën geslagen en ze leest een tijdschrift dat open op de
grond ligt. Ik aarzel. Ze heeft nog niet opgekeken. Kan ik nog
weggaan? Ontsnappen voor ze me ziet, want ik wil haar niet zo
onder ogen komen; ik wil niet dat ze aan Dan vertelt hoe vreselijk ik eruitzie.

Alleen heb ik een goede reden om er zo uit te zien. Tegenwoordig roept Tom 's nachts om me en ik heb de afgelopen nachten veel
minder slaap gehad dan in de maanden daarvoor. Soms kom ik in de
verleiding hem in mijn bed te laten slapen, maar dat is iets waar ik
nu nog niet aan wil beginnen.

Emma kijkt op. Ze ziet me aarzelend staan, springt op en rent naar
me toe. Ze barst in tranen uit en slaat haar armen om me heen, en ik
klamp me aan haar vast en leg huilend mijn hoofd op haar schouder.

'Ik heb je zo gemist,' zegt ze. Ik wrijf over haar rug om haar te
troosten, terwijl mijn eigen zilte tranen op haar wollen jas druppen.

'O, god. Het spijt me. Je jas,' zeg ik als ze me eindelijk loslaat. We
kijken allebei naar haar natte schouder en we beginnen te lachen.
'Ach, dat oude vod,' zegt ze. 'Dat heb ik gratis gekregen bij een fo-
tosessie.' En in een flits realiseer ik me hoe erg ik haar heb gemist.
Prompt omhelzen we elkaar weer.

'Je kunt beter binnenkomen, voor de buren beginnen te roddelen
over mijn nieuwe lesbische verhouding.' Ik laat haar los en veeg
mijn tranen weg.

'In elk geval kunnen ze dan zeggen dat je vriendin een goede
smaak heeft op het gebied van jassen,' zegt Emma. Ze helpt me

met het naar beneden dragen van het wandelwagentje en als we binnen zijn en de deur dichtzit, kijkt ze me ineens ernstig aan en zegt ze: 'Stom mens, om me al die maanden te ontlopen. Dacht je soms dat ik niet wist dat je je antwoordapparaat laat opnemen en dat je me alleen terugbelt als je zeker weet dat ik niet thuis ben?'

'Was het zo duidelijk?'

'Ja. Je kunt de expert op dat gebied niets wijsmaken.' Ze doet Toms riempjes los en maakt hem aan het lachen door hem te kietelen. 'Kom eens bij tante Emma,' zegt ze als hij lachend aan haar haar trekt. 'Kleine aap. Heb je aan mama verteld dat ik het afgelopen weekend met je naar de dierentuin ben geweest?'

'Heb je dat gedaan?'

'Heeft Dan je dat niet verteld?'

Ik zucht. 'Dan zegt tegenwoordig niet veel meer tegen me.'

Emma schudt haar hoofd. 'Hoe kunnen jullie in die paar maanden zo ver uit elkaar zijn gegroeid? Ik bedoel, wat is er in jezusnaam aan de hand? Wat gebeurt er allemaal? Dit is belachelijk.'

'Wil je een kop thee?'

'Ja. Ik wil een kop thee en ik wil weten wat er in godsnaam aan de hand is, want mijn broer wil er met niemand over praten en mijn moeder weet heel goed dat zij wel de laatste is die jij wilt zien. Dan voelt zich miserabel en jij ziet er ook niet uit...'

'Eigenlijk zie ik er vandaag niet uit omdat ik een kater heb,' lieg ik. Ik hoop dat dat Dan ter ore zal komen, dat hij denkt dat ik gisteravond gezellig ben wezen stappen. Het nieuws dat Dan er niet best aan toe is vrolijkt me een beetje op. 'Je had me gisteravond moeten zien.'

'Toen zag je er zeker betoverend uit?'

'Inderdaad,' zeg ik nonchalant, en ik neem me voor om meteen op te houden met liegen. Dit is Emma, en als er iemand leugens direct doorziet, is zij het wel. 'Maar goed. Flikker op, Emma. Ik zie je in geen maanden en dan sta je ineens bij me op de stoep en beledig je me.'

'Dat doe ik alleen maar omdat ik van je hou,' zegt ze. Ik draai me om en kijk naar haar, maar zij zit aan tafel in haar tijdschrift te lezen.

Ik sta daar geschokt met de waterkoker in mijn hand. Niemand heeft ooit tegen me gezegd dat hij van me houdt; tenminste, niemand buiten mijn directe familie en Dan, natuurlijk. En zelfs mijn directe familie heeft het nooit met zo veel woorden gezegd. Ik neem aan dat mijn moeder naar beste vermogen van me hield, en mijn vader heeft op mijn bruiloft gezegd dat hij van me houdt, maar als da-

237

den meer zeggen dan woorden, dan twijfel ik daar nu aan, aangezien ik hem sindsdien nauwelijks heb gezien.

Dan zegt het. Althans, hij zei het. Maar het is heel gek om het uit Emma's mond te horen. Ze maakte geen grapje, ze was heel nuchter, alsof het iets is wat ik hoorde te weten, iets wat buiten kijf staat.

'Emma.' Ik zet de thee op tafel en ga tegenover haar zitten. 'Ik weet dat het stom klinkt, maar hou je echt van me?'

Ze kijkt me een beetje raar aan. 'Niet op een lesbische manier die tot roddelende buren leidt. Maar als je wilt weten of ik van je hou op een gezonde, niet-seksuele, schoonzustermanier, dan zeker. Waarom vraag je dat?'

'Het is gewoon raar om een vriendin te horen zeggen dat ze van je houdt. Sorry, ik weet dat je het niet op een rare manier bedoelde.'

'Maar ik ben geen vriendin. Ik bedoel, natuurlijk ben ik een vriendin, maar ik ben familie. Ik weet dat je mijn schoonzus bent, maar ik heb je altijd beschouwd als mijn zus, de zus die ik altijd heb willen hebben. Dat is toch niet gek? Vind jij dat gek?'

'Nee.' Ik schud mijn hoofd. En ik begin te huilen.

Er rollen niet zomaar tranen over mijn wangen. Nee, ik huil tranen met tuiten, ik snik en beef. Ik leg mijn hoofd op mijn armen en laat alles de vrije loop. Eindelijk.

Emma tilt Tom op en brengt hem naar de woonkamer. Ze slaagt erin hem half neurotisch te maken door een *Baby Einstein*-dvd aan te zetten, waarna ze teruggaat naar de keuken en over mijn rug wrijft terwijl ik huil.

Ik kan niet meer ophouden. Alle opgekropte gevoelens van de afgelopen weken, de afgelopen maanden, lijken in één keer naar buiten te komen. Ik huil en huil en huil en als mijn tranen helemaal zijn opgedroogd en ik heftig en droog hik, gaat Emma met een frons tegenover me zitten.

'Kennelijk had je dat nodig,' zegt ze. 'Voel je je nu beter?'

'Ja,' snuf ik. Ik haal een oud papieren zakdoekje uit mijn zak waarbij er een wolk stof de lucht in vliegt. 'Sorry,' snuf ik als Emma het stof wegwuift.

'Doe niet zo stom,' zegt Emma. 'Het is mijn huis niet.'

'Weet je, er heeft nog nooit iemand zoiets verbazends tegen me gezegd.'

'Waar heb je het over?'

'Dat je me beschouwt als je zus.'

'O, shit, ga alsjeblieft niet opnieuw huilen. Die *Baby Einstein*-dvd is bijna afgelopen.'

Ik begin te lachen. 'Nee, ik ga niet opnieuw huilen.' Ik ruim de tafel af terwijl ik mijn gedachten op een rijtje probeer te zetten.

Want wat Emma me zojuist heeft gegeven is dit: ik wilde altijd een grote, liefdevolle schoonfamilie. Ik dacht dat we allemaal direct zouden worden omgeven door een warme mantel van liefde, acceptatie en begrip, maar zo was het helemaal niet, zo is het helemaal niet.

Maar toch, ondanks de verschillen, ondanks het gebrek aan begrip, de pijn en het hartzeer, ziet Emma me nog altijd als familie. Ze houdt van me. Ze accepteert me ook al woon ik niet meer samen met Dan, ook al heb ik haar telefoontjes wekenlang ontweken, ook al deed ik net alsof ze niet meer voor me bestond.

Tot vandaag, tot ik haar voor mijn deur zag zitten, meende ik echt dat ik niets meer met de hele familie Cooper te maken wilde hebben. Ik dacht dat als mijn huwelijk met Dan voorbij was, mijn relatie met zijn familie dat ook was, maar waarschijnlijk is de situatie niet zo scherpomlijnd en duidelijk.

Emma houdt nog steeds van me, ook al hoeft ze dat niet te doen, ook al beschouwde ik mezelf niet langer als lid van haar familie. Misschien betekent dat dat zij mijn familie zijn, en dat niet alleen vanwege Tom, maar ondanks alles, zelfs al gaan Dan en ik officieel scheiden.

'Gaat het wel?' vraagt Ellie als ik beduusd uit het raam staar.

'Ja, prima,' zeg ik. 'Hoe gaat het met iedereen? Hoe gaat het met je moeder?'

Voor ik verderga, wil ik even voorkomen dat er misverstanden ontstaan: ik heb er geen behoefte aan om Linda te zien. Net zomin als Michael, hoewel ik lang niet zo vaak aan hem denk.

Maar nu ik Emma hier zie, komen er allerlei herinneringen boven. Fijne, gelukkige herinneringen. Herinneringen van voor het ongeluk, dat zo lang alles heeft overschaduwd wat ervoor is gebeurd.

Ineens weet ik weer hoe Linda me omhelsde. Hoe ze me op mijn bruiloft stevig tegen zich aan drukte en tegen me zei dat ze een nieuwe dochter in de familie had. Ik weet nog dat ze me die oorbellen gaf, hoe blij ze was toen ik Tom kreeg, haar verlangen om overal bij betrokken te worden, haar oprechte blijdschap voor me.

Ik wil haar nog altijd niet zien, maar ik wil wel horen hoe het met haar gaat.

'Met mam is alles goed,' zegt Emma. 'Dezelfde oude intrigante, hoewel het haar een beetje op de zenuwen lijkt te werken dat Dan weer thuis woont.'

'Maar ik dacht dat hij de ideale zoon was! Dan kan toch nooit iets fout doen?'

'Dat was hij ook.' Ze trekt een gezicht. 'Maar nu blijkt hij Dan de bokkige zoon te zijn die verwacht dat zij al zijn was doet en voor hem kookt en opruimt. Ze klaagt geregeld over de rotzooi op zijn kamer.'

'O, geweldig. Nou denkt ze zeker dat ik hem heb verwend?'

'Volgens mij beseft ze dat ze dat zelf heeft gedaan, lang voordat jij ten tonele verscheen. We missen je, weet je. Ik bedoel, niet alleen ik, maar wij allemaal. Misschien ben je er nog niet aan toe om dit te horen, en ik wil je niet van streek maken.'

'Je bedoelt dat je niet wilt dat ik nogmaals in tranen uitbarst?'

'Eh… ja. Precies, maar mam was echt vreselijk over haar toeren door wat er met Tom is gebeurd.'

'Ik ook.' Ik probeer niet met mijn tanden te knarsen.

'Maar ze was ook over haar toeren door wat er met jou gebeurde, en nu denkt ze dat het haar schuld is dat Dan en jij uit elkaar zijn.'

Ik kijk naar het tafelblad.

'Ik heb gezegd dat dat belachelijk is,' gaat Emma verder als ik niks zeg. 'Dat is toch zo?'

'Ik weet het niet.' En dat is ook zo. Maandenlang heb ik Linda de schuld gegeven. Ik ben erin geslaagd om haar de schuld te geven van alles wat er is misgegaan in mijn leven. In mijn gedachten is ze een enorme, duivelse figuur geworden, de matriarch van deze vreselijke, disfunctionele familie, maar nu Emma, de lieve vertrouwde Emma, in mijn keuken zit, weet ik niet meer wat ik moet denken.

Ik wil het niet toegeven tegenover Emma, maar een deel van me wil Linda zien. Een deel van me wil mijn trots inslikken en met haar praten, echt praten, over wat er is gebeurd. Ik wil zien hoe erg zij eronder geleden heeft, ik wil zien of ze echt voelt wat iedereen me vertelt dat ze voelt.

Maar ik geloof niet dat ik het in me heb om dat te doen. Ik geloof niet dat mijn keel groot genoeg is om zo veel trots in te slikken.

'Ze wil je dolgraag zien,' zegt Emma zacht.

'Ben je daarom hier?' Ineens klinkt er woede in mijn stem door, woede dat Emma eventueel een bijbedoeling heeft met haar plotselinge bezoekje.

'Jezus, nee. Rustig maar. Echt niet. Ze weet niet eens dat ik hier ben. Evenmin als Dan. Maar ze praat veel over je.'

'O, ja? Wat zegt ze dan?'

'Nou, ze zegt natuurlijk nooit iets over je waar Dan bij is, want dan loopt hij de kamer uit. Maar ze praat over je alsof je bij de familie hoort. Pasgeleden heb ik haar tegen iemand horen zeggen dat haar schoondochter de marketing doet voor Calden. Op die manier schept ze nooit over mij op.'

'O. Deed ze dat echt?'

'Ja, echt waar. Wat denk je? Kun je haar misschien een keertje bellen of zo? Of met haar afspreken voor een gesprek?'

'Ik weet het niet,' zeg ik. 'Nu waarschijnlijk nog niet. Het is nog te vers en te pijnlijk.'

Er valt een ongemakkelijke stilte. 'Denk je,' vraagt Emma na een poosje, 'dat het nog goed komt tussen Dan en jou? Want zelfs al zijn het mijn zaken niet, niemand lijkt te begrijpen waarom jullie uit elkaar zijn, en je weet dat alle huwelijken moeilijke periodes kennen, maar om er iets blijvends van te maken moet je eraan werken.'

Stomverbaasd kijk ik Emma aan. 'Wanneer heb jij een cursus huwelijkstherapie gedaan?'

'Ach, je kent me. Huwelijkstherapeut. Styliste. Dermatoloog. Ik heb vele talenten.' Ze lacht, waarna ze verdergaat: 'En? Komen jullie weer bij elkaar?'

'Ik hoop het,' zeg ik voor ik er goed over na heb gedacht, en op Emma's gezicht verschijnt dezelfde geschokte uitdrukking als op het mijne.

Nadat ze is vertrokken, leg ik Tom in bed. Daarna verwijder ik mijn make-up, trek mijn pyjama aan, ga in bed liggen en doe het licht uit. Ik lig een poosje te denken, eerst aan Emma, maar dan denk ik aan diegene aan wie ik elke dag heb liggen denken sinds zaterdagavond.

Aan Charlie Dutton. En zoals altijd laat ik de gebeurtenissen van die avond de revue passeren. Ik beleef elke blik, elk woord opnieuw. Weer denk ik aan alle dingen die niet zijn gebeurd, maar wel hadden kunnen gebeuren. Zo is het goed, denk ik.

Maar waarom voel ik dan een vleugje teleurstelling?

26

We moeten met elkaar praten.

Elf weken later hebben Dan en ik nog steeds niet gepraat, en nu besef ik dat we erachter moeten komen wat er gebeurt met ons leven, of we inderdaad nog een leven samen hebben, of dat deze scheiding van tafel en bed tot een echte scheiding zal leiden.

Ik kan nog altijd niet geloven wat ik tegen Emma heb gezegd. Dat mijn onderbewuste het overnam en die woorden zei, terwijl ik niet eens wist dat ik er zo over dacht. Sterker nog: ik had nooit nagedacht over de vraag of ik weer samen wilde komen met Dan.

Zelfs nu weet ik dat nog niet zeker. Maar ik weet wel dat ik hem mis. Ik mis het dat ik geen deel meer uitmaak van een stel. Ik mis het dat hij niet meer in de buurt is en dat ik niemand meer heb om dingen mee te doen.

Trish heeft me gevraagd of ik zomaar iemand mis of dat ik Dan echt mis, en ik geloof dat ik die vraag nog altijd probeer te beantwoorden.

Ik heb een poos gedacht dat ik het mis om een deel te zijn van een stel, maar ik mis Dan echt. Niet de Dan van de afgelopen maanden, maar de Dan met wie ik ben getrouwd en die me aan het lachen maakte. De man die voor me zorgde, die me het gevoel gaf dat er niets fijners was dan wakker worden naast je beste vriend.

Ik weet echt niet of er een manier is waarop we weer bij elkaar kunnen komen. Als Dan weer de man zou worden met wie ik ben getrouwd, was ik morgen al bij hem terug. Maar ik doe niet net alsof mij geen blaam treft. Als ik terugdenk aan mijn naïviteit in de begindagen van ons huwelijk, weet ik dat ik mezelf ook opnieuw moet leren kennen en mijn levensvreugde moet hervinden; anders maken we samen geen enkele kans.

Toch is er één ding duidelijk: we moeten praten.

Elf weken nadat ik aan Emma heb onthuld dat ik hoop dat we weer bij elkaar komen, om precies te zijn op 19 mei, bel ik Dan op zijn mobieltje. Ik kan hem niet bij Linda en Michael bellen, want ik ben er nog niet aan toe om met hen te praten. Mijn hart hamert als de telefoon overgaat. Ik weet dat hij zal zien dat het mijn nummer is, dat hij kan kiezen of hij al dan niet zal opnemen, maar de telefoon blijft overgaan, en uiteindelijk word ik doorgeschakeld naar de voicemail.

Op een bepaalde manier is dat een opluchting. Het is makkelijker om een boodschap achter te laten dan om echt met hem te moeten spreken. En dit betekent niet per se dat Dan me ontwijkt. Ongetwijfeld zit zijn telefoon, zoals altijd, diep in zijn zak, of op de bodem van een tas, waar hij hem niet kan horen.

'Hoi, Dan. Met mij. Eh... Ellie. Zeg, ik bel eigenlijk alleen omdat het al bijna drie maanden geleden is en ik denk dat we moeten praten. We hebben zo veel nooit gezegd en ik wil graag...' O, god. Durf ik het aan? Durf ik mijn kaarten op tafel te leggen? Ik haal diep adem... 'Ik wil graag bespreken of we er nog iets van kunnen maken. Ik bedoel, Tom mist je ontzettend en dit lijkt allemaal zo nutteloos. Dus, eh...' Shit. Was dat een vergissing? Had ik niks moeten zeggen? 'Wil je me bellen als je terugkomt? Misschien kunnen we dit weekend praten.' Ik heb veel te veel gezegd. Ik leg de telefoon neer en voel me hondsberoerd.

'Hoe gaat het nou met je?' Fran heeft me gebeld en aan haar manier van vragen hoor ik dat ze het weet van Dan en mij.

Niet dat ze het niet mocht weten, maar ik heb er genoeg van om er steeds over te praten. Om uit te moeten leggen waaróm, terwijl ik dat zelf niet eens precies weet. En iedereen wil helpen. Iedereen wil me uitnodigen, me mee uit eten nemen, me aankijken met een trieste hondenblik als ze me vertellen dat ze voor me klaarstaan mocht ik erover willen praten.

'Prima,' zeg ik kortaf, maar mijn stem wordt zachter als ik bedenk dat dit niet zomaar iemand is, maar Fran. Die lieve Fran die ik eigenlijk had moeten bellen. 'Je weet het, hè?'

'Ik heb wel iets gehoord,' zegt ze schaapachtig. 'Maar ik geloofde het niet. Je weet hoe het gaat met geruchten, dus ik dacht dat ik jou beter kon bellen, ten eerste om te vragen of het waar is en ten tweede, als dat zo is, om te vragen of ik iets voor je kan doen.'

'Nou, ja. Ten eerste is het waar en ten tweede: nee, je kunt niks doen, hoewel ik het leuk zou vinden om je te zien.'

'Dus hij sloeg je?' vraagt Fran.

Ik hap geschrokken naar adem. 'Jezus, nee. Dat is vreselijk. Zeggen de mensen dat?'

Ze snuift van het lachen. 'Nee. Sorry. Ik kon de verleiding niet weerstaan. Ik hoorde net dat jullie uit elkaar zijn. Ik kon het niet geloven, Ellie. Ik dacht dat Dan en jij heel gelukkig waren.'

'Niet echt,' verzucht ik. 'Dat waren we al heel lang niet meer, maar ik weet zeker dat het niet definitief is. Al moet ik dat eigenlijk niet zeggen. Wie weet wat er gebeurt, maar hopelijk kunnen we onze problemen oplossen. Wie heeft het je eigenlijk verteld? Sally?'

'Nee. Ik geloof niet dat Sally het weet. Charlie Dutton heeft het verteld. Vorige week heeft hij hier gegeten. Ik moet zeggen dat het een beetje gênant was. Hij vroeg van alles over jou en ik wilde niet zeggen dat je in het niets was opgelost en me nooit had teruggebeld. Daarom moest ik doen alsof ik alles al wist.'

'Het spijt me, Fran,' zeg ik. 'Echt waar. Ik heb bijna met niemand contact gehouden. Na het ongeluk was alles zo verwarrend dat ik me voor iedereen heb verstopt. Maar ik heb je gemist.'

'Wij hebben jou ook gemist. We willen je dolgraag zien. Charlie Dutton wil je ook dolgraag zien,' voegt ze eraan toe, en ik kan de ondeugende grijns op haar gezicht bijna zien.

'Hoe bedoel je?' vraag ik onschuldig, in een poging meer te weten te komen.

'Niks,' zegt ze, al even onschuldig.

'Toe nou,' smeek ik. Niet dat het me nou zo veel kan schelen, maar als hij echt interesse voor me heeft, zou dat een mooie opkikker zijn voor mijn ego. Dat mag dan egoïstisch klinken, op dit moment kan mijn ego die wel gebruiken.

'Hij zei dat hij je pas was tegengekomen en dat jullie de avond samen hebben doorgebracht. Hij zei ook dat hij je heel sexy vindt.'

'Nee!'

'Jawel.'

'Maar ik bén helemaal niet sexy.' Ik grijns breed. Ik ben in geen jaren sexy genoemd. Ik ben niet sexy, ik ben een moeder. Een slonzige moeder die meestal geen make-up draagt en de hele dag op gymschoenen en in een trainingspak rondloopt, behalve toen ik wat moeite had gedaan voor mijn afspraakje met Lisa en ik Charlie Dutton toevallig tegen het lijf liep.

'Dat weet ik.' Ze lacht. 'Ik probeerde hem te zeggen dat je niet sexy bent, maar hij wilde er niet van horen.'

'Nou, dank je wel!'

'Geintje. Maar hij scheen je echt graag te mogen. Hij raakte niet uitgevraagd.'

'Wat vroeg hij dan allemaal?'

'Hij wilde alles weten.'

'Jezus, wat vleiend.'

'Ja, hè? Dat probeer ik je nou te vertellen. Zie je iets in hem?'

Ik zwijg even en probeer de vleierijen opzij te zetten en een eerlijk antwoord te geven. 'Weet je, als ik nog single was zou ik hem zeker zien zitten, en ja: ik vind hem een lekker ding, en onder andere omstandigheden zou ik zeker naar hem verlangen, maar daar ben ik nog niet aan toe. Dan en ik zijn nog maar net uit elkaar en als we ooit weer bij elkaar komen, zou ik het mezelf nooit vergeven als er iets is gebeurd.'

'Dus je verlangt zelfs niet een beetje naar hem?'

'O, goed dan,' mopper ik, en ik herinner me de golf van begeerte die ik voelde toen ik bij hem was. 'Ik verlang wel een beetje naar hem. Maar ik ben niet van plan om daar iets mee te doen, begrepen?'

'Ja,' zegt ze, blij dat ze me die woorden eindelijk heeft ontlokt. 'Dus als Marcus en ik erop staan om donderdag ergens met je te gaan eten, moeten we Charlie dan meevragen of niet?'

'Nee!' gil ik zowat. 'Zeer zeker niet. Ik wil hem niet meer zien. Echt, ik heb geen belangstelling voor hem.'

'Goed, goed, rustig maar. Het was maar een vraag. Maar wil dat zeggen dat je wel met Marcus en mij wilt gaan eten?'

'Vind je het niet erg als ik het vijfde wiel aan de wagen ben?'

'Als jij daartegen kunt, kan ik het ook.'

'Goed. Even denken, als ik een oppas kan vinden, wil ik graag met jullie uit eten. Maar geen verrassingen met alleenstaande kerels. Charlie Dutton, of anderen.'

'Goed, goed,' gromt ze. 'Geen verrassingen met alleenstaande kerels. Alleen jij, ik en Marcus.'

Ik loop op mijn tenen Toms kamer in om nog even bij hem te kijken voor ik naar bed ga. Zijn nachtlampje verspreidt een zachte gloed, net genoeg om zijn speelgoed te verlichten. Ik loop naar de plek waar hij ligt en kijk met een glimlach op hem neer.

De geur van braaksel is onmiskenbaar en ik zie dat Tom ligt te slapen in een plas opgedroogd braaksel.

'Shit!' fluister ik paniekerig. Ik doe het licht aan en Tom wordt wakker. Hij opent zijn ogen en begint te huilen.

Ik voel zijn voorhoofd, maar hij heeft geen koorts en ik kus hem zachtjes terwijl ik hem naar de badkamer draag om hem te wassen.

'Het is al goed, schatje,' kir ik, en ik maak zijn doorweekte slaappakje los en trek het uit. Daarna doe ik zijn hemd over zijn hoofd en probeer ik er niet een nog grotere troep van te maken dan het al is. 'Mammie is hier,' zeg ik. Ik probeer mijn hart te wapenen tegen zijn zielige gesnik als ik het braaksel uit zijn haar was.

Ik breng hem weer naar de slaapkamer, leg hem op de commode en trek hem snel schone kleertjes aan. Nu is hij klaarwakker en hij babbelt aan één stuk door. Ik zet hem in zijn wipstoel op de grond terwijl ik zijn beddengoed verschoon.

Blergh!

Ik draai me om en Tom geeft opnieuw over, een uitbarsting van torpedobraken waarmee hij in één keer zijn schone pyjama, de wipstoel en het tapijt onder spuugt.

'O, shit.'

Hij begint weer te huilen en ik til hem op, draag hem terug naar de badkamer en begin weer van voren af aan.

Om twee uur 's nachts heeft hij nog drie keer overgegeven en wieg ik hem in de schommelstoel in slaap. Ik ben uitgeput en kan maar niet besluiten of ik de dokter moet bellen. Maar hij heeft geen koorts en afgezien van het overgeven is er niks aan de hand. Ik wil de dokter niet midden in de nacht wakker maken voor iets wat waarschijnlijk niet ernstig is.

Dus Tom en ik schommelen samen in de stoel en uiteindelijk valt hij in mijn armen in slaap en zijn we allebei te uitgeput om ons te verroeren.

Later neem ik hem mee naar mijn slaapkamer en leg hem naast me in bed. Omdat ik bang ben dat hij weer in zijn slaap zal overgeven, zet ik de tv zachtjes aan en blijf wakker tot in de kleine uurtjes. Dan word ik overmand door slaap en doezel weg, rechtop zittend tegen de kussens.

Dit is zo moeilijk, denk ik, vlak voor ik indommel. Alles alleen doen is zo verrekte moeilijk.

Fran slaat haar armen stevig om me heen. Verder zegt ze niks, maar dat is ook niet nodig, want haar omhelzing stelt me meer gerust dan woorden ooit zouden kunnen.

Vervolgens omhelst Marcus me en als we elkaar alle drie weer loslaten, kijken we elkaar grijnzend aan.

'Leuk je te zien, Ellie,' zegt Marcus. 'We waren al bang dat er iets aan ons mankeerde.'

'Nee. Ik ben gewoon een slechte vriendin. Sorry.'

'Maak je geen zorgen.' Fran duwt Marcus aan de kant. 'Tenslotte heb je de laatste tijd genoeg aan je hoofd gehad.'

'Zeg, we wilden ergens in de buurt gaan eten. Wat denk je van de Chinees in Belsize Park? Lijkt dat je wat?'

'Prima.' Ik pak vlug mijn jas uit de gang. 'Geweldig. Als ik om negen uur maar in bed lig, vind ik alles goed.'

'Ik ben blij dat je ons gezelschap zo leuk vindt.' Marcus trekt een wenkbrauw op en we lopen de deur uit naar zijn auto.

'Vat het niet persoonlijk op,' zeg ik lachend. 'Zo zou ik er ook over denken als ik uit eten zou gaan met...' Ik doe mijn best om iemand te bedenken.

'Charlie Dutton?' vraagt Marcus met een spottende grijns.

'O, hou je mond.' Nu is het mijn buurt om hem weg te duwen. 'Voorál als ik uit eten zou gaan met Charlie Dutton,' zeg ik verdedigend, en ik kijk naar Fran. 'Willen jullie er alsjeblieft mee ophouden Charlie Dutton steeds ter sprake te brengen? Trouwens, even voor de goede orde: als hij vanavond heel toevallig ook naar dat restaurant gaat en ons daar ziet zitten, vertrek ik meteen. Oké?'

'Verdorie.' Marcus lacht. 'Nou kan ik mijn duivelse plan niet uitvoeren.'

'Maak je geen zorgen.' Fran steekt haar arm door de mijne. 'We hebben geen duivels plan. Maar jij bent een vriendin van ons en Charlie is een vriend, en het zou gewoon leuk zijn, dat is alles. Als je er tenminste aan toe bent,' voegt ze er haastig aan toe. 'Maar we weten allebei dat je dat nog niet bent.'

'Dus jullie plagen me niet meer met Charlie Dutton?' vraag ik.

'Oké.' Marcus haalt zijn schouders op. 'Als Fran ermee ophoudt, doe ik dat ook.'

Ik ben eraan gewend om het vijfde wiel aan de wagen te zijn bij Fran en Marcus, want ik kende hen al lang voor Dan ten tonele verscheen. Daardoor gaan we onmiddellijk op dezelfde vriendschappelijke manier met elkaar om als vroeger. Heel even vergeet ik dat ik niet langer dezelfde vrouw ben als de laatste keer dat ik met hen uit eten ging. Dat ik nu een kind, een echtgenoot en een ander leven heb.

We praten en lachen, en ik weet dat ik niet opnieuw zo veel tijd voorbij zal laten gaan voor ik ze weer zal zien, dat ze onvoorwaardelijk tot de categorie van intiemste vrienden behoren en dat het een vergissing van me was om onze vriendschap op een laag pitje te zetten omdat het met ons vieren – Marcus, Fran, Dan en ik – nooit zo klikte als met ons drieën.

Niet dat Dan een hekel aan hen had. Hij zei altijd dat ze heel aardig waren, maar het was gewoon anders, formeler, en ergens is het een opluchting om met hen af te spreken zonder dat hij erbij is.

Halverwege onze tweede fles wijn – die Fran en ik die bijna helemaal met zijn tweeën soldaat lijken te maken – sta ik op om naar de wc te gaan. Als ik tussen de tafeltjes in het restaurant door loop, kijk ik om me heen naar alle mensen die geanimeerd zitten te praten. Iedereen heeft het naar zijn zin en ik bedenk hoe fijn het is om terug te zijn in de echte wereld.

Want zo voelt het: alsof ik niet meer deelnam aan het echte leven. En nu zijn de wolken die me afgescheiden hielden, die al die maanden alles op een afstand hebben gehouden, eindelijk opgetrokken en kan ik mijn plaats weer innemen in het land der levenden en me weer gelukkig voelen.

Ik weet dat dat niet komt doordat ik alleen ben. Ik weet dat ik me niet gelukkiger voel omdat Dan niet bij me is, maar op de een of andere manier heeft zijn vertrek als een soort katalysator gewerkt, me met een ruk het leven in gesleurd, me gedwongen weer de realiteit in te stappen.

Met een glimlach geniet ik van het gevoel, en dan zie ik hen. Verscholen in een hoekje zie ik een meisje zitten dat me alleen opvalt omdat ze zo knap is. Een brunette met lang glanzend haar en grote groene ogen, waarmee ze haar metgezel aanbiddend aankijkt.

En natuurlijk glijdt mijn blik dan naar haar metgezel. Waarschijnlijk is dat een lange, knappe man, type fotomodel. Ik bevries op slag. Het is Dan.

Ik sta in het midden van het drukke restaurant en de tijd lijkt stil te staan. Ik zie de brunette lachen en zich vooroverbuigen om iets te zeggen. Ik kan me niet verroeren en ik sta daar alleen naar hen te staren, en kennelijk voelt ze mijn blik want ze kijkt me vragend aan.

En Dan draait zich om, nog altijd met een glimlach op zijn gezicht vanwege een grapje dat ze samen hebben gedeeld, en hij volgt haar blik en hij ziet me staan. Echt, alle kleur trekt weg uit zijn gezicht, precies als in Zuid-Frankrijk gebeurde.

Dus we staren elkaar aan, Dan en ik.

Ik kan me niet bewegen en hij lijkt niet te weten wat hij moet doen. Na een poosje legt het meisje haar hand op de zijne en hij kijkt naar haar en zegt iets – waarschijnlijk 'Het is mijn vrouw', tenzij ze niet eens weet dat hij getrouwd is – en dan komt hij overeind. Ik weet dat hij naar me toe zal komen, maar dat kan ik niet aan. Niet nu. Niet hier. Niet nu ik elk moment kan overgeven.

Ik loop vlug terug naar Fran en Marcus. 'Ik moet gaan,' zeg ik. Ik blijf nauwelijks lang genoeg bij het tafeltje staan om dat te zeggen. 'Ik zie jullie buiten wel.'

'Ellie? Is alles goed met je?' Fran staat op als ik naar buiten loop, maar ik blijf niet staan om iets te zeggen, ik loop gewoon de avondlucht in.

Als ik binnenkom, gaat de telefoon. Het is kwart voor tien. Mijn vrienden bellen niet zo laat, aangezien we allemaal kinderen hebben en het heel onbeleefd is om de ouders van jonge kinderen na acht uur 's avonds, of op zijn laatst nu halfnegen, te bellen.

Ik negeer de telefoon en bedank Rachel omdat ze alweer heeft opgepast, en nog wel op zo korte termijn, en ik betaal haar. Ondertussen merk ik dat degene die belt geen boodschap inspreekt, maar een paar minuten later gaat de telefoon opnieuw.

Ik weet natuurlijk dat het Dan is. Wie moet het anders zijn? Aarzelend pak ik telefoon op, niet zeker of ik wel wil horen wat hij te zeggen heeft. Ik voel me verdoofd, misselijk en moe. Heel erg moe.

En beschaamd vanwege de boodschap die ik op zijn voicemail heb ingesproken. De boodschap waar hij nooit op heeft gereageerd. Ik kan mezelf wel slaan omdat ik dat heb gedaan. Op dat moment wist ik al dat het een vergissing was, dat ik hem niet had moeten laten weten hoeveel ik nog om hem gaf, hoe kwetsbaar ik was. Hij heeft me nooit teruggebeld, maar ik dacht dat hij weg was en dat ik hem op zaterdagochtend wel zou zien als hij Tom kwam ophalen. Dat hij er dan over zou beginnen.

Hoewel een deel van me hoopte dat hij dat niet zou doen.

'Ik kan het uitleggen,' zegt Dan zodra ik opneem en de hoorn tegen mijn oor hou.

'Er valt niks uit te leggen,' zeg ik mat. 'Je bent me geen uitleg verschuldigd. Je bent me niks verschuldigd. We zijn uit elkaar.'

'Ellie, het was niet wat je dacht,' zegt hij. 'Dat was Lola Smith, de presentatrice van de nieuwe serie waar ik mee bezig ben. Dit was iets van mijn werk.'

Dat was helemaal niet iets van zijn werk. 'Het maakt niks uit,' zeg ik. 'Zij beschouwde het duidelijk niet als werk, maar hoe dan ook, je hebt het volste recht om met iemand uit te gaan of een vriendin te hebben.' Het woord 'vriendin' krijg ik bijna mijn strot niet uit, maar ik hou vol.

'Ze is mijn vriendin niet. Ik had niet eens een afspraakje met haar.' Dan klinkt treurig.

'Waar bel je dan? Buiten op je mobieltje, terwijl Lola' – zelfs het noemen van haar naam bezorgt me een rotgevoel – 'in je auto op je wacht?'

'Nee. Ze is al naar huis. Ze was met haar eigen auto.'

Ik zeg niks, maar ik ben blij. Misschien was het toch geen afspraakje. De Dan die ik ken, de Dan met wie ik afspraakjes heb gehad, stond er altijd op me thuis af te halen.

Er valt een stilte tot hij zegt: 'Ik heb je boodschap gehoord.'

O, shit. De woorden waarop ik al dagen heb gewacht. De woorden die ik vrees nu ik Dan samen met haar heb gezien. Lola. L-l-l-lola.

'Ja, het spijt me,' zeg ik kortaf. O, shit. Wat kan ik zeggen? Hoe kan ik eronderuit komen? Het goedpraten? 'Ik geloof dat ik toen een beetje aangeschoten was. Om je de waarheid te zeggen, weet ik niet eens meer wat ik heb gezegd. Maar wat het ook was, negeer het maar.'

'Was je aangeschoten? Om vier uur 's middags?' Ik hoor de glimlach in Dans stem en kan hem wel wat doen.

'Wat wil je, Dan?' Ik ben diep beledigd en ik wil alleen een eind maken aan het gesprek en in een hoekje gaan zitten om een potje te janken.

'Ik denk dat je gelijk hebt. Dat we moeten praten. Misschien dit weekend?'

Ik zwijg. Maar dan denk ik aan Lola. Aan Lola en Dan die samen zaten te lachen. Aan Dan die Lola kust. Ik vraag me af of hij hetzelfde bij haar doet als bij mij. Of ze beter in bed is dan ik. O, hemel. Laat me alsjeblieft ophouden hierover te denken.

'Ik kan het niet.' Mijn stem klinkt weer ijskoud. 'Ik kan dit nu niet, Dan. Het spijt me.' Mijn stem breekt en ik hang zachtjes op.

Het duurt een uur voor de tranen weg zijn en als ik ben uitgehuild, vis ik het visitekaartje van Charlie Dutton uit mijn jaszak. Stik maar! Als Dan een avontuurtje kan beleven met Lola, of zijn grote liefde, of wat hij dan ook maar beleeft, kan ik het mijne beleven met Charlie Dutton.

Kwart voor elf. Is het te laat om te bellen? Een ander zou ik nooit zo laat bellen, maar hij is single en het is vrijdagavond. Ik betwijfel ten zeerste of hij wel thuis is. En trouwens, de afgelopen avond heeft me moed gegeven. Of dat nou valse moed is of niet, als ik nu niet bel, durf ik het waarschijnlijk nooit meer.

Het is echt nu of nooit.

Ik bel en ontdek dat ik gelijk had. Hij is er niet. Zijn antwoordapparaat slaat aan en ik probeer mijn stem zo normaal mogelijk te laten klinken als ik een bericht inspreek.

'Hoi, Charlie. Met Ellie. Ellie… Cooper.' Even wilde ik mijn meisjesnaam noemen en ik voel me een bedriegster als ik Dans naam zeg. 'Ellie Black,' zeg ik ferm, want als ik ontrouw ben – en ik weet dat dat gaat gebeuren – dan zal ik het doen onder het mom dat ik single ben.

Op die manier moet ik me toch minder schuldig voelen?

'Ik kwam je kaartje net tegen en ik vroeg me af of je een keertje met me uit wilt. Bel me even.' Nadat ik mijn nummer heb gezegd, hang ik op en ik feliciteer mezelf met de coole boodschap die ik heb ingesproken.

Nu is het alleen nog een kwestie van tijd.

27

Ik kan het beeld van Dan en Lola maar niet uit mijn hoofd zetten. Ik zie hen in het restaurant waar zij haar hand naar hem uitsteekt, en dan slaat mijn fantasie op hol en zie ik hen voor me in elke compromitterende situatie die mijn vermoeide brein kan verzinnen.

Het geeft me kracht. Het vervult me van woede en wakkert het kinderachtige verlangen aan om wraak te nemen op de enige manier die ik kan bedenken: door naar bed te gaan met Charlie Dutton.

Die arme Charlie Dutton. Weet hij wel dat ik alles al heb gepland? Weet hij dat ik hem wil verleiden op de beste manier die ik ken: met sensueel kaarslicht, verleidelijke kleding en overheerlijk eten?

Mijn poging is van tevoren al half geslaagd, aangezien hij heeft gezegd dat hij me sexy vindt. Hij heeft vast niet meer dan een klein duwtje nodig. Ik stel me voor hoe Lola haar lippen op die van Dan drukt en ik weet dat ik Charlie Dutton niet zal laten ontsnappen.

Hij leek niet verbaasd iets van me te horen. Sterker nog, hij klonk opgetogen. Hij zei dat hij mij had willen bellen, en leek maar een klein beetje verbaasd toen ik hem uitnodigde voor een etentje. Op zaterdag. Een avond dat Tom er niet is en ik mijn handen vrij heb om te doen wat ik wil.

Alleen lijkt het zo lang geleden sinds ik het spel der verleiding heb gespeeld, als ik het al ooit heb gespeeld. Dit is eerder Lisa's terrein dan het mijne. Ik zou haar om advies kunnen vragen, of eigenlijk zou ik dat moeten doen, maar ik wil niet opbiechten waar ik mee bezig ben. Ik kan het tegen niemand zeggen tot ik het ook daadwerkelijk heb gedaan.

Niet dat ik op zoek ben naar een one-night stand, verre van dat. Maar ik weet niet waar het toe zal leiden en vanaf vanavond denk ik niet meer aan de toekomst.

De zalm ligt ingepakt in de koelkast te wachten op zijn jasje van tapenade en deeg, de salade zit nog fris in de zak en de citroentaart wacht op de kreten van bewondering die hem altijd ten deel vallen. Dat is mijn pièce de résistance, en ironisch genoeg, al was dat me op het moment zelf ontgaan, is het Dans lievelingstaart.

Ik mag vanavond dan geen nieuwe kleren aanhebben, ik draag wel nieuw ondergoed. Mijn grijs geworden, gerafelde bikinislips en onooglijke vleeskleurige beha's die o zo praktisch zijn, maar absoluut niet sexy, mogen dan goed genoeg zijn voor een lingerirout, ze zijn nooit goed genoeg voor een minnaar.

Daarover heb ik wel Lisa's advies gevraagd. Voor waarschijnlijk de eerste keer van mijn leven ga ik niet naar Marks & Sparks, maar naar Agent Provocateur. Wat gênant. Wat sexy. Dat is helemaal niks voor mij. Als ik weer buiten sta, bungelt mijn schuldgevoel aan mijn pols: delicaat en mooi, van ragfijn chiffon en kant. Lingerie voor de vamperigste vamp, de sletterigste slet.

Het is waar dat ik vanavond een rol speel. Vanavond ben ik niet Ellie Cooper, en zelfs niet Ellie Black. De single Ellie Black zou zich nooit hebben gedragen zoals ik me vanavond wil gedragen. De single Ellie Black had gedacht dat Agent Provocateur een slechterik was in een James Bond-film. Ellie Black verleidde niet, ze stond zichzelf toe verleid te worden. En dat slechts af en toe, alleen als ze de man minstens een maand kende en alleen als ze er zeker van was dat hij haar heel, heel, héél erg leuk vond.

Vanavond wil ik meer op Lisa lijken dan op mezelf. Ik wil kaarsen aansteken, zacht een cd van Norah Jones opzetten en op de bank zitten met Charlie Dutton terwijl ik hem doordringend over de rand van mijn glas rode wijn aankijk.

Als Charlie Dutton geen avances maakt – al weet ik zeker dat hij dat wel zal doen, want tenslotte is de situatie er ideaal voor – dan zal ik dat doen. Ik word gedreven door mijn verlangen naar wraak – denk maar aan Lola – en door grote hoeveelheden alcohol.

Om acht uur ben ik klaar. Acht uur. Dat is op zichzelf al een herinnering aan mijn oude leven. Charlie komt om kwart over acht en ik loop door het appartement en steek nerveus de kaarsen aan, waarna ik ze weer uitblaas. Te opvallend. Nog niet. Ze moeten wel worden aangestoken, maar pas later op de avond.

Maar de haard moet wel aan. Eind mei zijn de avonden nog altijd kil, en ik zit bij het vuur op hem te wachten. Nadat ik de wijn snel achterover heb geslagen om mijn zelfvertrouwen op te krikken schenk ik mijn glas nogmaals vol.

De bel gaat. Mijn hart begint te bonken. O, god. Waar ben ik mee bezig? Is het al te laat? Kan ik net doen alsof ik niet thuis ben? Nee, natuurlijk niet. Ellie Black of Ellie Cooper, of zelfs Ellie Vamp is veel te beleefd, veel te aardig om zoiets grofs te doen. Ze is veel te bang dat iemand een hekel aan haar zal krijgen.

Ik loop door de gang en bezegel mijn lot met elke voetstap. Een snelle blik in de spiegel bevestigt wat ik al weet: ik zie er goed uit. Misschien komt dat doordat ik onder mijn kleren het meest sexy ondergoed draag dat ik ooit heb gezien, misschien komt het doordat ik een beetje aangeschoten ben, maar mijn ogen glinsteren en op mijn wangen ligt een blos, en als ik Charlie Dutton was, zou ik zeker met mij naar bed willen.

'Hallo.' Met een glimlach doe ik de deur open en hij buigt zich voorover en drukt een kuise zoen op mijn wang, waarna hij me een enorme bos prachtige witte aronskelken geeft.

'Die zijn voor jou.' Hij loopt achter me aan naar binnen.

'Dank je. Ze zijn prachtig.'

Ik vraag Charlie in de woonkamer te gaan zitten en loop zelf naar de keuken om een vaas te pakken voor de bloemen. Plotseling ben ik heel zenuwachtig. Dit is geen droom. Dit is geen fantasie. Er is een man in mijn appartement met wie ik naar bed wil en het is niet mijn echtgenoot. Dat voelt heel raar.

En heel verkeerd.

'Wil je wijn?' roep ik, terwijl ik wens dat ik de rest van de avond in de keuken kan blijven of een manier kan vinden om onder het onvermijdelijke uit te komen.

'Een glas rode wijn graag,' roept hij terug. 'Kan ik ergens mee helpen?'

'Nee, dank je. Ik ben bijna klaar. Doe alsof je thuis bent.' Ik huiver als ik mijn eigen woorden hoor, die wel heel afgezaagd klinken. Net zo afgezaagd als deze situatie is. Dit… afspraakje. Ik wist zo zeker dat het daten achter me lag en ik was zo blij dat ik dat nooit meer zou hoeven doen, en nu bevind ik me in deze situatie.

Ik haal diep adem en loop met de twee glazen wijn naar de woonkamer, waar Charlie voor de boekenplanken staat en de boeken inspecteert. Met een glimlach draait hij zich naar me toe en ik ontspan me een beetje. Het is maar een man. Je hoeft niks te doen, Ellie. Gewoon lekker eten en gezellig babbelen. Je overleeft het heus wel. Eerlijk waar.

'Ik vind altijd dat je heel veel over mensen te weten komt aan de hand van hun boeken.'

'O?' Ik ga naast hem staan en kijk naar hetgeen hij heeft gezien: Dans non-fictie tussen mijn boeken over ontwerpen, mijn ingebonden romans en een aantal huwelijksgeschenken: kristallen schaaltjes die we nooit gebruiken, Limoges-doosjes die beter bij Dans oma passen dan bij mij, en heel veel foto's van Tom. Een pasgeboren Tom met een gerimpeld gezichtje dat rood is van boosheid omdat hij voor de camera wordt opgetild. Tom die wordt geknuffeld door Dan, Tom bij mij, Tom die kruipt, Tom die slaapt...

'Je hebt zeker wel geraden dat we... dat ík,' corrigeer ik mezelf vlug, 'van mijn zoon hou.' Had ik die foto's van Dan en Tom maar weggehaald, net als alle andere dingen die aan Dan herinneren.

Charlie begint te lachen. 'Dat mag ik hopen. Wat een mooi knulletje.'

'Ja, hè?' Ik relax een beetje en heb eindelijk het gevoel dat ik op bekend terrein ben. 'Ik ben natuurlijk wel een beetje bevooroordeeld, maar volgens mij is hij de mooiste baby ter wereld.'

'Wanner wordt hij twee?'

'In augustus.'

'Wacht maar tot hij twee is,' zeg hij met een grijns. 'Dan begint de lol pas echt.'

'Hou oud is jouw kind ook alweer?'

'Vijf. Maar twee was de ergste leeftijd. Dan heb je je handen vol aan hem. Is hij thuis? Slaapt hij?'

Ik schud mijn hoofd. 'Nee. In het weekend is hij bij Dan. En Finn? Is die in het weekend niet bij jou?'

'Meestal wel, maar mijn ex en haar vriend hebben hem dit weekend meegenomen naar het platteland.'

Mijn ex. Ik vraag me af wanneer Dan niet langer Dan zal zijn, maar mijn ex, en of hij ooit mijn ex zal worden. Wanneer maken ze niet langer deel uit van je leven? Wanneer slaag je erin achteloos over hen te praten, zonder speciale band, gevoelens of tekens van verdriet? Ik kan me niet voorstellen dat ik Dan ooit mijn ex zal noemen. Nog niet. Maar daar wil ik vanavond niet over nadenken. Ik neem een grote slok wijn.

'Zeg, je hebt me nog steeds niet verteld welke conclusies je uit mijn boekenplanken hebt getrokken.'

Charlie glimlacht en kijkt naar de boekenplanken, waarna hij zich weer tot mij wendt.

'Hmm. Eens even kijken. Ik ga er maar van uit dat de non-fictieboeken over geschiedenis en de filmindustrie niet van jou zijn. Dan houden we iemand over die een passie heeft voor ontwerpen, die de nieuwste bestsellers leest, maar stiekem een voorliefde heeft voor goedkope strandlectuur, hoewel ze die probeert te onderdrukken. En ik zie dat er op je bruiloft veel te veel oude familieleden waren en te weinig goede vrienden.'

Ik lach. 'Hoe weet je dat in godsnaam?'

'Omdat ik ook van dat kristal en die beschilderde doosjes heb gekregen. Dat waren de enige dingen die ik mijn ex met genoegen heb laten meenemen toen we uit elkaar gingen.'

'Wanneer zijn jullie uit elkaar gegaan?'

'Vier jaar geleden. Waarom vraag je dat?'

Ik loop naar de bank en ga zitten. 'Je praat zo makkelijk over haar, zonder enige emotie. Ik vraag me af wanneer ik dat kan.'

'Volgens mij verschilt dat per persoon. Bij mij heeft het heel lang geduurd, maar tegenwoordig zijn we min of meer vrienden. Niet dat ik haar op de koffie vraag, maar we hebben altijd geprobeerd om vriendelijk tegen elkaar te doen voor Finn. Voor jou is dit nog allemaal nieuw en' – hij zwijgt even en er verschijnt een glimlachje op zijn gezicht – 'waarschijnlijk is het nog veel te vroeg om vreemde mannen te eten te vragen bij je thuis.' Met een grijns kijkt hij me aan en hij houdt mijn blik vast terwijl hij een slok wijn neemt.

Ineens gebeuren er twee dingen tegelijk met me: ik bloos – jezus, wat is het vervelend dat mijn wangen me de hele tijd verraden – en ik voel die golf van verlangen weer. Ik blijf hem een tel langer aankijken dan ik prettig vind en zeg dan met mijn liefste, onschuldigste glimlachje: 'Maar jij bent geen vreemde.'

'Touché.' Met een glimlach tilt hij zijn glas op.

'Ik ga het eten opzetten.'

Ik sta op en hij loopt achter me aan naar de keuken.

'Ik ben heel handig in de keuken,' zegt hij. 'Ik zal je even helpen.'

We babbelen, lachen en drinken nog wat. Ik doe de zalm in de oven en Charlie snijdt de ingrediënten voor de salade. Deze situatie heeft iets heel bekends en iets heel vreemds. Opnieuw besef ik dat ik het mis om deel te zijn van een tweetal, om met een ander te koken. Iets wat zo prozaïsch, zo alledaags is, wordt heel bijzonder als je het niet meer doet.

Het voelt heel normaal om Charlie een mes te geven, de snijplank en de groenten. Maar toch, als hij de sla snijdt en de komkommer en tomaten in heel kleine stukje hakt, wil ik hem laten ophouden. Ik wil zeggen dat Dan het niet zo doet, dat het niet gehakt moet worden, dat wij de komkommer en tomaten gesneden willen hebben, dat hij het verkeerd doet.

Maar dat zeg ik natuurlijk niet. Ik geniet er gewoon van dat de keuken tot leven komt als er meer mensen zijn dan alleen Tom en ik. Dat Norah Jones een warme, ontspannen sfeer weet te scheppen en dat ik veel meer van deze avond geniet dan ik had verwacht, vooral omdat alles zo anders gaat dan ik had verwacht.

Ik verlang naar Charlie. Verlangde naar Charlie. Dat kan ik niet ontkennen. Maar nu hij hier is, nu dit geen fantasie meer is, blijkt dit niet de zwoele, sensuele avond te zijn die ik me had voorgesteld. Ik amuseer me. We flirten niet, we praten. En we zoenen niet, maar we lachen samen. Het lijkt alsof ik kook met een goede vriend, en opeens besef ik dat ik het naar mijn zin heb, dat ik niet met Charlie naar bed wil en, wat belangrijker is: dat ik niet met Charlie naar bed móét. Hier is sprake van een nieuwe vriendschap en door die gedachte ontspan ik me en begin ik te glimlachen.

'Waar lach je om?'

'Ik bedacht net dat ik het naar mijn zin heb,' zeg ik. 'Kom. Laten we gaan eten.' Samen brengen we het eten naar de woonkamer en we gaan aan de eettafel zitten.

Charlie prijst het eten de hemel in.

'Je doet net alsof je in geen maanden een fatsoenlijke maaltijd hebt gehad.' Ik lach als hij zijn zalm opeet en om een tweede portie vraagt, en daarna drie enorme stukken citroentaart verorbert.

'Vrijgezel zijn en koken gaan niet echt samen.'

'Ik dacht dat de liefde van de vrouw door de maag gaat.'

'Nee, dat is de liefde van de man.'

'Dat weet ik, ik maakte maar een grapje. Maar single vrouwen zeggen toch dat een man die kan koken heel sexy is?'

'Ik weet het niet. Zeggen ze dat? Jij bent een single vrouw, dus zeg jij het maar.'

'Goed: een man die kan koken is heel sexy.' Nu is het mijn beurt om te plagen.

Met een glimlach houdt Charlie mijn blik vast. 'Dus je vindt mij niet sexy omdat ik niet kan koken?'

Jezus christus. Hij draait er ook niet omheen. Hij kijkt me aan en wacht op een antwoord, maar ik weet niet wat ik moet zeggen. Mijn plannen om hem te verleiden zijn allang verdwenen en mijn idee om me als Lisa te gedragen heb ik verworpen. Ik stotter als een tiener en mompel vlug iets over afruimen. Ik sta op, pak de borden en loop ermee naar de keuken, waar ik tegen het aanrecht leun en mijn best doe mezelf weer in de hand te krijgen. Met gesloten ogen haal ik diep adem om mijn evenwicht te hervinden.

Ik hoor hem niet binnenkomen. Ik weet niet dat hij er is tot ik zijn warme adem in mijn nek voel. Hij staat achter me, zo dichtbij dat ik zijn hartslag bijna kan voelen en zijn huid langs de mijne voel strijken.

Mijn hart staat stil. Ik krijg geen adem meer.

'Je hebt mijn vraag niet beantwoord,' fluistert hij in mijn oor. Met zijn lippen strijkt hij over mijn oorlelletje en mijn knieën worden slap.

Omdat ik iets wil zeggen, draai ik me om, en daar is zijn gezicht, op slechts een paar centimeter van het mijne. Mijn ogen gaan dicht en we zoenen elkaar. Ik bedenk dat ik hem eigenlijk van me af moet duwen, maar dit voelt erg lekker.

Heel erg lekker.

Hij slaat zijn armen om me heen. Armen die heel anders zijn dan die van Dan. Zijn mond is heel anders dan die van Dan. Hij smaakt zoet. Naar muskus. Sterk. Zijn hand liefkoost mijn hoofd en ik doe mijn handen omhoog om zijn rug te voelen. Ik word niet meegesleept door een golf van hartstocht, zoals ik had verwacht, maar ik ben wel nieuwsgierig en ik wil weten hoe het voelt, dit nieuwe lichaam dat zo dicht tegen me aan staat in mijn keuken.

Zijn schouderbladen zijn scherper dan die van Dan, zijn taille is breder, een klein, lekker kussentje extra vlees dat me nog niet eerder was opgevallen.

Zonder iets te zeggen gaan we naar de woonkamer, waar we op de bank gaan liggen en elkaars lichaam verkennen. We zoenen en fluisteren en glimlachen tegen elkaar.

Ik weet dat hij opgewonden is. Dat kan ik voelen. En ik weet dat ik ook opgewonden hoor te zijn, vooral gezien de gevoelens die hij vóór deze avond in me wakker riep, maar toch voel ik me net een toeschouwer. Ik ga ermee door, hoewel niet van harte. Dichter dan dit zal ik ongetwijfeld nooit bij een lichaamsuittreding komen, want elke keer dat hij me aanraakt, elke keer dat ik hem aanraak, ben ik me sterk bewust van hoe het voelt, merk ik dat het heel anders voelt dan met Dan.

Daardoor komen alle herinneringen aan Dan terug. Toen hij wegging, hadden we al zo lang geen seks meer gehad dat ik er niet aan had gedacht, me niet meer herinnerde hoe fijn het kon zijn, hoeveel we er allebei van genoten en hoe prettig het was om met een ander op het punt te zijn aangekomen dat je niet extra je best hoefde te doen, dat je geen voorstelling hoefde te geven, dat je gewoon naar beste vermogen van iemand kon houden en dat de ander van jou hield.

Charlie mompelt iets over het ons nog gemakkelijker maken en naar de slaapkamer gaan en ik knik, want ineens vertrouw ik mijn stem niet omdat ik een brok in mijn keel heb. Als hij zijn hoofd naar me toe buigt om me nogmaals te zoenen, schud ik het mijne. Ik ga rechtop zitten en duw hem zachtjes weg.

Charlie gaat ook zitten en kijkt me aan. Zijn haar zit door de war en zijn overhemd is halfopen.

'Ik wist wel dat dit een slecht idee was,' zegt hij zacht, bijna tegen zichzelf. 'Ik wist dat het nog te vroeg was.'

'Het spijt me,' fluister ik met een schuldige uitdrukking op mijn gezicht. 'Het spijt me heel erg, Charlie. Ik vind je echt heel leuk. Als het niet zo snel was, als ik er klaar voor was...'

'Je hoeft het niet uit te leggen.' Hij neemt mijn hand in de zijne en strijkt teder over de palm. We kijken allebei naar mijn kleine hand in de zijne. 'Fran heeft tegen me gezegd dat het te vroeg was, en daarom heb ik je niet gebeld. Maar toen jij mij belde, dacht ik dat je er misschien klaar voor was. Weet je, ik vind je een fantastische vrouw.'

'Dank je.' Ik glimlach en knijp even in zijn hand.

'Graag gedaan,' zegt hij, en we blijven een poosje zwijgend zitten. 'Denk je dat jij en je man weer bij elkaar zullen komen?' vraagt hij uiteindelijk.

'De toekomst is nog onzeker, maar het enige wat ik na vanavond wel zeker weet, is dat ik nog niet klaar ben voor een ander.'

'Dat weet ik.'

'Denk je dat we wel vrienden kunnen blijven?' vraag ik hoopvol als Charlie mijn hand loslaat en opstaat. Ik weet dat hij op het punt staat te vertrekken. Er is geen reden voor hem om te blijven. Niet meer. Eigenlijk zou ik me schuldig moeten voelen, maar ik ben alleen opgelucht. Hij glimlacht en haalt zijn schouders op en ik kijk hem met een verdrietige glimlach aan omdat ik weet dat het antwoord nee is.

Op een ander moment, een andere plaats, in een ander leven had het gekund. Maar niet nu, niet hier. Niet met mij.

28

Op maandagochtend word ik in alle vroegte gebeld door Calden. Ze hebben het marketingvoorstel dringend nodig, het moet aan het eind van de dag doorgefaxt zijn.

Het is nog niet klaar. Bijna, maar niet helemaal. Driewerf hoera voor Trish. Zij haalt Tom op en neemt hem mee naar haar huis, zodat ik het kan afmaken.

Ik zit de hele middag aan mijn computer gekluisterd en pleeg allerlei telefoontjes, op de been gehouden door sterke zwarte koffie. Om vier uur leun ik naar achteren in mijn stoel en steek mijn armen grijnzend in de lucht. Klaar.

Het mag niet erg efficiënt lijken, maar ik heb geen fax en Trish is met de kinderen naar de dierentuin gegaan, dus ik kan haar huis niet in.

Lisa is een lang weekend weg – zoals gewoonlijk deed ze heel ontwijkend toen ik daar meer over wilde weten – en zij heeft wel een fax en ik heb een sleutel van haar appartement. Ik kan ook naar de dichtstbijzijnde copyshop gaan, maar het slaat nergens op om in de rij te moeten staan als een van mijn beste vriendinnen om de hoek woont en ik weet dat ze er geen enkel bezwaar tegen heeft als ik haar fax gebruik.

Wat pas echt nergens op slaat, denk ik als ik mijn jas aantrek, is dat ik zelf geen fax heb. Dat was een van de essentiële dingen die Dan heeft meegenomen toen hij wegging, en het lijkt erop dat ik er zo snel mogelijk zelf een moet kopen.

Ik bel Trish en vertel haar dat ik even een fax moet versturen en dat ik haar daarna wel zie in het café in Regent's Park om thee te drinken.

'Je zoon is een engel,' zegt ze. Hoe vaak anderen dat ook zeggen, ik krijg er altijd een warm gevoel van. 'Hij is zo lief! Hoe doe je dat toch? Waarom heeft mijn zoon steeds woedeaanvallen terwijl de jouwe zo lief is? Hoe doe je het toch?'

Dat gesprek hebben we al zo vaak gehad. Ik heb geprobeerd om mijn theorieën uit te leggen en haar voorzichtig aan te sporen wat meer regelmaat in Oscars leven te brengen, maar het is een hopeloze zaak en ik kan maar tot op zekere hoogte aandringen. Daarom zeg ik vandaag wat ik altijd zeg, namelijk dat ieder kind anders is en dat ik gewoon gezegend ben.

We nemen afscheid en ik pak de sleutel van Lisa's huis, maar dan aarzel ik. Ik kan het niet over mijn hart verkrijgen om het te zeggen. Tenslotte wil ik ook niet dat mensen zonder toestemming mijn huis binnen gaan, zelfs al hebben ze een sleutel.

Ik bel haar mobieltje, dat uitstaat, dus ik spreek een bericht in: 'Lisa, met mij. Ik moet je fax even gebruiken. Ik hoop dat je het niet erg vindt. Ik beloof dat ik verder niks in je huis zal aanraken en het duurt maar een paar minuutjes. Ik hoop dat je het naar je zin hebt, waar je ook bent en met wie je ook bent. Bel me als je terug bent. Dag.'

En ik ga.

Ik hou van dagen als vandaag. Als de zon schijnt in Londen wil ik nergens liever zijn. Je mag Zuid-Frankrijk en de Caribische eilanden houden, net als het toevluchtsoord Mallorca. Ik hou van Primrose Hill in de zonneschijn.

Iedereen ziet er gelukkig uit in de zon, iedereen lijkt te glimlachen en de mensen lijken net even iets kwieker te lopen dan anders. Het lijkt wel of ik barst van de energie en van een geluk dat ik lang niet heb gevoeld. Voor het eerst in lange tijd is dat gevoel niet afhankelijk van een ander. Ik ben niet gelukkig vanwege Dan, of vanwege zijn afwezigheid, of omdat ik aan een ander denk.

Als ik Regent's Park Road af loop en zwaai naar de winkeliers die bijna vrienden zijn geworden sinds ik hier woon, vind ik ineens dat het leven goed is. Ik weet niet wat er gaat gebeuren met mijn huwelijk, maar plotseling heb ik het gevoel dat alles goed zal komen, dat niets zonder reden gebeurt en dat dit allemaal zo heeft moeten zijn.

Als ik er ooit het geld voor zou hebben, zou ik Lisa's appartement dolgraag willen hebben. Ze woont in een van die hoge, gepleisterde huizen die op het park uitkijken. Huizen met enorme ramen die van de grond tot het plafond reiken, zodat alle kamers baden in het licht. Bovendien zijn de plafonds voorzien van prachtig stucwerk.

Ik ben dol op Lisa's appartement, zelfs al is haar smaak wat inrichting betreft heel anders dan de mijne. Ik hou van mijn appartement omdat het gezellig is, knus, een ratjetoe. Lisa's appartement ziet eruit alsof het rechtstreeks uit de *Elle Wonen* komt, zo ongelooflijk chic, minimalistisch en verzorgd.

De enige tekens van bewoning zijn Amy's spulletjes die vaak verspreid op de grond van de woonkamer en het kleine keukentje liggen, maar omdat Lisa nou eenmaal Lisa is, stopt ze die in mooie rieten dozen en als de dozen keurig opgestapeld tegen de muur staan, zou het nooit bij iemand opkomen dat hier wel eens een kind op bezoek is, laat staan dat er een kind woont.

Bij mij staat de grote, bontgeverfde kinderstoel van Mamas and Papas die de halve keuken in beslag neemt, maar Lisa heeft de minimalistische Tripp Trapp-stoel, een houten kinderstoel die zelfs mooi zou staan in de Conran Shop – sterker nog: die best bij de Conran Shop vandaan kan komen.

Mijn kinderkamer is blauw en geel en groen, en hangt vol met mobiles en schilderijtjes, en overal staan teddyberen. Amy's kamer is koffiekleurig met chocoladebruine linnen lamellen en een sisalkleed. Het enige wat op de aanwezigheid van een kind wijst, is het ledikantje en zelfs dat is een handgemaakt sledebed van kersenhout, dat, volgens Lisa, in een mooie slaapbank kan worden veranderd als Amy te groot is voor een ledikantje.

Bij mij staan overal foto's van Tom. Lisa heeft één wand met foto's in de gang. Dat zijn allemaal zwart-witfoto's: mooie, professionele opnames van Amy, en van Amy met Lisa en een paar met alleen Lisa erop, meer dan levensgroot en kunstzinnig ingelijst in zwarte lijsten.

Alles in Lisa's huis schreeuwt goede smaak, stijl, elegantie. In het begin werd ik er nerveus van, net als ik van Lisa nerveus werd, maar nu weet ik dat ze veel meer is dan dat en sinds Dan weg is, ben ik dichter naar Lisa toe gegroeid omdat ik weet dat zij begrijpt wat ik doormaak, op een manier die Trish gewoon niet kan begrijpen.

Natuurlijk steunt Trish me, natuurlijk wil ze helpen, maar zij heeft nooit in dezelfde situatie gezeten en daarom kán ze het niet weten. Als je naar ons kijkt, zou je automatisch zien dat Trish en ik vriendinnen zijn en zou je denken dat de chique, volmaakte Lisa de vreemde eend in de bijt is. Maar toch wordt de band tussen Lisa en mij steeds hechter en al is Trish niet de vreemde eend in de bijt, ze is wel degene die het niet begrijpt.

Ik vind het niet prettig om zonder toestemming in Lisa's appartement te zijn, maar ik ben zo klaar. Ik loop direct naar haar bureau, dat in een nis naast de keuken staat, haal het document uit mijn tas en duw het in het apparaat.

Ik probeer nergens naar te kijken. Ik sta daar en staar naar buiten terwijl de fax wordt verstuurd. Net als pagina 3 erdoor gaat, durf ik te zweren dat ik een geluid hoor.

Ik blijf doodstil staan en spits mijn oren, en ja: ik weet zeker dat ik voetstappen hoor in Lisa's appartement. Mijn hart begint te bonken. Daar heb ik geen rekening mee gehouden. Indringers. Mijn ergste nachtmerrie. Vlug kijk ik om me heen naar iets stevigs wat ik kan pakken en ik trek de stekker van de bureaulamp uit het stopcontact, want die is lekker zwaar. En nu, met het gevoel dat ik tot de tanden gewapend ben, loop ik op mijn tenen door de keuken om op onderzoek uit te gaan.

De meeste inbrekers zijn opportunisten, denk ik. De meesten zijn doodsbang om oog in oog met iemand komen te staan. Ze zullen zo van me schrikken dat ze weggaan. O, shit. Waarom gebeurt dit nu ik hier ben?

Ik sluip door de gang en hoor de onmiskenbare geluiden van iemand anders in huis. Er gaat een deur dicht. Voetstappen. Meubels waartegen gestoten wordt. O! Mijn hart gaat als een bezetene tekeer, en als ik voor de deur van de slaapkamer sta, besef ik dat dit me te veel wordt. Eigenlijk moet ik naar buiten rennen en de politie bellen.

Terwijl ik daar sta, net als ik weg wil rennen, gaat de slaapkamerdeur plotseling open, en ik snak naar adem en laat de lamp vallen. Daar, recht voor me, met alleen een handdoek omgeslagen, een schemerlamp in zijn rechterhand en net zo bang kijkend als ik, staat Michael.

Mijn schoonvader.

We zeggen geen van beiden iets en ik vermoed dat zijn gezichtsuitdrukking de mijne weerspiegelt. Schok. Verwarring. Grotere schok.

'Wat doe jij hier?' Hij zegt als eerste iets en achter hem zie ik Lisa in een badjas staan; zij kijkt even ontzet als ik. Waarom is dit geen moment bij me opgekomen, waarom wist ik dit niet?

Lisa en mijn schoonvader.

Vergeet niet hoe leuk hij haar vond in Frankrijk. Vergeet niet dat we er allemaal om moesten lachen dat hij bijna begon te kwijlen elke keer dat hij haar zag.

Ineens weet ik dat allemaal weer.

En dan ons gesprek van laatst. Had ze niet gezegd dat het ingewikkeld was en dat hij getrouwd was? O, god. Mijn schoonvader! Ineens word ik heel, heel erg boos. Hoe durft ze? Hoe kan ze? Hij is niet van haar. Hij is Linda's echtgenoot. Dans vader. Hoe durft ze?

Ik kijk van Michael naar Lisa, maar ik kan de juiste woorden niet vinden. Ik kan hem wel slaan. Hij kijkt naar me en zijn blik verandert van geschrokken in schuldbewust, en ik weet zeker dat er uiteindelijk een vleugje spijt op zijn gezicht verschijnt.

'Het spijt me,' zegt hij zacht terwijl ik hem aanstaar en niet kan geloven dat mijn vriendin me op deze manier heeft verraden. Alleen een verhouding met Dan zou erger zijn geweest, maar dit is niet veel minder. Geloof me, het is echt niet veel minder.

Ik bedwing de neiging hem een klap in zijn gezicht te geven. Ik kijk naar Lisa, die met een uitdagende blik naast Michael komt staan.

'Het spijt me dat je er zo achter bent gekomen, maar waarom ben je hier? Wat doe je in mijn huis?' vraagt ze.

Ik voel alleen afkeer. 'Ik had je fax even nodig,' zeg ik kil. 'Als je de voicemail van je mobieltje afluistert, zul je een boodschap van me horen. Ik dacht dat je weg was, maar ik wist duidelijk niet hoe goed je tegenwoordig kunt liegen.'

Ik ben blij dat Michael me niet langer aan durft te kijken, maar Lisa kijkt me recht in de ogen. Ze wil iets zeggen om zich te verdedigen, om hén te verdedigen, maar ik zal haar de kans niet geven en ben absoluut niet geïnteresseerd in wat ze eventueel te zeggen heeft.

'Ik walg van je,' zeg ik kalm. Michael kijkt naar de vloer en lijkt met de seconde kleiner te worden. 'Ik walg van jullie allebei. Als Linda dit wist…' Ik hoef mijn zin niet af te maken. Michael ziet eruit alsof hij in tranen zal uitbarsten en als Lisa hem wegduwt en voor hem gaat staan, weet ik dat onze vriendschap op slag voorbij is, dat er voor ons geen weg terug meer is.

'Je begrijpt het niet. Michael en Linda zijn al jaren ongelukkig. Wij houden van elkaar. Dit is geen goedkope affaire.'

'Weet Linda al dat je haar gaat verlaten voor een andere vrouw?' Ik kijk naar Michael en snuif, zogenaamd lachend. Natuurlijk weet ze dat niet. Want dat gaat hij niet doen. Lisa mag hem dan hebben betoverd, maar zelfs ik weet dat ze het echt mis heeft als ze denkt dat hij bij Linda weggaat.

Ik wil hier niet meer zijn, ik wil hier niet staan en me vies voelen omdat ik in hun buurt ben, ik wil niks meer met hen te maken hebben. Ik draai me om, pak mijn papieren en loop de voordeur uit, die ik nogal kinderachtig hard achter me dichtsla.

Linda heeft gezegd dat ik Lisa niet kon vertrouwen, denk ik als ik snel naar de dierentuin loop. Zij wist het, zij wist wat voor vrouw Lisa was, hoewel zelfs Linda nooit had kunnen denken dat Lisa het op haar man gemunt had.

Ach, die arme Linda. Alle wrok die ik nog tegen haar koesterde is verdwenen en ineens zie ik haar als een onschuldig slachtoffer van verraad terwijl zij niks verkeerd heeft gedaan. Ik geef toe dat ik de eerste ben die zal zeggen dat ze dominant is, en koppig en lastig, en dat het af en toe waarschijnlijk onmogelijk is om bij haar te wonen, maar verdient ze dit nou echt? Is er iémand die dit verdient?

Arme Linda.

Zelfs als je erin slaagt je huwelijk in stand te houden, hoe kun je dan nog in de spiegel kijken en tevreden zijn met wat je ziet? Je ontkomt er dan toch niet aan jezelf te vergelijken met het jongere, betere model. Hoe kun je jezelf na zo'n gebeurtenis nog accepteren en tevreden zijn met wat je hebt?

Arme Linda.

Zou ze weten waar haar echtgenoot dit weekend is? Heeft ze zich erbij neer moeten leggen dat hij 's avonds laat thuiskwam, fluisterend telefoongesprekken voerde waar haastig een eind aan werd gemaakt als zij de kamer in kwam? Heeft ze onverklaarbare afschriften van zijn creditcard gevonden?

Je kunt veel over Linda zeggen, maar ze is niet dom. Weet ze het echt niet? Of is ze zo'n vrouw die het wel weet, maar denkt dat ze beter af is als ze het niet weet? Zo'n sterk type, iemand die denkt dat er te veel op het spel staat voor haar, dat ze zijn indiscreties wel kan negeren zolang haar leven op de oude voet verdergaat?

Als ik bij de dierentuin kom, voel ik iets wat ik nooit had gedacht voor Linda te zullen voelen. Niet dat ik medelijden met haar heb, maar ik wil haar beschermen. Het is heel bizar, maar ik koester bijna moederlijke gevoelens voor haar. Opeens wil ik weten hoe het met haar gaat, me ervan overtuigen dat ze het goed maakt, haar helpen hieroverheen te komen. Ik wil op zijn minst voor haar klaarstaan, haar helpen dit te verwerken, haar vriendin zijn.

Ik besef hetzelfde als kortgeleden bij Emma: Linda is familie, in voor- en tegenspoed. Wat er ook met Dan gebeurt, ik ben de moeder van haar kleinzoon, en of ik het nou leuk vind of niet, ze zal altijd deel uitmaken van mijn leven. Tot de dood ons scheidt.

Ik heb nooit begrepen dat het hemd nader kan zijn dan de rok, maar nu begint het te dagen. Ik mag het dan niet prettig vinden, ik mag haar soms niet aardig vinden, maar Linda en de rest van de Coopers en hun aanhang horen bij me.

Bij mijn familie.

'Je ziet er vreselijk uit. Wat is er gebeurd?'

Ik baan me een weg door de grote aantallen moeders die hun kleine kinderen in de lunchroom te eten geven en buk me om Tom een dikke zoen te geven.

'Als ik het je zou vertellen, zou je me niet geloven,' zeg ik. Ik weet natuurlijk dat ik het haar wel zal vertellen, dat ik dit met iemand moet delen. Het zou een te grote last zijn om dit nieuws voor mezelf te houden. En als ik naar Trish kijk, ben ik dankbaar voor haar vriendschap en ik weet – ook al dacht ik de laatste tijd dat ik meer gemeen had met Lisa – dat Trish een beter mens is. Trish zou zoiets nooit doen. Trish is een betere vriendin en zal dat ook altijd blijven.

'Wat?'

Ik vertel het hele verhaal.

Ze blaast haar adem hoorbaar uit als ik uitgesproken ben en dan slaat ze haar arm om me heen en trekt me even dicht tegen zich aan.

'Hoe voel je je?' vraagt ze bezorgd. 'Gaat het wel?'

'Ik voel me een beetje versuft. Het is toch niet te geloven? Vind je het niet vreselijk? Mijn schoonvader, nota bene, die nog getrouwd is ook.'

'Wil je de waarheid horen?' vraagt Trish en ik knik. 'Nou, ik kan het wel degelijk geloven en ik ben ook niet echt verrast. Kijk, ik vind Lisa in veel opzichten een geweldige vrouw, maar ze is heel hard en ze weet precies wat ze wil. Ik geloof dat zulke vrouwen altijd een tikkeltje meedogenloos zijn. Zij vinden mannen altijd belangrijker dan hun vriendschap met andere vrouwen.'

'Maar waarom heb je dat nooit eerder gezegd?' vraag ik. 'Dit is de eerste keer dat ik je iets slechts over Lisa hoor zeggen. Waarom heb je me dat niet eerder verteld?'

Trish haalt haar schouders op. 'Daar zijn een paar redenen voor. Het is niks voor mij om af te geven op mijn vriendinnen, en ik heb het nooit zo op groepjes van drie gehad. Zelfs bij volwassenen wordt er bij dat soort groepjes meestal iemand buitengesloten en ik wilde niet degene zijn die dat op haar geweten had.'

Ik zeg niks, want Trish heeft gewoon gelijk. Omdat Lisa en ik als alleenstaande moeders zo veel gemeen hadden, hebben we Trish buitengesloten; dat spijt me nu heel, heel erg.

'Ik heb je buitengesloten, hè?' zeg ik treurig en ze schudt glimlachend haar hoofd.

'Dat geeft niet,' zegt ze. 'Ik wist dat je Lisa nodig had om hieroverheen te komen en daar had ik begrip voor. Ik heb me nooit in mijn eentje hoeven te redden en ik wist dat Lisa je op een manier kon steunen waar ik niet toe in staat was. Maar Ellie, ik wist dat onze vriendschap nooit in gevaar was, oké?' Ze buigt zich voorover en legt een hand op mijn arm.

Ik knik en slik iets weg. Kon ik maar hetzelfde zeggen. Wat ben ik een trut geweest.

'En als je het echt wilt weten,' gaat ze verder, 'dacht ik al dat ze een verhouding had, omdat ze de laatste tijd zo geheimzinnig doet. Ik was doodsbang dat ze iets met Dan had. Hoe erg het ook klinkt, ik ben opgelucht dat het Michael is.'

'Dacht je dat echt?' Ik schrik enorm. 'Waarom heb je niks gezegd?'

'Wat had ik dan moeten zeggen?' vraagt Trish treurig. 'Je zou een hekel aan me hebben gekregen omdat ik het zelfs maar dacht en ik wilde je niet kwijtraken door de boodschapper van slecht nieuws te zijn.'

'Godzijdank had je het mis.'

'Inderdaad,' zegt ze. 'Godzijdank is er nog iets goeds aan deze hele situatie. En nu? Wat ga je doen? Geloof je dat het serieus is?'

Daar denk ik even over na, maar nee, dat geloof ik niet. Dat kan ik niet geloven. Ik denk niet dat Michael Linda zal verlaten voor Lisa. Ze mogen dan hun problemen hebben, ik weet zeker dat Michael diep in zijn hart van Linda houdt. Dat dit gewoon een midlifecrisis is, iets van voorbijgaande aard.

'Dat denk ik niet. Echt niet. Misschien is het naïef, maar ik kan me niet voorstellen dat hij alles zal opofferen voor Lisa. Jezus.' Vol verbazing schud ik mijn hoofd. 'Ik kan niet geloven dat Linda dit wist.'

'Hoe bedoel je?'

'Laat ik het zo zeggen: jij was niet de enige die dacht dat Lisa een verhouding had met Dan. Toen Linda Lisa voor het eerst ontmoette in Frankrijk, heeft ze me gewaarschuwd voor vrouwen als zij.'

'Nee!'

'Jawel! Blijkbaar is ze veel wijzer dan wij.'

'Die arme Linda.'

'Ja. Dat denk ik ook steeds.'

'Wat ga je doen? Je gaat het haar toch niet vertellen?' Trish kijkt me geschrokken aan.

'Nee, zeg!' Ik pik een patatje van Toms bord. 'Maar misschien bel ik haar even. Ik weet dat het vreemd klinkt, maar ik voel me ineens heel beschermend ten opzichte van haar.'

Trish glimlacht. 'Dat vind ik helemaal niet raar. Dat is juist lief. En ze wil ongetwijfeld graag iets van je horen. Was dat niet het hele probleem: dat ze je wilde behandelen alsof je een echte dochter van haar was?'

Ik knik. Waarom voelt dat opeens niet meer vreemd?

'Linda? Met Ellie.'

Er wordt naar adem gehapt. Daarna volgt een stilte, waarin ze haar zelfbeheersing hervindt. 'Dag, Ellie.' Zo kil heb ik haar stem nog nooit gehoord. 'Wat kan ik voor je doen?'

Wat had ik dan verwacht? Dat ze in tranen zou uitbarsten en me zou vertellen hoe erg ze me heeft gemist? Hoe dankbaar ze is dat ik eindelijk vrede wil sluiten? Nou ja, eigenlijk wel. Zoiets had ik verwacht, en ik schrik nu haar stem zo koel en hard klinkt.

Aan de andere kant is dit de vrouw met wie ik maanden niet heb willen praten. Maandenlang.

Ik haal diep adem. 'Het spijt me,' zeg ik zachtjes, en terwijl ik het zeg, voel ik tranen opwellen in mijn keel.

'Wat spijt je?' Linda's stem klinkt nog steeds ijskoud.

'Alles,' zeg ik, en vervolgens presteer ik het compleet in te storten. Huilend zit ik aan de telefoon en ik doe mijn best om iets te zeggen, maar elke keer begin ik weer te huilen, en als ik mezelf eindelijk weer in de hand heb, weet ik niet eens of ze nog aan de lijn is.

'Linda? Ben je er nog?'

'Ja, Ellie,' zegt ze, en haar stem klinkt een stuk zachter. 'Ik ben er nog.'

'Kunnen we met elkaar praten?' vraag ik, al was dat niet mijn bedoeling geweest. 'Kunnen we ergens afspreken? Misschien om te lunchen?'

Er volgt een langdurige stilte. Ik bid dat ze ja zal zeggen, dat ze de telefoon niet zomaar ophangt, al verdien ik niet beter. Ze heeft alle recht om te weigeren.

'Ja,' zegt ze uiteindelijk. 'Dat lijkt me een goed idee.'

29

'Ik weet niet wat we met Lisa aan moeten,' bekent Trish als we de wandelwagentjes door het park duwen.

'Hoezo?' grom ik.

'We kunnen haar niet zomaar buitensluiten,' zegt Trish. 'Jij kunt haar niet zomaar buitensluiten. Ik vind ook dat ze zich vreselijk heeft gedragen, maar ze is een goede vriendin en je kunt haar niet veroordelen vanwege een vergissing.'

'Vergissing?' Ik blijf stilstaan en kijk Trish aan. 'Vergissing? Noem je het zo?'

'Goed, het is erger dan een vergissing, maar denk eens aan haar goede eigenschappen. Ze is altijd een goede vriendin voor ons allebei geweest. Je zegt zelf dat ze zo geweldig voor je is sinds Dan weg is. Het voelt verkeerd om haar de schuld te geven. Zo slecht is ze nou ook weer niet.'

'Nou, ze is anders ook niet echt geweldig,' zeg ik zuur.

'Dat is waar.' Trish zucht. 'Ik doe mijn best om er niet bij betrokken te raken. Om geen keus te hoeven maken.'

'Hoor eens even.' Ik kijk haar aan. 'Echt, ik verlang niet van je dat je een keus maakt. Ik wil niks meer met haar te maken hebben en ik zou liegen als ik zei dat ik het niet erg vind als jij bevriend met haar blijft, maar ik weet hoe kinderachtig dat zou zijn, dus verbreek het contact alsjeblieft niet voor mij. Het enige wat ik van je vraag, is dat je niet over haar praat, want op dit moment wil ik niks over haar horen.'

Daar denkt Trish een poosje over na terwijl we verder lopen. 'Waarschijnlijk maak ik me zorgen om niks,' zegt ze uiteindelijk. 'Ze heeft me niet eens teruggebeld. Heb je het echt helemaal met haar gehad?'

'Compleet,' zeg ik vol overtuiging. 'Wat mij betreft had mijn schoonmoeder gelijk.'

'En je schoonvader dan?' vraagt Trish. 'Wat denk je dat er met hen zal gebeuren?'

Toevallig weet ik wat er met hen zal gebeuren. Dat weet ik omdat Michael me heeft gebeld, drie dagen nadat ik hem en Lisa heb betrapt. Uiteraard belde hij veilig vanuit zijn kantoor. Hij voelde zich duidelijk ongemakkelijk en mijn stem was kil terwijl ik luisterde naar wat hij te zeggen had.

Ik zei wel dat ik geen interesse had, maar dat was gelogen.

'Ik wil het uitleggen,' begon hij, en hij schraapte zijn keel.

'Je hoeft mij niks uit te leggen,' zei ik. 'Alles was overduidelijk.'

'Toe, Ellie. Ik weet dat je met Linda gaat lunchen en ik moet het uitleggen. Ik wil je vragen niks tegen haar te zeggen. Alsjeblieft.' Ik hoorde de angst in zijn stem. 'Zeg alsjeblieft niks tegen Linda over Lisa.'

'Nu ga je zeker iets ongelooflijk afgezaagds zeggen, bijvoorbeeld dat Lisa niks voor je betekent, of dat je ongelukkig was.'

Toen hij het sarcasme in mijn stem hoorde, slaakte Michael een diepe zucht. 'Ellie, het leven loopt niet altijd zoals je verwacht, en soms maken we fouten en doen we dingen waar we niet trots op zijn, maar de enige manier om te leren van die fouten…'

Ik onderbrak hem, geïrriteerd door zijn schijnheiligheid. 'Michael, het kan me echt niks schelen. Ik ben blij dat je een manier hebt gevonden om je verhouding voor jezelf goed te praten, maar dat kan ik niet…'

'Dat heb ik niet,' zei hij.

'Wat heb je niet?'

'Een manier gevonden om het voor mezelf goed te praten. Ik kon haar gewoon…' Hij zuchtte. 'Ik kon haar gewoon niet weerstaan. O, god, het spijt me echt, Ellie. Ik wilde jou er niet bij betrekken, ik wilde Linda geen pijn doen en ik wilde niks met haar beginnen. Ik zweer je dat ik niet van plan was een verhouding met haar te beginnen. Ik was gewoon gevleid door haar aandacht. Ze is zo jong en…'

Een fractie van een seconde had ik medelijden met hem.

Nee. Ik zou geen medelijden met hem krijgen. Maar mijn nieuwsgierigheid was gewekt. Ik had gedacht dat Michael de verleider was, de aanstichter, degene die het verraad in gang had gezet. Had ik er zo ver naast gezeten?

'Gevleid door haar aandacht? Hoe bedoel je?'

Michael is een slimme man en hij begreep al snel dat dit mijn zwakke plek was. Onmiddellijk deed hij het hele treurige verhaal uit de doeken.

Blijkbaar was Lisa degene die was begonnen met flirten. Het was niet zo dat hij ongelukkig was met Linda, maar echt gelukkig was hij ook al jaren niet meer geweest. Eerst had hij het niet kunnen geloven toen Lisa een suggestieve opmerking had gemaakt en zijn blik langer had vastgehouden dan nodig was, langer dan een mooie jonge vrouw zijn blik in jaren had vastgehouden.

Dat was in Zuid-Frankrijk gebeurd. Voor het ongeluk, blijkbaar. Een hele serie suggestieve opmerkingen van Lisa, opmerkingen die Michael probeerde te negeren, maar waardoor hij zich ondanks zichzelf gevleid voelde. Lieve hemel, hoe heeft ons dat kunnen ontgaan? Hoe heeft dit Linda kunnen ontgaan, want hoe argwanend ze ook was ten opzichte van Lisa, ze had nooit kunnen denken dat Michael het doelwit zou zijn.

Hij vertelde dat hij eraan gewend was om complimentjes te krijgen voor zijn manier van denken. Voor zijn kundigheid in de rechtszaal, zijn kennis, zijn gave snel te handelen. Maar het was jaren geleden dat iemand hem om zijn uiterlijk of zijn ridderlijkheid – kortom, om hemzélf – complimentjes had gemaakt.

'Was zij de eerste?' vroeg ik op een gegeven moment. Niet dat het mij iets aanging. Ik verwachtte niet eens een antwoord.

Er volgde een lange stilte. 'Begrijp me goed,' zei Michael met een zucht. 'Ik ben al vijfendertig jaar getrouwd. Dat is een hele tijd.' Verder zei hij niks. Dat was ook niet nodig.

Die arme Linda.

Lisa had Michael na het ongeluk gebeld. Ze had het nummer van zijn kantoor op internet gevonden. Ze had gebeld om te zeggen hoe erg ze het vond, om te vragen of zij iets kon doen, en als hij ooit een luisterend oor nodig had, wilde ze hem graag ontmoeten.

Die trut: mijn zoon gebruiken als middel om een verhouding met mijn schoonvader te beginnen!

Ik twijfel er namelijk niet aan dat ze dit zo heeft beraamd. Kennelijk had ze besloten dat Michael precies was waar ze naar op zoek was. Als het nodig was, zou ze bergen hebben verzet om ervoor te zorgen dat ze een verhouding kregen en vermoedelijk had ze gewild dat hij zijn vrouw voor haar zou verlaten.

Dus er volgde een lunch. Een onschuldige lunch, volgens Michael, want hij moest met iemand praten. Linda was in die periode een emotioneel wrak en barstte voortdurend in tranen uit. Daar reageerde ik niet op, want ik wilde mijn gevoelens over dat onderwerp niet laten merken.

En de lunch, zei hij, had tot het onvermijdelijke geleid.

'Hou je van haar?' vroeg ik. Ik had gedacht dat ik dat niet had willen weten, had beweerd dat het me niet interesseerde, maar nu wilde ik er meer van weten.

271

'Ik hou van het gevoel dat ze me geeft,' zei hij zacht. 'Ik vind het geweldig dat ik me weer een jonge man voel wanneer ik bij haar ben. Maar ik voel me ook schuldig. Tegenover elk heerlijk moment staat een even verschrikkelijk moment. Ik verafschuw het schuldgevoel en ik vind het vreselijk dat ik ten prooi ben gevallen aan zulke doorzichtige listen.'

Ik zweeg. Er viel niks meer te zeggen.

'Het is voorbij met Lisa,' voegde hij eraan toe. 'Ik hou van mijn gezin en ik wil ze geen pijn doen. Ik heb een vreselijke fout gemaakt. Nogmaals: het spijt me, Ellie.'

'Weet Lisa dat al?'

'Dat geloof ik wel. Nadat jij was vertrokken hebben we lang gepraat. Alleen weet ik niet zeker of ze het ook gelooft. Maar het is wel zo. Het is voorbij.'

'Ik zal niks tegen Linda zeggen,' zei ik. 'Ik bedoel, dat was ik toch al niet van plan, zelfs niet voor je belde.'

'Dank je.' Ik hoorde de opluchting in zijn stem. 'Dank je, Ellie.'

'Goed,' zei ik, want 'Graag gedaan' zou een leugen zijn geweest.

Trish en ik komen bij de speeltuin en als we langs de bomen zijn gelopen, zie ik Lisa alleen op een bankje zitten. Ze praat in haar mobieltje, terwijl Amy in de zandbak speelt.

'Shit,' mompel ik, en ik pak Trish' arm en trek haar mee tot we veilig achter de bomen staan.

'Hè?' Zoals gewoonlijk heeft Trish niets gemerkt.

'Lisa. Ze heeft ons niet gezien. Dit kan ik niet. Echt, ik kan dit niet aan.'

Trish knikt. 'Kom mee,' zegt ze. 'Laten we naar mijn huis gaan.'

'O, god,' kreun ik, terwijl we ons als een stel tieners weghaasten. 'Denk je dat we moeten verhuizen?'

'Ik heb gehoord dat Muswell Hill heel leuk is,' zegt ze, en voor de eerste keer die dag moet ik hardop lachen.

Dan hou ik abrupt op met lachen, want niet alleen heeft Lisa ons gezien, ze komt ook naar ons toe.

En we kunnen ons nergens verschuilen.

'Hoi,' zegt ze. Ze loopt op ons af en kijkt mij aan.

'Hoi, Lisa.' Trish schenkt haar een stralende glimlach en probeert zo gewoon mogelijk te klinken. 'Hoe gaat het met je?'

'Wel goed.' Lisa haalt haar schouders op. 'Hoi, Ellie.'

'Hoi, Lisa,' mompel ik. Ik slaag erin haar even aan te kijken, maar dan wend ik mijn blik snel af.

'Ellie,' zegt Lisa, 'kunnen we misschien ergens praten?'

'Ik blijf wel hier met de kinderen,' zegt Trish snel. 'Waarom gaan jullie niet een stukje lopen?' Ik kijk haar woedend aan, maar ze doet net alsof ze dat niet ziet, en Lisa voert me mee het pad af.

We lopen een poosje in stilte tot Lisa zachtjes zegt: 'Het is voorbij, weet je.'

'Ja,' zeg ik. 'Dat wist ik al.'

'En ik dacht nog wel dat dit anders was.' Ze slaakt een diepe zucht. 'Ik dacht dat hij zijn vrouw voor me zou verlaten. Dat ik echt het geluk zou vinden.'

'Lisa…' begin ik, en ik wil zeggen dat ik er niks meer over wil horen en er niet meer over wil praten, maar dan zie ik een traan over haar wang rollen. Ik zwijg, verbaasd om Lisa zo kwetsbaar te zien, en ineens besef ik dat dit niet draait om verraad aan mij. Dit draait om Lisa die verliefd is geworden en die nu verdriet heeft.

Dit gaat helemaal niet om mij.

Ineens steek ik mijn armen uit en omhels ik Lisa, en terwijl ik haar vasthou, huilt ze; ze verontschuldigt zich omdat ze mij heeft gekwetst, ze zegt dat ze me nooit pijn heeft willen doen. Ze zegt dat ik haar beste vriendin ben en dat ze er alles voor overheeft om te zorgen dat het weer goed komt tussen ons.

Het verlies van Michael kan ze net aan, zegt ze, en ze glimlacht door haar tranen heen, maar haar beste vriendinnen kwijtraken niet.

Ik had niet gedacht dat ik haar zou kunnen vergeven. Ik dacht dat ik nooit meer met haar zou praten, maar ik besef dat zij ook maar een mens is, dat we allemaal fouten maken, dat ik bij Linda al snel genoeg met mijn oordeel klaarstond en dat het niet eerlijk is om hetzelfde te doen bij Lisa.

'Het geeft niet.' Ik wrijf over haar rug. 'Ik begrijp het. Het spijt mij ook. Het spijt me dat ik je heb veroordeeld, dat ik je geen kans heb gegeven. Het spijt me.' En dat meen ik. 'Natuurlijk zijn we nog vriendinnen.'

We laten elkaar los en als Lisa naar me glimlacht, weet ik dat me nog maar één ding te doen staat: me verontschuldigen tegenover Linda.

Ik moet toegeven dat ik zenuwachtig ben. Even zenuwachtig, of misschien zelfs iets zenuwachtiger, als voor mijn eerste ontmoeting met Linda, de dag dat Dan me meenam voor de zondagse lunch, toen ik dacht dat ik de ideale man en de ideale familie had gevonden.

273

Ik heb het gevoel dat ik een eerste afspraakje heb en hunker naar haar goedkeuring, wat een vreemd gevoel is, vooral bij Linda. Ik heb me nog nooit hoeven inspannen om haar goedkeuring te krijgen, niet sinds die eerste ontmoeting. De inspanning kwam pas toen ik haar probeerde weg te duwen, haar op een afstand wilde houden, een manier probeerde te vinden waarop wij bij haar gezin konden horen en haar gezin bij het onze zonder dat ze ons leven helemaal zou overnemen.

En dat is me niet gelukt. Toen niet. Ik wist niet hoe ik haar binnen moest laten, beetje bij beetje, en zij wist niet hoe ze onze relatie stapje voor stapje moest opbouwen. Daarom rende ze met open armen op me af en sprong ik aan de kant en wierp een barricade op die ze nooit zou kunnen slechten.

Ik vraag me vaak af of alles anders was gelopen als het ongeluk niet was gebeurd. Of we alsnog op dit punt terecht zouden zijn gekomen, of de spanning tussen Dans familie en mij al zo hoog was opgelopen dat er iets anders zou zijn gebeurd, dat er iets anders tussen ons zou zijn gekomen, waardoor ik het op een lopen had gezet.

De afgelopen dagen heb ik me afgevraagd of ik zo veel milder was geworden als ik niet alle dingen had ontdekt die ik nu weet, of ik hier wel zou zitten als ik Linda niet beschouwde als een slachtoffer en haar wil helpen omdat ik medelijden met haar heb.

En ik wil weer vrienden met haar worden.

Ik ben er nog steeds niet aan toe haar dochter te zijn. Misschien word ik wel nooit haar dochter, vooral niet omdat Dan en ik nu van tafel en bed gescheiden zijn, en het er op het ogenblik niet naar uitziet dat er binnenkort verandering in die situatie zal komen. Maar ik ben bereid om haar vriendin te zijn.

Of in elk geval ben ik bereid dat te proberen.

Ik kijk op mijn horloge. Ze is te laat. Dat is niks voor haar. Linda is altijd te vroeg. Ik kijk naar de deur, en dan zie ik haar. Ik ga staan, zwaai half en mijn hart begint nerveus te bonken.

O, ontspan je toch! Het is je schoonmoeder maar.

Ze ziet er oud uit. Ouder dan ik me herinner. Ze heeft evenveel make-up op als anders, maar ik kan me die lijntjes niet herinneren, of misschien waren ze eerst minder opvallend.

Op weg naar mijn tafeltje stoot ze tegen een stoel en ze verontschuldigt zich. Op dat moment weet ik dat ik Linda nooit meer zal zien als de almachtige matriarch van de familie. Ze is menselijk en zwak en kwetsbaar.

Waarom heb ik die kant van haar nooit eerder gezien?

274

Ze staat voor me en glimlacht, en – o, verdomme, sinds wanneer ben ik zo'n huilebalk? – ik voel de brok in mijn keel en in mijn ogen wellen tranen op, en dan slaat ze haar armen om me heen en omhelst me. Ik bedenk dat ze mijn moeder dan niet mag zijn, maar dat ze geen slechte tweede is en dat ik overal enorme spijt van heb.

Dan gaan we zitten.

Dit is de eerste keer dat ik een kilte bij Linda heb gevoeld. Na de begroeting nam ik aan dat we terug zouden vallen in onze oude rollen, maar ze is beleefd en gereserveerd, en dat brengt me in de war. Zo ken ik haar niet en ik begrijp dat de omhelzing niet wil zeggen dat ze me heeft vergeven, dat alles in orde is en dat ik weer bij haar gezin hoor.

Die omhelzing was alleen als troost bedoeld, een soort Pavlov-reactie op mijn tranen. Ik zit in het restaurant en speel met een schaaltje salade terwijl we wat babbelen, en ik besef dat ik er alles, álles, voor overheb om deze koele Linda weg te krijgen en de Linda die ik ken weer te voorschijn te toveren, de Linda die ik meende te haten. De Linda die ik heb gemist, wat ik me nu pas realiseer.

Daarom praat ik over Tom. Een onfeilbare manier om haar hart te verzachten. Ik vertel alles wat ik kan bedenken over Tom. Ik weet dat ze hem in het weekend ziet, maar ze ziet hem niet in de speelklas, of met zijn vriendjes, en ze hoort niet welke grappige dingen hij allemaal zegt. Daarom bombardeer ik haar met verhalen over Tom en ik kan zien dat het werkt.

Langzaam ontdooit ze, en als we allebei een cappuccino voor onze neus hebben, zeg ik nog een keer hoeveel spijt ik overal van heb. Ik begin uit te leggen waarom ik niet met haar kon praten, waarom ik haar de schuld gaf, maar ik hou op. Er valt niks meer te zeggen. Ik weet zelf niet eens meer waarom die gevoelens zo sterk waren. Mijn woede is helemaal verdwenen, zonder zelfs maar een schaduw achter te laten, en ik weet dat niets ter wereld kan rechtvaardigen waarom ik heb geweigerd haar te zien, of waarom ik zo lang heb geweigerd deel uit te maken van haar gezin.

'Hoe gaat het met Dan?' vraag ik in plaats daarvan zo nonchalant mogelijk om de ongemakkelijke stilte te verbreken. Ik vraag me af of ze me iets zal vertellen wat ik niet weet, of ze iets weet van Lola, of ze weet wat Dan denkt of voelt, wat hij van plan is met ons.

Of er nog wel een ons bestaat.

Linda roert suiker door haar koffie en we kijken naar de vloeistof die ronddraait. Dan kijkt ze me aan.

'Het gaat zo goed met hem als mag worden verwacht.' Ze werpt me een veelbetekenende blik toe.

'Ik mis hem,' zeg ik zacht, en ik besef dat dit de magische sleutel is. Niet haar geliefde kleinzoon, maar haar geliefde zoon.

Voor mijn ogen ontspant ze zich. Anderhalf uur nadat ze het restaurant is binnengekomen, verzacht haar gezicht en zie ik de echte Linda, de Linda die ik vroeger kende.

'Echt waar?' vraagt ze, en er verschijnt een hoopvolle blik in haar ogen.

Ik knik. 'Ik mis hem heel, heel erg. En Tom ook. En we willen dat hij thuiskomt. Maar ik geloof niet dat hij ons nog wil.'

'O, Ellie. Natuurlijk wil hij jullie wel. Hij aanbidt jullie. Ik begrijp er niks van. Ik snap gewoon niet waarom jullie uit elkaar zijn.' Ze trekt een gezicht als ze die woorden zegt en ik zie hoe vervelend ze de hele situatie vindt, wat ze ook van mij mag hebben gedacht.

'Maar ik heb geprobeerd met hem te praten en hij zegt niks. Als hij naar huis wil komen, waarom zegt hij dat dan niet?'

Linda slaat haar ogen ten hemel, waardoor ze weer helemaal de Linda van vroeger is, maar vandaag stoort dat me niet. Ik vind het eerder vertederend. 'O, Ellie, doe niet zo naïef.' Ze klakt met haar tong. 'Het mag mijn zoon dan zijn en hij is het liefste wat ik bezit, maar hij is ook een man. Praten als hij pijn heeft is niet Dans sterkste kant. Hij heeft altijd gedaan wat hij nu doet: hij trekt zich terug, rolt zich op tot een balletje en verbergt zich tot de pijn over is.'

O, dank u, God. Dank u, dank u, dank u. Dus hij is hier niet onbeschadigd uit gekomen, het is niet zo pijnloos voor hem als het lijkt. Voor de eerste keer sinds ik hem die avond in Belsize Park heb gezien, voel ik een sprankje hoop.

'Denk je dat hij verdriet heeft?' Ik moet het van zijn moeder horen, vooral na de dingen die ik me sinds kort in mijn hoofd heb gehaald.

'Natuurlijk heeft hij verdriet.' Ze snuift. 'Hij weet niet wat hij met zichzelf aan moet, maar omdat zijn trots is gekrenkt, zal hij niet de eerste stap zetten, ook al wil hij dat nog zo graag. Geloof me: ik weet dat je hem goed kent, maar ik ken hem al veel langer.'

'Dus hij is niet elke avond wezen stappen? Ik dacht dat hij direct zijn oude leventje zou oppakken.'

'Lieve hemel, nee!' zegt Linda. 'Hoe kom je daar nou bij?'

'Hoe zit het dan met Lola? Heeft hij niks met haar?'

'Lola? Bedoel je dat meisje dat zijn nieuwe programma presenteert?' Linda kijkt me aan alsof ze nog nooit zoiets idioots heeft gehoord.

'Maar ik heb ze samen gezien,' protesteer ik. 'En ze kon niet van hem afblijven.'

Linda schudt haar hoofd. 'Nee, je moet iets verkeerd hebben gezien. Ze is net getrouwd en zwanger van haar eerste kind. Uit wat Dan me heeft verteld, begrijp ik dat ze dolgelukkig is. Hij heeft haar een keer mee uit eten genomen toen haar man in Leicester aan het werk was, maar ik kan je verzekeren dat ze niks hebben. Ten eerste is ze daar het type niet voor en ten tweede heeft Dan alleen belangstelling voor jou.'

Zij is er het type niet voor? Ik weet nog dat Linda het over een ander type heeft gehad, het type dat er zo vandoor zou gaan met de man van een ander, en ik verschuif ongemakkelijk op mijn stoel als Linda mijn gedachten lijkt te raden.

Ze wenkt de serveerster voor de rekening, en kijkt dan weer naar mij. 'En hoe gaat het met je vriendinnen?' vraagt ze. 'Met Trish en... Lisa?'

Verbeeld ik het me, of liet ze een kleine pauze vallen, sprak ze Lisa's naam met extra nadruk uit, weet ze het soms? Weet ze het? Wat moet ik doen als ze het me vraagt? Kan ik het ontkennen? Kan ik liegen?

'Het gaat goed met hen.' Ik durf haar niet aan te kijken. 'Ik zie ze nog altijd vaak.'

Er valt een ongemakkelijke stilte, die ik probeer te doorbreken door een slok mineraalwater te nemen. Maar als ik het glas aan mijn lippen zet, merk ik dat het leeg is.

'Ik had gelijk over Lisa, weet je,' zegt Linda kalm.

Ik snak naar adem en kijk haar aan. O, god. Ze weet het. Hoe weet ze het?

'Hoe weet je dat?' Mijn ogen zijn groot van schrik en mijn stem is niet meer dan een fluistering.

'Ik ben niet achterlijk,' zegt ze met een trieste glimlach. 'Ik heb gezien wat er in Frankrijk aan de hand was.'

Met stomheid geslagen kijk ik haar aan. Ik weet niet wat ik moet zeggen. Wat bedoelt ze? Gaat ze weg bij Michael? Is ze in staat hem te vergeven?

'Wat ga je doen?' vraag ik na een hele poos.

'Doen?' Lachend kijkt ze me aan. 'Niks! Ik zag dat ze Michael probeerde te versieren, met hem flirtte als ze dacht dat wij druk met elkaar in gesprek waren, en dat ze hem lange, intieme blikken toe-

277

wierp. Gelukkig is mijn echtgenoot niet het type om een verhouding te beginnen.' Ze lacht vrolijk. 'Anders had ik me ernstige zorgen gemaakt.'

Ze weet het niet. Hoe kan ze het níet weten? Hoe kan ze twee en twee bij elkaar hebben opgeteld en op drie zijn uitgekomen?

'Dus er is niks tussen hen gebeurd?' Ik kan er niks aan doen, ik kan echt niet geloven dat ze het niet weet. Ik wil precies weten wat hij tegen haar heeft gezegd.

'Nou, ze heeft het hard genoeg geprobeerd.' Linda snuift. 'Wist je dat ze zelfs het lef had te vragen of hij met haar wilde gaan lunchen?'

Ik probeer zo onschuldig mogelijk te kijken. 'Echt waar?'

Linda lacht. 'Ja, ik weet het. Waarom probeert zo'n jong meisje een getrouwde man van middelbare leeftijd te versieren? Ik kan er niet bij.'

Daar kan ik niks op zeggen.

'Ik vond haar al nooit jouw type.' Linda haalt haar neus op. 'En ik heb haar zeker nooit vertrouwd. Hoe dan ook, Michael en ik zijn gelukkiger dan ooit. Gisteravond kwam hij thuis met tickets naar Florence voor het weekend! Als verrassing!' Ze giechelt meisjesachtig. 'Dus je vriendin heeft het verkeerde echtpaar uitgekozen!'

Ik knik en wend mijn blik af. Er is genoeg gezegd. Het feit dat ze gelijk had wat betreft Lisa wil niet zeggen dat ze ooit meer te weten hoeft te komen dan ze nu al weet. De hemel mag weten hoe ze heeft ontdekt dat Lisa hem heeft uitgenodigd voor de lunch – misschien was Michael echt niet van plan alles zover te laten komen – maar ze ziet er gelukkig uit en ik geloofde Michael toen ik hem aan de telefoon had. Het is voorbij en hopelijk zal Linda het nooit te weten komen.

Handig verander ik van onderwerp en we babbelen verder terwijl we aanstalten maken om te vertrekken. Ik bedenk hoe leuk deze lunch was nu Linda meer ontspannen is, nu we een manier lijken te hebben gevonden om verder te gaan.

Ik had verwacht dat we alles zouden uitpraten. Dat deze lunch vol verwijten zou zijn, vol gepraat over wie er gekwetst is en hoe we gekwetst zijn en hoe we ons voelden, en hoe we ons nu voelen.

Ik was helemaal klaar voor een emotionele aanval en ik ben reuze dankbaar dat die niet is gekomen, dat Linda niet van me verlangt dat ik mijn ziel en zaligheid blootleg. Ook wil ze me niet alle kleine dingen voorleggen die ze me ooit heeft verweten.

We hebben een manier gevonden om verder te gaan, zonder de

eerdere pijn opnieuw te hoeven meemaken, en ditmaal zie ik echt een mogelijkheid om een relatie te smeden, om deel uit te maken van elkaars leven.

'Dus jij vindt echt dat ik de eerste stap moet zetten en contact moet opnemen met Dan?' zeg ik als we onze jas aantrekken. Net als vroeger heeft Linda de lunch betaald; ze gaat te zeer op in haar rol als oermoeder om het anders te doen.

'Ja, dat vind ik echt,' zegt ze met een glimlach, en ze aarzelt voor ze haar arm om mijn schouder slaat en er even in knijpt, net als de liefhebbende, hartelijke Linda van vroeger.

'Bel hem vanavond en zeg dat je wilt praten.'

Epiloog

'O, wauw, moet je zien!' Dan en ik slaken kreten van verrukking als we onze handbagage op de marmeren vloer zetten en snel naar het enorme raam lopen om van het uitzicht op de oceaan te genieten.

'Wat geweldig!' Ik kijk naar Dan en grijns als hij zijn arm om me heen slaat en een zoen op mijn lippen drukt.

'En wie wilde er niet op familievakantie?' vraagt hij, me een zachte duw gevend.

'Ja, nou. Dit is niet echt een familievakantie. Het is je moeders zestigste verjaardag, en bovendien betaalt je vader alles. Geloof me: als we het zelf hadden moeten regelen, waren we hier nu echt niet.'

'Geloof me: als we het zelf hadden moeten betálen, waren we hier nu echt niet,' zegt Dan lachend.

'Dat is waar.' Ik knik instemmend.

Het Sandy Lane. Het hotel der hotels. De bestemming van alles wat rijk en beroemd is. Zelfs in mijn wildste dromen had ik niet durven denken dat ik hier ooit zou komen.

Twee maanden geleden kondigde Michael aan dat hij iedereen hierheen bijeen wilde brengen als verrassing voor Linda's zestigste verjaardag. Zij zijn gisteren al aangekomen en ze weet niet dat de hele familie vanavond zal verschijnen in The Cliff voor haar verjaardagsetentje.

Vol ontzag kijkt Tom naar de gigantische plasma-tv die in onze suite staat en dan rent hij de slaapkamer in.

'Mam!' roept hij opgewonden. 'Pap! Hier staat nog een giga-tv. Mogen we er nu naar kijken? Mag dat, pap? Alsjeblieft?'

'Nee, lieverd,' zegt Dan. Hij loopt achter Tom aan de slaapkamer in. 'Vandaag gaan we geen tv kijken.' Hij kijkt naar mij en slaat zijn ogen ten hemel. 'Hij is nog niet eens vier en nu is hij al geobsedeerd door televisie. Wat moet dat worden als hij een tiener is?'

Ik grijns. 'Leid zijn gedachten maar af met een groot zandkasteel.

In het cadeauwinkeltje verkopen ze emmers en schepjes.'
'Voor honderd pond.' Dan schudt zijn hoofd.
'Maar het is voor je lieve zoontje,' zeg ik. 'Toe maar. Koop een
emmer en een schepje en neem hem mee naar het strand.'
Dan tilt Tom op en zet hem op zijn schouders. 'Kom mee, Mr. T.
Zullen we naar het strand gaan om een zandkasteel te bouwen?'
'Ja!' roept Tom. 'Tof, pap!' Als hij weer op zijn eigen voeten staat,
sleept hij zijn koffer naar zijn slaapkamer om zijn zwembroek te
pakken en zich om te kleden.

De mannen gaan naar het strand en ik leg een slaperige Millie in de
wieg die voor ons op de kamer is gezet.
Ze heeft haar dutje overgeslagen en ook al was ze heel lief in het
vliegtuig, nu heeft ze haar duim in haar mond en laat ze haar hoofdje tegen mijn borst rusten, een duidelijk teken dat ze moet slapen.
Als ik na vijf minuten op mijn tenen haar donkere slaapkamer
weer in loop, slaapt ze al. Haar wimpers krullen zacht boven de ron-
ding van haar wangen en ze zuigt nog steeds op haar duim. Ik weersta het verlangen me voorover te buigen en haar te bedelven onder
de kusjes omdat ik weet dat ze dan wakker wordt, dat ze daar nog
niet diep genoeg voor slaapt.
Het is zo anders om een dochtertje te hebben. Ik ben heel lang
bang geweest dat ik op de een of andere manier de patronen van
mijn moeder zou herhalen, dat ik niet klaar was voor een dochter,
dat ik misschien nooit klaar zou zijn voor een dochter.
Maar direct na haar geboorte werd ik stapelverliefd op haar. Ze is
pas negen maanden, maar toch is ze al heel anders dan Tom. Zachter, stiller, gelukkiger. Waar Tom serieus was, glimlacht Millie aan
één stuk door. Waar Tom altijd een beetje vreemd voor me was omdat hij een jongentje is, weet ik precies wie Millie is, wat ze denkt,
wat ze voelt.
Ik laat haar achter in haar kamer – wat is het fijn om een suite met
twee slaapkamers te hebben – en pak onze kleren uit. Daarna pak ik
een appel van de fruitschaal en ga buiten op het balkon zitten.
Ik heb voortdurend een glimlach op mijn gezicht vanwege alle
luxe hier. Zelfs op het balkon staat een bank. Een bank! Buiten! Het
moet Michael een kapitaal kosten, maar als dit de prijs is die hij
moet betalen voor die misstap van lang geleden, dan moet dat maar.
Ik doe mijn best om niet vaak aan die tijd te denken. Het is twee
jaar geleden dat Dan en ik weer bij elkaar zijn gekomen. Wij zijn allemaal veranderd en ik voel me een volkomen ander persoon. Als ik

terugdenk aan die afschuwelijke tijd na Toms ongeluk toen Dan en ik van tafel en bed waren gescheiden en Michael een verhouding had met Lisa, dan is het ongelooflijk dat ik nu zo gelukkig ben, terwijl ik toen zo verdrietig en diep ongelukkig was.

Ik zie dat Dan Toms hand vasthoudt en de rij balkons van de Orchid-vleugel af tuurt tot hij mij ziet, en dan zwaaien ze allebei en blazen me kushandjes toe, en ik blaas hun kushandjes toe tot ze uit het zicht verdwijnen.

We zijn het gezin geworden waar ik altijd van heb gedroomd, maar dat is niet altijd even makkelijk gegaan. Die eerste weken toen Dan en ik weer bij elkaar waren verliepen vaak stroef, maar we hebben eraan gewerkt, met hulp van een relatietherapeut, omdat we wisten dat we bij elkaar waren om de juiste redenen en omdat we allebei wilden dat het zou lukken, niet alleen voor Tom, maar ook voor onszelf.

Achteraf heb ik het gevoel alsof het allemaal heel snel is gegaan, hoewel ik ervan overtuigd ben dat dat een list is van mijn brein, dat het niet zo eenvoudig kán zijn gegaan. Maar ik herinner me alleen dat het een poosje onbehaaglijk tussen ons was en dat het op een dag ineens goed was. Nee, beter dan goed. Op een dag was het ineens geweldig.

Daarna werd ik heel snel zwanger van Millie en op de een of andere manier wist ik dat het onmogelijk was dat ik de fouten van mijn ouders zou herhalen. Tom zou nooit het enige, onhandige, eenzame kind zijn dat ik was geweest; Tom zou een broertje of zusje hebben, en misschien wel meer dan een.

We zouden een echt gezin zijn.

En mijn geluk en gevoel van tevredenheid groeien nog elke dag. Nu is Dan echt mijn beste vriend. Mijn echtgenoot, mijn minnaar, mijn vertrouweling. Hij is, zoals Sally het noemt – die arme Sally, die nog altijd single is en wanhopig op zoek – de ideale echtgenoot.

Wie had dat kunnen denken?

En Linda en Michael mogen dan niet de perfecte schoonouders zijn, ze zijn wel heel erg veranderd sinds die rottijd van toen.

Het heeft lang geduurd voor ik Michael heb vergeven. Het heeft zelfs lang geduurd voor ik hem weer in de ogen kon kijken. Niet dat hij het makkelijker leek te vinden. Maar naarmate de tijd verstreek, zag ik hoeveel warmer Linda en hij tegen elkaar deden. Het leek alsof zijn verhouding, of misschien het beëindigen ervan, hem deed denken aan betere tijden. Ik weet niet of dat hem nou liefdevoller maakte, of dat Linda hem meer is gaan waarderen, maar ze zijn in elk geval een stuk gelukkiger dan een paar jaar geleden.

Vroeger zag ik nooit enige affectie tussen hen. Michael zei bijna niks en als Linda iets tegen hem zei, was het meestal om hem op zijn nummer te zetten. Maar tegenwoordig praten ze met elkaar en ze glimlachen als ze naar elkaar kijken, en ik heb zelfs gezien dat Linda Michael spontaan een zoen gaf. Natuurlijk gebeurt dat niet erg vaak, maar zelfs Dan heeft gezegd dat hij zijn ouders nog nooit zo gelukkig heeft gezien.

Misschien werkt ons geluk aanstekelijk.

Linda is zeker zachtaardiger dan vroeger. Ze is behoedzamer geworden in haar omgang met mij. Voorzichtiger dan in de tijd voor Toms ongeluk, maar – zoals ik heb gezegd tegen Dan – dat is zo slecht nog niet. Ik heb liever dat ze voorzichtig is dan dat ze net als vroeger probeert over me heen te walsen. Dat ze me in haar dochter probeert te veranderen en het me vervolgens kwalijk neemt, en me soms zelfs haat, als ik niet wil meespelen.

We hebben een manier gevonden om het te laten slagen.

Zij is niet de moeder die ik nooit heb gehad, en dat zal ze ook nooit worden, en ik ben niet van plan haar dochter te worden. Wat we zijn is schoonmoeder en schoondochter, en in die hoedanigheid zijn we bevriend geraakt. Ik neem haar niet in vertrouwen en vraag haar niet om raad, ook al weet ik dat ze die graag zou geven.

Af en toe gaan we lunchen, meestal een keer per week, en dan hebben we het over onbelangrijke dingen – zoals boeken, de actualiteit en de mensen die we kennen. We babbelen en we lachen. We praten nooit over belangrijke dingen zoals Michael of Dan, of de kinderen, behalve dan verhalen over hoe schattig ze zijn, of de grappige dingen die ze hebben gezegd.

Vroeger had ik altijd het gevoel dat Linda de dingen die ik deed afkeurde, dat zij alles beter wist en overal beter in was, ook in het moederschap. Nu zegt ze tegen me dat ik een geweldige moeder ben en in plaats van te denken dat ze een bijbedoeling heeft, kies ik ervoor haar te geloven. Op die manier kunnen we het samen prima vinden.

Er wordt op de deur geklopt en als ik door het kijkgaatje kijk, zie ik Emma staan. Ik doe de deur open en ze slaat haar armen om me heen en omhelst me langdurig.

'Is het hier niet fantastisch?' vraagt ze. Ze loopt de suite in en pakt een peer, waarna ze op de bank neerplofft. 'Is dit niet de mooiste plek die je ooit hebt gezien? Hierbij vergeleken is het Calden net een goedkoop motel,' zegt ze lachend. Ze neemt een grote hap van de peer.

'Nou, bedankt!' Maar ergens heeft ze gelijk.

'Zeg, raad eens? Ik zweer je, ik heb net een van de broertjes Gallagher beneden in de bar zien zitten. En blijkbaar was Beyoncé er vorige week. Ik sta te popelen om erheen te gaan en naar beroemdheden uit te kijken, hoewel ik waarschijnlijk de pech heb om alleen Michael Winner te zien.'

Ik stik van het lachen. 'Dus jij bent ook gewaarschuwd om niet op het strand te komen?' Ik denk aan Michaels getypte instructies waarin precies stond wat we moesten doen als we aankwamen om ervoor te zorgen dat Linda ons niet ziet. 'Je weet toch dat we wel aan deze kant mogen komen? Michael heeft gezegd dat het niet uitmaakt zolang we bij de boten blijven. Je moeder en hij zitten kennelijk bij het restaurant.'

'Dat weet ik, maar Jake is niet echt onopvallend.'

'Ach, ja. Daar zit iets in.'

Jake Motrin. De nieuwste chef-kok waar Londen verliefd op is geworden, om nog maar te zwijgen van Emma. Voor het eerst zegt ze dat dit hét is. Jake is de Ware. Hij is opvallend omdat hij beroemd is (zijn laatste tv-serie had hoge kijkcijfers en zorgde ervoor dat hij in de topvijf terechtkwam, en zijn restaurant in Notting Hill is op het moment de populairste en hipste zaak in West-Londen) en vanwege zijn lengte (met zijn een meter drieënnegentig trekt hij altijd de aandacht), dus ik begrijp waarom Emma niet met hem over het strand wil paraderen, zelfs niet op het stuk waar Linda niet is.

Het verbaast me niks dat Emma iets heeft met een man als Jake. Zijn roem, nog afgezien van zijn uiterlijk, is heel aantrekkelijk voor een vrouw als zij, een vrouw die graag gezien wil worden in het gezelschap van de juiste mensen. Wat me wel verbaast, is dat het echt een goede combinatie schijnt te zijn; dat Emma het rustig aan heeft gedaan, iets wat ze nog nooit eerder heeft gedaan; dat ze bij hem is gaan wonen in zijn vrijgezellenappartement in Marylebone en het heeft veranderd in een echt thuis; dat ze nu net zo graag thuisblijft om tv te kijken als dat ze naar een feest gaat.

Richard is de enige die niet veel lijkt te zijn veranderd. Nog altijd Linda's baby, nog altijd op zoek naar het volgende onbezonnen avontuur, nog even onverantwoordelijk als vroeger. Ik vraag me vaak af of hij ooit volwassen zal worden, of Linda hem niet wat te veel heeft bemoederd, of dat zijn onvermogen zich te settelen ervoor zal zorgen dat hij nooit geluk zal vinden.

Maar als je met Richard praat, zegt hij dat hij gelukkig is en vertelt hij je over zijn nieuwe idee voor een serie video's met Jake – die arme Jake wordt ook helemaal deze maffe familie in gezogen – en dat het een fantastisch idee is, dat hij al aanbiedingen heeft gehad van een aantal producenten, dat dit hem rijk zal maken.

Misschien vraagt hij je dan om geld, als hij je tenminste als een potentiële investeerder ziet, maar ik zeg nog altijd hetzelfde over hem als al die jaren geleden toen ik hem voor het eerst ontmoette. Hij is lief, maar wees heel, heel voorzichtig. Als je single bent, hem een lekker ding vindt en zijn stoere praatjes leuk vindt, dan raad ik je aan je snel uit de voeten te maken voor je hart wordt gebroken, net als dat van alle anderen.

Maar toch. Emma is gelukkig en Dan is gelukkig, zoals ik altijd zeg: twee van de drie is niet slecht, en als je Linda en Michael ook meetelt, weegt dat zonder meer op tegen Richard.

Waarschijnlijk vraag je je nu af hoe het met Lisa gaat. Natuurlijk zijn we geen beste vriendinnen meer. De verhouding met Michael was een te grote klap voor ons en sindsdien is het nooit meer echt hetzelfde geworden.

Ik heb haar vergeven. Zonder enig voorbehoud, maar ons leven ging door. Volgens mij was het heel moeilijk voor haar toen Dan bij me terugkwam en na Millies geboorte, toen ons gezin nog hechter werd, stond Lisa's leventje – dat nog altijd bestaat uit veel uitgaan en feesten en omgaan met rijke mensen en beroemdheden – wel heel ver af van het mijne.

We gaan nog steeds met elkaar om. Af en toe gaan we samen lunchen en we zien elkaar in de speeltuin, maar het is niet meer zoals vroeger: alleen doen we alsof dat wel zo is.

Daarentegen is Trish nog altijd dezelfde goede vriendin als eerst. Misschien wel een betere, en ze is zonder meer mijn beste vriendin, zelfs de beste die ik ooit heb gehad.

Volgens mij zijn we allemaal heel erg veranderd.

De laatste keer dat ik Lisa zag, zei ze dat ze iemand had ontmoet. Vroeger had ik alle details willen horen. Wie hij was, waar ze elkaar hadden ontmoet, hoe hun relatie was. Maar nu voel ik me niet meer goed genoeg met haar bevriend om die dingen te vragen, en het ontbreekt me ook aan belangstelling ervoor.

Ik ben blij dat ze gelukkig is. Ik wens haar het allerbeste en ik geloof dat dat voldoende is.

Charlie Dutton is nu heel erg beroemd. Hij is met een van zijn hoofdrolspeelsters getrouwd, een Engels meisje dat er als een van de weinigen in is geslaagd het te maken in Hollywood, waar ze zich kan meten met sterren als Catherine Zeta Jones en Minnie Driver, hoewel ik durf te wedden dat ze 's ochtends vroeg als ze nog geen make-up op heeft lang niet zo knap is.

Sterker nog: drie weken geleden sloeg ik de *Daily Mail* open en daar stond een enorme kleurenfoto in van Charlie en zijn vrouw die vrolijk in de golven dartelden voor... je raadt het al: het Sandy Lane.

'Waarom vraag je niet of Jake ook hier komt? Dan bestellen we iets te drinken,' zeg ik, en ik strek mijn benen uit om mijn felrode teennagels te bewonderen, die ik speciaal voor de vakantie heb laten lakken. 'Volgens mij is een piña colada precies wat we nodig hebben om wakker te worden.'

'Schaam je,' zegt Emma, terwijl ze de telefoon pakt om Jake op zijn kamer te bellen. 'Een beetje aan de zuip gaan terwijl je kind ligt te slapen.' Maar ze grijnst.

'O, hou je mond!' Ik begin te lachen. 'Ik ben met vakantie, en wat belangrijker is: je vader betaalt!'

'Daar zeg je wat,' zegt ze, vlak voor Jake de telefoon opneemt. 'Maak er maar een dubbele van.'

Om halfacht, als het busje ons komt ophalen om ons naar het restaurant te brengen, zijn we allemaal heel giechelig. Niet zozeer door de alcohol – hoewel de piña colada's heerlijk waren – als wel omdat we ons net geheim agenten voelen als we door het hotel sluipen en voor elke hoek blijven stilstaan om te kijken of de kust veilig is, of Linda er niet staat.

Jake zei dat hij op weg naar onze kamer langs de bibliotheek liep en door de openslaande deuren naar binnen keek en daar Linda achter de computer zag zitten om te kijken of ze e-mail had. Michael stond naar buiten te kijken en kennelijk trok hij wit weg toen hij Jake zag, maar die slaagde erin weg te sluipen zonder dat Linda hem zag.

'Goedenavond, mevrouw Cooper,' zegt de portier. 'Nog een prettige avond.'

'Wauw,' fluister ik tegen Dan. 'Hoe weet hij mijn naam nog?'

'Daar worden ze voor betaald. Maar het is behoorlijk indrukwekkend, vind je niet?'

'Echt wel.' Jake maakt zich klein en wringt zich op de bank achter ons. 'Hij wist mijn naam ook nog.'

'Ja, maar jij bent ook beroemd,' zegt Richard als hij instapt. 'Dat is dus niet zo verwonderlijk.'

'Ik ben niet beroemd op Barbados,' werpt Jake tegen. 'Hij kent me heus niet.'

'Je weet toch wel dat er in de *Daily Mail* van volgende week foto's staan van jou en Jake die in de golven dartelen?' zeg ik tegen Emma.

'Natuurlijk.' Ze grijnst. 'Waarom denk je dat ik de afgelopen maand vaker naar de sportschool ben gegaan? Om nog maar te zwijgen over mijn twee nieuwe, toffe Missoni-bikini's.'

'Ik moet toegeven dat die behoorlijk sexy zijn,' zegt Jake met een glimlach.

'O, gadver,' zeggen Dan en Richard in koor. 'Je hebt het over mijn zus!' We beginnen allemaal te lachen als het busje ons naar het restaurant brengt.

Ik weet niet hoe Michael erin is geslaagd de beste tafel in het restaurant te reserveren, maar het is een plekje om van te watertanden. We zitten op de veranda en kijken uit over de blauwgroene zee, en het weer, de omgeving, de hele ambiance had niet perfecter kunnen zijn.

Welke invloed hij ook heeft uitgeoefend, hoeveel geld deze avond, deze hele reis, hem ook heeft gekost, het is het geld meer dan waard, want ik ben nog nooit van mijn leven op een plek geweest die zo paradijselijk is.

Aan tafel wacht er champagne op ons en we proosten met elkaar en drinken de champagne terwijl we naar de klok kijken. Precies om tien voor acht, zoals Michael in zijn instructies heeft geschreven, komen Linda en hij het restaurant in.

Michael heeft zijn arm om haar middel geslagen en duwt haar zachtjes langs de tafeltjes, en Linda kijkt naar buiten en hapt naar adem bij de aanblik van het wonderschone uitzicht. Ze heeft geen flauw idee dat wij hier zijn.

We grijnzen allemaal en ik ben zo opgewonden over deze verras sing, ik wil haar gezicht zo graag zien, dat ik bijna zit te kronkelen op mijn stoel. Ik kijk de tafel rond en zie dat we allemaal hetzelfde voelen. Op ieders gezicht ligt een brede grijns en de meesten hebben tranen in de ogen.

Michael blijft staan bij onze tafel en Linda kijkt hem verward aan, omdat ze dacht dat hij naar het tafeltje voor twee achter ons liep. Als ze ziet dat haar hele gezin hier is, slaat ze haar handen voor haar gezicht en barst ze in tranen uit.

Emma en ik beginnen ook te huilen.

Vervolgens staan we allemaal op en wordt er druk geknuffeld en veel gehuild en gelachen, en Linda kijkt ons allemaal aan en zegt dat ze van ons houdt en dat dit de gelukkigste dag van haar leven is.

Als we weer gaan zitten, knijpt Dan zacht in mijn hand en hij trekt me dicht tegen zich aan en drukt een zoen op mijn kruin, terwijl we Linda vertellen hoe lastig het was om dit geheim te houden. Ze begint te lachen als we vertellen hoe we de hele middag stiekem hebben rondgeslopen en ik zie dat ze haast barst van geluk als ze beseft dat haar kleinkinderen er ook zijn, diep in slaap in het hotel.

'Hier draait alles om,' zegt Linda eenvoudigweg. Ze heft haar glas en glimlacht door haar tranen heen terwijl ze met iedereen toast. 'Familie.' En we heffen allemaal ons glas om haar te feliciteren met haar verjaardag en een grote, koele slok te nemen.

'Op familie,' toasten we opnieuw, en als we ons glas heffen, glimlach ik omdat ik weet dat ik ben thuisgekomen.

Tenslotte is dit waar ik mijn hele leven al op heb gewacht.